KATHY REICHS

Née à Chicago, Kathy Reichs est anthropologue judiciaire à Montréal et à Charlotte, en Caroline du Nord. Elle fait partie des cinquante anthropologues judiciaires certifiés par l'American Board of Forensic Anthropology et collabore fréquemment avec le FBI et le Pentagone. Elle s'impose en France dès son premier roman, *Déjà dead* (1998, récompensé par le prix Ellis), dans lequel apparaît pour la première fois son héroïne Temperance Brennan, également anthropologue judiciaire. Depuis, elle a notamment publié aux éditions Robert Laffont *À tombeau ouvert* (2006), *Entre deux os* (2007), *Terreur à Tracadie* (2008) et *Les os du diable* (2009). Ont paru également *Viral*, chez Oh ! Éditions en 2010, et son dernier roman, *L'os manquant*, aux éditions Robert Laffont en 2010.
Kathy Reichs participe aussi à l'écriture du scénario de *Bones*, adaptation des aventures de Temperance Brennan pour la télévision.

LA TRACE DE L'ARAIGNÉE

DU MÊME AUTEUR
CHEZ POCKET

DÉJÀ DEAD
PASSAGE MORTEL
MORTELLES DÉCISIONS
VOYAGE FATAL
SECRETS D'OUTRE-TOMBE
OS TROUBLES
MEURTRES À LA CARTE
À TOMBEAU OUVERT
ENTRE DEUX OS
TERREUR À TRACADIE
LES OS DU DIABLE
L'OS MANQUANT

KATHY REICHS

LA TRACE DE L'ARAIGNÉE

Traduit de l'américain par Viviane Mikhalkov

ROBERT LAFFONT

Titre original :
SPIDER BONES

Publié avec l'accord de Scribner/Simon & Schuster, New York.

ISBN 978-2-266-24139-7

Pour Henry Charles Reichs, né le 20 décembre 2009

Jusqu'à ce qu'ils soient rentrés au pays

Devise du JPAC,
Groupe unifié de recherches intensives
sur les soldats prisonniers de guerre
ou morts au combat

Chapitre 1

Un parfum de pommiers en fleur et d'écorce chauffée par le soleil. Des millions de bébés feuilles dansant dans la brise au-dessus de nos têtes.

Au-delà de ce verger, des champs. Une terre riche et noire fraîchement retournée. À l'horizon, les Adirondacks, d'un vert bronze éclatant sous ce soleil magnifique.

Une journée en diamant.

Cette expression, qui me venait aux lèvres involontairement, je l'avais entendue la veille dans un film de guerre vu à la télé, sur la chaîne des films classiques. Un film de Van Johnson ? Peu importe. Elle décrivait parfaitement l'atmosphère de cet après-midi du début du mois de mai.

En digne fille de Caroline du Nord, je n'ai aucun penchant pour les régions polaires. La vie, pour moi, est synonyme de jonquilles en février, azalées en fleur et Pâques à la plage. Pourtant, j'ai beau travailler au Québec depuis des années, l'arrivée du printemps au terme d'un long hiver sombre et pénible surprend chaque fois par sa beauté.

Bref, le monde scintillait aujourd'hui comme un diamant de neuf carats.

Un bourdonnement lancinant m'a obligée à reporter les yeux sur le cadavre étendu à mes pieds. Il avait accosté sur la berge aux alentours de midi, à en croire André Bandau, l'agent de la SQ qui faisait de son mieux pour s'en tenir le plus éloigné possible.

La nouvelle se propageait à vitesse grand V. Trois heures s'étaient à peine écoulées que, déjà, les mouches arrivées à tire-d'aile se démenaient tant et plus dans une frénésie de boustifaille ou de copulation. Laquelle de ces occupations prenait le pas sur l'autre ? Je n'aurais pas su le dire avec précision.

Sur ma droite, un photographe mitraillait la scène. Sur ma gauche, un autre technicien délimitait ce secteur de plage à l'aide d'une bande jaune. Leurs deux vestes indiquaient : *Service de l'identité judiciaire, Division des scènes de crime**. Pendant québécois de notre CSI américain.

Dans une voiture de patrouille garée derrière moi, Ryan discutait avec un type coiffé d'une casquette de camionneur. Andrew Ryan, lieutenant-détective à la Sûreté du Québec, Section des crimes contre la personne. Titre ronflant, mais qui est tout sauf chic.

Dans la Belle Province, les crimes commis dans les grandes villes relèvent de la police municipale ; ailleurs (comprendre : dans la cambrousse), c'est la police provinciale qui s'en charge. Ryan dépend de cette dernière. Il y travaille comme enquêteur.

Le corps en question avait été repéré dans un étang du côté d'Hemmingford. Situé à une soixantaine de kilomètres au sud de Montréal, Hemmingford = cambrousse = SQ. Pigé ?

Mais pourquoi Ryan avait-il été dépêché ici alors qu'il appartient à l'unité des homicides de la région de Montréal ?

Parce que la brigade locale de la SQ avait requis spécifiquement ses services en découvrant que le défunt était emmailloté dans du plastique et portait une grosse pierre en guise de nageoire. Sale affaire en perspective.

Elle avait fait appel à moi aussi, Temperance Brennan, anthropologue judiciaire au Laboratoire de

* Les mots en italique suivis d'un astérisque sont en français dans le texte. (N.d.T.)

sciences judiciaires et de médecine légale de Montréal. En effet, c'est moi qui m'occupe, pour toute la province, des corps décomposés, momifiés, mutilés, démembrés ou retrouvés à l'état de squelette. J'apporte ma contribution aux services du coroner dans leur tâche d'identification du cadavre : je participe à établir la cause de la mort et à déterminer le temps écoulé depuis le décès.

Les corps ayant séjourné dans l'eau étant connus pour ne pas être très ragoûtants, Ryan m'avait enrôlée dès qu'il avait appris qu'il s'agissait d'un noyé.

À travers le pare-brise, je pouvais voir son interlocuteur gesticuler : un type dans les cinquante ans, grisonnant, pas rasé depuis plusieurs jours et avec des traits bouffis suggérant un penchant certain pour la boisson. Une casquette qui proclamait en noir et rouge *I love Canada*, dont le cœur symbolisant l'amour était remplacé par une feuille d'érable.

Ryan hochait la tête. Griffonnait dans ce que je savais être son petit carnet.

Retour au cadavre et à mon carnet à moi, pour noter mes observations.

Corps étendu sur le dos, emballé dans du film plastique transparent, fermé par un ruban adhésif à hauteur du menton et du mollet gauche. Autrement dit : un paquet d'où n'émergeait que le bas de la jambe gauche.

Au pied, une lourde botte de motocycliste et, au-dessus, une bande de peau d'environ cinq centimètres couleur farine d'avoine.

Enroulée autour de la botte et recouvrant les lacets jusqu'à mi-hauteur, une corde jaune en polypropylène au bout de laquelle une pierre était attachée par toute une série de nœuds.

La victime avait la tête enveloppée séparément dans un sachet en plastique, genre sac à provisions, d'où sortait, sur le côté, un tube noir, lui aussi maintenu en place par un ruban adhésif. L'ensemble était solidement fixé au corps par une dernière bande de ruban adhésif placée autour du cou et du point de sortie du tube.

What the flip ?

Je me suis accroupie. Le bourdonnement est passé du ton pleurnichard au mode affolé. Dans l'instant, j'ai eu le visage et les cheveux bombardés par un tir ininterrompu de missiles vert brillant.

De plus près, une odeur de putréfaction indéniable. Et anormale, compte tenu de l'empaquetage.

Tout en agitant la main devant moi pour chasser les diptères, je me suis placée de façon à avoir une meilleure vue de l'arrière du corps.

Sur la jambe droite, grosso modo à hauteur de la cuisse, une masse sombre agitée de palpitations : un essaim de mouches. Je les ai chassées de la main. Main bien évidemment protégée par un gant.

Et là, l'irritation m'a prise : l'enveloppe en plastique était déchirée. Déchirée récemment. On pouvait voir les mouches jouer des coudes pour atteindre le poignet et, de là, remonter plus haut, hors de ma vue.

Enfant de chienne.

Bon. Inutile de m'énerver. Mieux valait m'intéresser à la tête.

Sur le haut et l'arrière du crâne, des algues s'étaient infiltrées dans tous les creux et plis du sac. Il y en avait plus encore sur les côtés de ce drôle de petit tube.

Sous le linceul translucide, les traits du visage ressortaient en plus foncé. Un menton. Le rond d'une orbite. Un nez replié sur un côté.

Vu les boursouflures et la décoloration, il ne serait pas possible d'identifier le noyé sur la seule base de son aspect physique.

Je me suis relevée et j'ai regardé l'étang.

Amarrée au rivage, une petite embarcation en aluminium avec un moteur hors bord de trois chevaux. Au fond, une glacière, une boîte d'attirail de pêcheur et une canne à pêche.

Près de l'embarcation, un canot rouge échoué sur le flanc droit. Son nom en lettres blanches apparaissait sous le plat-bord gauche.

Partant du banc de nage au milieu du canot, un long filin en polypropylène remontait sur la berge jusqu'à une pierre. Attaché à celle-ci à l'aide de nœuds identiques à ceux retenant la pierre à la cheville de la victime.

À l'intérieur du canot, une rame le long de la coque, côté tribord. À la poupe, coincés sous le siège, un tas de toile et un rouleau de ruban adhésif.

Un moteur a joint son bourdonnement au concert des mouches, des bruits autour de moi et des déclics des appareils photo. Je n'y ai pas prêté attention.

À cinq mètres de l'eau, un cyclomoteur rouge et rouillé appuyé contre un arbre en fleur. De là où j'étais, numéro d'immatriculation illisible. Du moins, pour moi.

Un rétroviseur de chaque côté. Un démarreur à pied. Une caisse surélevée derrière le siège. Ce vieux scooter m'a rappelé celui que j'avais en première année d'université. Je l'aimais bien, celui-là.

J'ai parcouru le terrain entre l'embarcation et le scooter. Des doubles traces de pneus parallèles correspondant à celles du pick-up garé au bord de la route, et une autre trace, unique : celle de ce scooter. Aucune empreinte de pieds ou de bottes. Pas de mégots de cigarette, de canettes, de préservatifs ou de papiers de bonbons. Bref, pas un déchet.

J'ai poursuivi mon inspection des lieux le long de la berge. Les bruits de moteur augmentaient.

Un étang peu profond, une eau tranquille, sans vagues ni vaguelettes ; un rivage boueux. Des pommiers à moins de trois mètres de l'eau. À dix mètres, le chemin de terre qui rejoignait la route 219.

Crissements de pneus. Moteur qu'on coupe. Claquements de portières. Des voix d'hommes s'exprimant en français.

Mon examen des alentours ne m'ayant rien appris de nouveau, je suis partie vers les voitures. À présent, une petite conversation avec l'agent Bandau s'imposait. À tout croire, un personnage fort industrieux.

Une camionnette noire venait de se garer derrière la jeep de Ryan, le pick-up du pêcheur, le véhicule de patrouille de Bandau et le camion bleu de l'identité judiciaire. Sur ses flancs on pouvait lire : *Bureau du coroner**, en lettres jaunes.

Au volant, Gilles Pomerleau, un technicien d'autopsie que je connaissais. Un passager : mon nouvel assistant, Roch Lauzon.

Échange de bonjours de rigueur, et je les ai assurés que ce ne serait pas long. Ils sont allés jeter un coup d'œil au cadavre. Ryan est resté dans le véhicule de police avec le malheureux pêcheur.

Eh bien, j'allais y aller d'un petit entretien avec Bandau. Un gars dégingandé de vingt et quelques années, cet agent de police. Avec une moustache blonde comme les blés et une peau qui devait détester le soleil. Sous sa casquette d'uniforme, on devinait une calvitie galopante qui devait d'ores et déjà le plonger dans l'angoisse. Les yeux fixés sur le cadavre dans mon dos, il m'a demandé en français :

— Pour quoi faire, cet emmaillotage en plastique ?

— Ça, mystère !

— C'est un homme ou une femme ?

— Oui.

Sa tête a pivoté d'un coup. Dans ses lunettes en verre miroir, j'ai surpris mon reflet : je faisais plutôt la gueule.

— Si je comprends bien, c'est vous qui êtes arrivé le premier sur les lieux.

Hochement de tête, regard indéchiffrable derrière les lunettes.

— Comment ça ?

Mouvement du menton en direction de sa voiture, puis :

— C'est le type, là-bas, qui a découvert la victime. Un gars du coin du nom de Gripper. Apparemment, il a repéré le canot pendant qu'il pêchait. Il s'en est rapproché au moteur. Juste pour voir. Et là, son hélice s'est prise dans quelque chose. Il est resté coincé un moment et a vu qu'il s'agissait d'un cadavre. Il a appelé le 911 de son cellulaire. En attendant les secours, il a ramené le corps à terre et il est reparti chercher le canot.

— Un type soigneux.

— J'imagine qu'on peut dire ça.

— On peut le croire ?

Bandau a haussé les épaules. Qui sait ?

— C'est quoi, son CV ?

— Il est marié et habite avenue Margaret. Travaille au parc comme préposé à l'entretien.

Hemmingford se trouve dans la Montérégie, région mitoyenne des États-Unis, célèbre pour ses pommes, son sirop d'érable et son Parc Safari. Un lieu qui se veut à la fois parc d'attractions et plongeon au cœur de la nature.

À mon arrivée au Québec, ce parc faisait justement la une des journaux à cause d'un groupe de singes rhésus qui s'en étaient échappés. Je me représentais la horde franchissant la frontière de nuit en rampant sur le ventre, prête à tout pour obtenir une carte verte et une vie meilleure. Aujourd'hui, ces images vieilles de vingt ans m'amusent toujours.

— Quoi d'autre ?

— J'ai reçu l'appel vers midi. Je me suis rendu sur les lieux et j'ai sécurisé le secteur.

— Et vous avez relevé les empreintes digitales du défunt. (Lâché sur un ton plutôt frais.)

Comprenant que je désapprouvais son initiative, Bandau a ancré les pieds au sol et enfoncé les pouces dans son ceinturon.

— Je me suis dit que ça accélérerait l'identification.

— Vous avez découpé le plastique !

— Je portais des gants. (Ton défensif.) J'ai un appareil photo dernier cri. Je pouvais faire des gros plans et les transmettre par voie électronique.

— Vous avez contaminé les lieux.

— Quels lieux ? Ce type pendouillait à la verticale dans un étang.

— Les mouches se cotiseront pour vous payer une bière. Surtout les femelles. À l'heure qu'il est, elles ovulent avec allégresse.

— C'était juste pour aider.

— Vous avez enfreint le protocole.

Il a pincé les lèvres.

— Qu'est-ce que vos photos ont donné ?

— Bonne reproduction des empreintes pour les cinq doigts. Quelqu'un au poste a expédié le dossier au CIPC. De là, il a été transmis au NCIC et à la base de données de l'État de New York.

Le CIPC est le Centre d'information de la police canadienne, doté d'un index automatisé regroupant les renseignements judiciaires. C'est l'équivalent du NCIC américain qui, lui, relève du FBI.

— Pourquoi avoir transmis ces empreintes aux voisins ?

— Vu la proximité de la frontière, on a pas mal d'Américains dans le coin. Et le scooter porte une plaque new-yorkaise.

Pas mal, Bandau.

Une portière a claqué. Nous nous sommes retournés tous les deux : Ryan se dirigeait vers nous.

Gripper, momentanément libéré, était appuyé sur son pick-up, l'air mal à l'aise.

Ryan a adressé un petit salut de la tête à Bandau avant de me lancer :

— Ton avis ?

— Le gars est mort.

— Un gars ?

— Sur la base de sa taille, exclusivement.

— Depuis combien de temps ?

— Difficile à dire. Compte tenu de la chaleur qu'il a fait cette semaine et de la façon dont l'enveloppe s'est rétractée, je dirais un jour ou deux. Pour l'heure, la décomposition n'est pas très avancée, mais ça va changer, maintenant que les insectes ont porte ouverte. (Regard lourd de sens à Bandau.)

Et d'expliquer à Ryan la bourde de l'agent.

— Vous êtes stagiaire, ou quoi ?

Bandau a viré framboise.

— C'est pas des façons de faire, fiston ! (Retour à moi :) Vingt-quatre à quarante-huit heures… ça correspond aux dires du témoin. Il vient pêcher ici pendant ses jours de congé, en général le mardi et le jeudi. Et il jure qu'avant-hier il n'y avait pas de canot. Et pas de cadavre non plus.

— La répartition des algues à l'intérieur du sachet autour de la tête me donne à penser que le corps a flotté, la tête au ras de l'eau ou juste en dessous.

Ryan a fait un signe d'assentiment.

— Selon Gripper, le corps se tenait droit dans l'eau, le pied attaché à un rocher au fond. À l'en croire, l'étang n'est pas très profond à cet endroit-là, un peu plus de deux mètres.

— Où était le canot ?

— Tout près de la victime. Gripper dit que c'est en s'en rapprochant que l'hélice de son hors-bord s'est prise dans la corde. (À Bandau :) Allez voir si on a des résultats pour ces empreintes.

— Oui, monsieur.

Il a filé vers sa voiture.

— Un amateur de films policiers, probablement, a dit Ryan.

— Pas des bons !

Il a jeté un bref coup d'œil au corps.

— Qu'est-ce que tu en penses ?

— Plutôt curieux.

— Suicide ? Accident ? Meurtre ?

J'ai écarté les bras en signe d'ignorance.

Ryan a souri.

— C'est pour ça que j'aime bien t'emmener avec moi.

— Le noyé gardait probablement son canot au bord de l'étang, et il y venait en scooter.

— D'où ça ?

— Tu m'en demandes trop.

— Ouais. Je me demande bien ce que je ferais sans toi !

Une grive des bois a lancé un trille. D'autres ont répondu. Comparée aux phrases sinistres que nous échangions, la conversation dans les airs était assez joyeuse.

J'essayais d'apercevoir les oiseaux dans les branches quand des pas pressés les ont fait s'envoler.

— On a son nom !

Bandau avait maintenant ses lunettes accrochées par une branche à la poche de sa chemise.

— Grâce aux États. En plein dans le mille : concordance sur treize points.

Ryan n'aurait pas pu lever les sourcils plus haut que moi.

— John Charles Lowery. Né le 21 mars 1950.

— Pas mal, Bandau. (Dit tout haut, cette fois.)

— Sauf qu'il y a un hic.

Ses rides entre les sourcils se sont creusées encore.

— John Charles Lowery est mort. En 1968.

Chapitre 2

— Comment Lowery a-t-il pu se noyer ces jours-ci, s'il est déjà mort il y a plus de quarante ans ? a demandé Ryan tandis que nous regagnions Montréal par l'autoroute 15.

Le fourgon du coroner avait quitté le site aussi. Pomerleau et Lauzon déposeraient leur noyé à la morgue où il attendrait en chambre froide que je le déballe demain matin.

Cette question me turlupinait aussi depuis un bon moment.

— Peut-être qu'ils se sont gourés, a émis Ryan.

— Alors qu'il y a concordance sur treize points ? ai-je rétorqué sur un ton de scepticisme total.

— Rappelle-toi cet avocat de l'Oregon.

Brandon Mayfield. Sur la foi de ses empreintes digitales, le malheureux s'était retrouvé impliqué dans l'affaire de la bombe du train de Madrid. Erreur du FBI, s'était-il avéré.

— Un hasard. Un cas rarissime… Tu crois qu'il va se faire taper sur les doigts pour avoir relevé les empreintes sur place ?

— L'agent Bandau ? Et comment ! Une réaction de con. Mais je ne crois pas que ça prête à conséquence.

— Il voulait bien faire, c'est tout.

Ryan a secoué la tête, abasourdi par un tel manque de rigueur.

Le silence est retombé. C'est Ryan qui l'a brisé au bout de plusieurs kilomètres.

— Tu rentres chez toi ?

— Ouais.

Quelques minutes plus tard, nous arrivions au pont Champlain et franchissions les eaux froides et sombres du Saint-Laurent.

Sur un côté de la route, les minuscules taches vertes des jardins et des pelouses nous faisaient des clins d'œil entre les gratte-ciel. En ville le flot des voitures s'écoulait à la vitesse de la boue à travers une paille. La jeep bondissait et pilait sur place au rythme de la conduite de Ryan.

Sympathique, tout à fait. Drôle, péremptoire. Et d'une générosité à toute épreuve. Mais pour la patience, vous repasserez. Rouler en voiture avec lui est souvent une dure épreuve.

Cinq heures dix à ma montre.

En temps normal, il m'aurait déjà demandé mes projets pour la soirée. Aurait immédiatement proposé qu'on aille au resto. Pas ce soir.

Qu'est-ce qu'il avait de prévu ? Un dîner avec sa fille ? Des bières avec des copains ? Un rendez-vous galant ?

Est-ce que ça m'embêtait ?

J'ai descendu ma vitre. Une odeur d'huile et d'eau croupie s'est engouffrée dans la jeep. De ciment surchauffé. De gaz d'échappement.

Ouais. Ça m'embêtait.

Lui poser la question ?

Plutôt crever ! Depuis notre séparation, nos relations ont pris un tour nouveau, basées sur un équilibre bimodal : sur le plan professionnel, rien de changé ; sur le plan personnel : ne rien demander et ne rien dire.

Décision émanant de moi, mais quand même. Que Ryan ait pu me virer pour une ex continuait à me faire mal, même si aujourd'hui Lutetia était une fois de plus de l'histoire ancienne.

Chat échaudé craint l'eau froide.

Et il y avait Charlie Hunt.

Vision éclair dudit Charlie sur le toit-terrasse de sa maison, dans les beaux quartiers de Charlotte. Sa peau cannelle. Ses yeux verts. Sa taille immense : aussi grand que son père, ancien joueur de la NBA.

Pas mal.

Coup d'œil en coin à Ryan.

Lui, des cheveux blonds et des yeux turquoise. Un corps long et mince hérité de son père, originaire de Nouvelle-Écosse.

Pas mal non plus.

Tout compte fait, ma vie pouvait se résumer ainsi : mariage de plusieurs dizaines d'années avec Pete, ajustement difficile après la séparation, relation longue et fidèle avec Ryan. Tout ça pour me retrouver éjectée d'un coup de pied au bas des reins complètement immérité.

À deux exceptions près, une vie d'encroûtée !

Depuis l'été d'avant, rien avec Ryan. Et avec Charlie Hunt, je n'avais pas encore sauté le pas.

Bref, un hiver long et froid sur les deux plans, professionnel et personnel.

La sonnerie du cellulaire de Ryan a interrompu mes rêveries.

Une série de oui, suivie de deux ou trois questions. De la dernière j'ai déduit que l'appel concernait John Lowery.

— Bandau a interrogé nos collègues du Sud, a dit Ryan après avoir coupé la communication. Apparemment notre gars serait mort au champ d'honneur au Vietnam.

— Tu as choisi *Sesame Street* comme sonnerie ? !

« Maintenant que les nuages se sont enfuis… », a chantonné Ryan.

— Ne me dis pas que tu as aussi des draps avec Big Bird dessiné dessus ?

— *Bien sûr, madame**. Tu veux t'en assurer en personne ? (Accompagné d'un clin d'œil appuyé.)

— Le Vietnam, tu disais ?

— Tu connais un organisme qui s'appelle le JPAC ?

— Oui. Le Groupe unifié de recherches intensives sur les soldats prisonniers de guerre ou morts au combat. J'ai souvent travaillé pour eux. Jusqu'en 2003, ça s'appelait le CILHI.

— Alléluia. L'alphabet, comme dans les potages pour amuser les enfants !

— *A B C D E F G*, me suis-je mise à chanter.

— Tu n'es pas obligée d'aller jusqu'au bout.

— Laboratoire central d'identification d'Hawaï. Le JPAC est issu de la fusion du CILHI et du Groupe unifié. La partie du labo passée sous le contrôle du JPAC porte désormais le nom de CIL. C'est le plus grand labo d'anthropologie judiciaire au monde.

— Lowery n'a pas été rapatrié par le JPAC. Mais c'est là que son cas a quand même fini par atterrir. Et toi, d'où tu connais ce labo ?

— J'y ai travaillé comme consultante pendant des années. Avant d'être intégrées dans les données du JPAC, toutes les identifications doivent être révisées des millions de fois et recevoir l'approbation de spécialistes. De spécialistes qui ne sont pas nécessairement des employés de ce labo, mais des civils indépendants.

— Ah oui. Tes hivers à Hawaï, j'avais oublié.

— Je devais y aller deux fois par an pour réviser les conclusions du labo.

— Et faire du surf, ma princesse en noix de coco ?

— Je ne fais pas de surf.

— Et si j'arrive jusque chez toi, debout sur ma belle planche, est-ce que…

— Je n'avais pour ainsi dire jamais le temps d'aller à la plage.

— Mouais.

— Quand est-ce que Lowery a été identifié ?

— Bandau ne me l'a pas dit.

— Si ça remonte aux années 1960, les procédures étaient très différentes de ce qu'elles sont aujourd'hui.

Ryan a quitté la rue Sainte-Catherine et a roulé encore une moitié de pâté de maisons pour s'arrêter devant une bâtisse en pierres grises percée de grandes baies vitrées. Avantage architectural dont je ne tire personnellement aucun avantage, car mon appartement donne sur l'arrière.

— Tu t'occuperas de l'homme en plastique dès demain matin ?

— Ouais. Et comme il est cinq heures de moins à Hawaï, j'appellerai le CIL dès ce soir, pour voir si je peux dégotter quelque chose sur ce Lowery.

J'ai marché vers la porte en sentant les yeux de Ryan vrillés dans mon dos.

En règle générale, je suis assez gâtée au printemps, côté professionnel. Au Québec, c'est le dégel, la fonte des neiges. Rivières et lacs révèlent leurs secrets. Les cadavres réapparaissent. Les gens délaissent leurs canapés pour s'abreuver de grand air. Les uns tombent sur des cadavres, les autres vivent leur vie.

En mai, comme je reste en général assez longtemps au Québec, j'emmène mon chat Birdie avec moi. Je le fourre dans un sac et, dans l'avion, je le place sous mon siège. En dehors du temps de vol, ma petite boule de fourrure se révèle un excellent compagnon.

Ce soir-là, il m'attendait derrière la porte. Je me suis accroupie pour le caresser.

— Salut, mon oiseau.

Le chat a reniflé mon jean, le cou tendu en avant, le menton levé en l'air, narines frémissantes.

— Tu as passé une bonne journée ?

Birdie est allé s'asseoir plus loin, ses pattes de devant bien rangées l'une à côté de l'autre.

— Tu n'aimes pas mon *Eau de Décomp*, de chez Noyés et Cie ?

Je me suis relevée et j'ai posé mon sac sur le buffet. Birdie a soulevé une patte et entrepris de faire sa toilette.

Mon appartement est petit. À l'avant, il y a un salon-salle à manger en L, avec cuisine attenante ; à l'arrière, deux chambres et deux salles de bains. Il est situé au rez-de-chaussée, dans l'aile d'un immeuble de quatre étages en forme de U. Les portes-fenêtres de la partie salon donnent sur un minuscule jardinet clôturé ; celles de la partie salle à manger, qui leur font vis-à-vis, ouvrent sur la cour centrale.

Autrement dit : de la verdure des deux côtés. C'est ce qui m'a plu dès le départ. Dix ans plus tard, j'y suis toujours.

Déco dans les tons terre de Sienne. Meubles d'occasion dénichés dans des brocantes. Moulures en bois naturel et cheminée en pierre. Affiche de Jean Dubuffet et vase rempli de coquillages, histoire de me rappeler les rivages de ma Caroline du Nord.

Birdie m'a suivie à la cuisine. Manifestement, l'agression perpétrée à l'encontre de son odorat ne lui avait pas coupé l'appétit.

Le répondeur se prenait pour un clignotant de voiture détraqué.

Ma sœur, Harry, de Houston : pour se plaindre du type avec qui elle sortait en ce moment.

Ma fille, Katy, de Charlotte : pour se plaindre de son travail, de sa vie mondaine et de l'univers tout entier.

The Gazette : pour me vendre un abonnement.

Harry.

Mon voisin Sparky : pour se plaindre de Birdie. Une fois de plus.

Harry.

Charlie Hunt : « Je pense à toi. »

Harry.

Les messages effacés, je suis allée prendre une douche.

Pour le dîner, des linguinis sautés à l'huile d'olive, accompagnés d'épinards, de champignons et de feta. Birdie a léché le fromage des pâtes et terminé les croquettes marron dans son bol.

La vaisselle rangée, j'ai appelé le CIL.

À sept mille cinq cents kilomètres de là, loin au-delà de la toundra et des flots, on a décroché à la première sonnerie. J'ai demandé à parler à Roger Merkel, directeur scientifique du labo.

Absent. À Washington, D.C.

— Le Dr Tandler, alors ?

— Un instant, s'il vous plaît.

Daniel Tandler est sous-directeur au Laboratoire central d'identification et du même âge que moi. Nous avons gravi les échelons de la médecine légale de concert, mais en travaillant dans des établissements différents. Nous nous sommes rencontrés au début de nos études grâce à l'association des étudiants de l'Académie américaine des sciences légales. À une époque, dans l'aube brumeuse de la création, nous avons même partagé brièvement des plaisirs charnels. Époque de franche rigolade, mais pas au bon moment. Car Pete Petersons est entré en scène et je l'ai épousé. J'ai poursuivi mes études à l'université Northwestern, et j'ai intégré le corps enseignant. D'abord à l'université Northern Illinois, ensuite à l'université de Caroline du Nord, section Charlotte. Pour Danny, université du Tennessee tout du long, depuis la première année jusqu'au doctorat ; ensuite départ pour Hawaï.

Est-ce que c'est lui qui m'a laissé tomber ? Peut-être. Dommage, car maintenant il est marié et hors jeu.

Mais Danny et moi avons gardé le contact au fil des ans et nous sommes épaulés en diverses occasions : au moment de soutenir nos thèses, d'obtenir nos certifications, de passer des entretiens d'embauche et de bénéficier d'une promotion. Quand le CIL recherchait un consultant extérieur, Danny a proposé mon nom. C'était au début des années 1990. J'ai travaillé pendant près de dix ans sous cette casquette.

J'ai eu Tandler en ligne aussi vite qu'auparavant la fille du standard.

— Tempe, me voilà ! Comment va la vie ? (Une voix fleurant bon la musique country et les grands espaces.)

— Ça va.

— Tu appelles pour me dire que tu as réfléchi et réintègres le groupe ?

— Pas encore.
— Tu sais combien il fait chez nous en ce moment ? Vingt-cinq degrés ! (Bruits de papiers remués sans souci de discrétion.) Enfin ! Je viens de remettre la main sur mes lunettes de soleil. Je ne voyais plus rien, aveuglé que j'étais par le scintillement de l'eau !
— Tu croupis au fin fond d'une base militaire.
— Si seulement tu pouvais voir les palmiers caresser mes fenêtres !
— Garde tes belles phrases pour cet hiver. Chez nous aussi, il fait un temps splendide.
— À quoi dois-je cet appel inattendu ?
Je lui ai raconté l'étang, le corps enveloppé dans du film plastique, et les empreintes digitales de la victime, identifiée comme étant John Lowery.
— À quoi rimait cet emballage ?
— Aucune idée.
— Bizarre. Je vais voir si j'arrive à imprimer le dossier de ton Lowery.
Dix longues minutes pour y parvenir.
— Excuse-moi. On a une « arrivée » dans moins d'une heure. Tout le monde est déjà au hangar. Je ne te donnerai donc que les grandes lignes. Les détails viendront plus tard.
— Je comprends.
Une arrivée — je le sais pour y avoir assisté plusieurs fois — est le nom donné à la cérémonie officielle célébrée en l'honneur d'un soldat mort pour le pays, qu'il appartienne à l'armée de terre, à l'aviation, à la marine ou au corps des marines. Sur le chemin tortueux du rapatriement des militaires tombés au champ d'honneur, c'est l'étape numéro un, après la récupération des restes et leur transfert aux États-Unis.
J'ai donc pu visualiser la scène sur le point de se dérouler là-bas. L'avion qui venait d'atterrir. Les soldats, hommes et femmes, au garde-à-vous. Le cercueil recouvert du drapeau. La traversée solennelle de toute la base jusqu'au laboratoire du CIL.

— Le deuxième classe John Charles Lowery était un Blanc de dix-huit ans. A rejoint sa mission le 24 juin 1967.

D'après le ton de sa voix, Danny survolait le texte, ne mentionnant que les passages susceptibles de m'intéresser.

— Tombé dans un écrasement d'hélico près de Long Binh, le 23 janvier 1968. (Pause.) Corps retrouvé quelques jours plus tard, identifié et rendu à la famille pour être enterré.

— Où ça ?

— Tiens donc, près de chez toi ! À Lumberton, en Caroline du Nord.

— Tu rigoles !

Écho d'une voix en arrière-fond. Danny lui a répondu. L'autre a insisté.

— Désolé, Tempe. Faut que j'y aille !

— Vas-y. Je te rappelle demain après avoir examiné notre homme. À ce moment-là, je devrais en savoir plus.

Mais ce n'est pas ainsi que les choses allaient se passer.

Chapitre 3

Le lendemain, lever à sept heures. Temps magnifique ce jour-là encore. Une demi-heure plus tard, au volant de ma Mazda, je me traînais comme un escargot dans le tunnel Ville-Marie, en direction de l'édifice Wilfrid-Derome.

Situé dans le quartier Centre-Sud, près d'Hochelaga-Maisonneuve, à l'est du centre-ville, ce bâtiment de treize étages en forme de T abrite le Laboratoire de sciences judiciaires et de médecine légale aux deux derniers niveaux. Le Bureau du coroner occupe le onzième étage ; la morgue est au sous-sol. Le reste de la surface cultivable est dévolu à la SQ.

Eh oui ! Ryan et moi travaillons exactement à huit étages de distance.

À la réunion du matin, pas de mauvaise surprise pour l'anthropologue que j'étais, quand bien même la journée précédente avait été particulièrement riche en drames. Pour le premier de nos deux pathologistes, un type électrocuté sur son lieu de travail et un autre poignardé ; pour le second, un bébé décédé de mort suspecte et un grand brûlé. Le patron de la section médico-légale du LSJML, Pierre LaManche, s'était réservé, quant à lui, l'adolescent apparemment suicidé.

Il avait déjà pris sous sa responsabilité le cas enregistré sous le numéro LSJML-49744 et identifié sous le nom de John Lowery grâce à ses empreintes digitales.

Néanmoins, il m'a confié le soin de lancer le ballon, comprendre : procéder aux examens préliminaires. On verrait ensuite, selon l'état du corps, si une autopsie ordinaire était suffisante ou si elle nécessitait mon intervention pour le nettoyage des os et l'analyse du squelette.

À neuf heures et demie, j'étais au sous-sol, dans la *salle d'autopsie** n° 4, celle spécialement aménagée à l'intention des cadavres décomposés, des noyés et des autres macchabées particulièrement odorants.

Je travaille très souvent dans cette salle.

À l'instar de ses trois petites sœurs, la 4 ouvre dans le fond sur une longue salle parallèle comprenant plusieurs compartiments réfrigérés accueillant les résidents temporaires. Leur présence est signalée par un petit carton blanc.

J'ai commencé par localiser le casier dans lequel le LSJML-49744 attendait mes bons soins. J'ai vérifié ensuite l'état de la batterie du Nikon. Enfin, j'ai manœuvré la poignée en acier de la porte.

En même temps : grosse bouffée d'air réfrigéré et forte odeur de chair en décomposition.

À présent, débloquer le frein à pied et dégager la civière de son emplacement.

Pomerleau et Lauzon avaient fait l'impasse sur le sac de corps. Ça pouvait se comprendre, compte tenu de l'étrange accoutrement dont était revêtue la victime.

J'étais en train de prendre des plans larges du corps quand m'est parvenu le déclic d'ouverture de la porte de ma salle, suivi d'un claquement de talons sur un sol carrelé.

Quelques secondes plus tard, Lisa Savard faisait son entrée.

Avec ses cheveux blonds comme le miel, son sourire inébranlable et sa devanture à la Dolly Parton, c'est la chérie des flics hétéros de tous les départements d'homicide du Québec. C'est aussi la technicienne d'autopsie que je préfère entre toutes, mais pour une raison différente : sa véritable compétence.

Désireuse d'améliorer son anglais, elle s'adresse toujours à moi dans ma langue maternelle.

— Étrange, non ?

— Certainement.

Elle est restée un moment à étudier Lowery.

— On dirait la poupée Ken dans sa boîte. Je vous fais des radios ?

— Oui, s'il vous plaît.

J'en ai profité pour feuilleter le dossier Lowery. Contenu encore des plus succincts : le rapport de police consignant la découverte du corps ; le formulaire d'admission à la morgue ; le rapport de Bandau sur les renseignements obtenus grâce au fichier américain ; une vieille carte d'empreintes digitales expédiée par fax.

Provenant du NCIC.

Curieux. Si Lowery était mort en 1968, comment se faisait-il qu'il soit toujours inscrit au fichier des personnes disparues ? Était-il normal que ce fichier comporte des empreintes aussi anciennes ?

Sous l'emprise d'une impulsion, j'ai appelé le service des empreintes digitales, à l'Identité judiciaire. Un certain sergent Boniface m'a invitée à monter le voir au premier étage. Ce que j'ai fait, le dossier Lowery sous le bras.

Quarante minutes plus tard, je regagnais ma salle, armée d'une quantité d'informations sur les arceaux pointus, les boucles ulnaires et les spires accidentelles, à en avoir la tête qui tourne. Résultat des courses : à en croire Boniface, les empreintes relevées sur notre noyé correspondaient bel et bien à celles répertoriées dans le fichier américain. Aucun doute là-dessus, même s'il était incroyable qu'un Lowery mort et enterré depuis des lustres soit toujours inscrit dans la base de données active du FBI.

À présent, Lowery était étendu sur la table d'autopsie inamovible située au centre de cette salle n° 4. Des mouches échappées de son linceul en plastique bourdonnaient dans l'air au-dessus de son corps. Juché sur un escabeau, un photographe judiciaire prenait des plans d'ensemble.

LaManche et Lisa, plantés devant l'écran lumineux fixé au mur, examinaient des radios. Je suis allée les rejoindre. Sur les clichés, les différents os du squelette ressortaient en blanc sur le gris clair des chairs. Rien de spécial sur ce squelette ni ce crâne.

Cinquième cliché. De son doigt noueux, LaManche a désigné une tache opaque en travers du calcanéum. Un objet était posé à côté du pied droit de la victime.

— *Un couteau**, a déclaré Lisa.

— *Oui**, a renchéri LaManche.

Exact, en effet.

Première victoire. Une seconde est apparue à l'examen du cliché du thorax, également sous la forme d'un objet tout aussi visible que le premier, et mesurant environ huit centimètres de long sur deux de large.

— *Mais oui**, s'est exclamé LaManche, et son lent hochement de la tête s'est accéléré jusqu'à devenir un véritable acquiescement. *Sacrebleu* !*

Génial. À l'évidence, le patron avait percé le sens de cette mort on ne peut plus bizarre, alors que je pataugeais toujours dans le brouillard. Je me suis concentrée.

Cette forme sur la poitrine de Lowery, ce n'était pas un second couteau. Pas non plus une montre, une boucle de ceinture ou une quelconque partie d'attirail de pêche. Qu'est-ce que c'était, alors ? Mystère !

Revenu près du corps, LaManche a commencé à dicter ses observations.

— La victime est enfermée dans une sorte de sac de fabrication personnelle, obtenu en pliant en deux un grand drap en plastique et en le fermant par des bandes adhésives. Sur un côté, la fermeture, hermétique, a été pratiquée à partir de l'extérieur depuis le bas jusqu'en haut sauf au niveau du haut du cou et des dix derniers centimètres qui, eux, ont été scellés de l'intérieur.

« Le plastique a été découpé récemment, en vue de libérer la main droite. On note une activité modérée des insectes dans la région de la découpe. »

Le photographe poursuivait ses prises de vue, déplaçant l'étiquette d'identification chaque fois qu'il changeait d'angle. LaManche continuait à marmonner ses observations :

— Il semblerait que la victime se soit d'abord introduite dans ce sac en plastique, puis qu'elle l'ait fermé en passant le bras à travers ces dix centimètres laissés ouverts sur le côté et qu'elle en ait achevé la fermeture à partir de l'intérieur.

Du geste, LaManche a indiqué à Lisa de mesurer la corde attachée à la cheville.

— Pied gauche chaussé d'une botte et relié à une pierre par une corde en polypropylène de vingt centimètres de long. À l'évidence, la victime a d'abord attaché la corde à la pierre avant d'attacher celle-ci à son pied gauche, tendu à l'extérieur du sac à travers le trou d'en bas.

Lisa a pris d'autres mesures que LaManche a répétées dans son micro.

— Largeur de l'enveloppe en plastique : un mètre. Longueur : deux mètres cinquante, mesure prise sur la face externe de l'enveloppe. Cette enveloppe épouse les formes du corps.

LaManche s'est déplacé à un bout de la table. Les mouches se sont envolées dans un bourdonnement agacé et sont allées percuter le négatoscope resté allumé derrière moi.

— La tête est enveloppée séparément du corps. Un tube de respiration, maintenu en place à l'aide de ruban adhésif, émerge du sac.

Un tube de respiration, ce cylindre couvert de boue ?

Ce sac en plastique aurait-il été une sorte de tenue de plongée cousue main ?

— Sous le menton, la partie inférieure du sac est maintenue serrée autour du cou par du ruban adhésif.

Et ainsi de suite : Lisa mesurait, LaManche enregistrait. Dimensions, positions, ouvertures. Finalement, il a palpé la tête à travers le sac.

— Le tube de respiration est déplacé sur le côté. Il est en retrait par rapport à la bouche.

Quelque chose a fait tilt en moi. Je ne sais pas quoi. Peut-être la représentation de ce tube éloigné de la bouche de Lowery, alors qu'il devait lui apporter de l'air.

Et j'ai compris. Compris pourquoi ce corps était emballé. Pourquoi la cheville était attachée à une pierre. Pourquoi un couteau reposait en travers du pied.

Couteau censé permettre de s'échapper à l'individu enfermé dans ce sac. Mais voilà, ce couteau lui était tombé des mains. Hors de portée.

Le patron avait tout pigé en un rien de temps. J'ai vraiment eu l'impression d'être nulle.

Sous l'eau ? Ça méritait que je fasse des recherches. Que je voie s'il y avait des cas répertoriés.

Juste à ce moment-là mon cellulaire a sonné.

Ryan.

Tout en retirant mes gants, je suis passée dans l'antichambre.

— Vous en êtes où ?

— À déballer Lowery.

— On dirait que tu sais déjà à quoi t'en tenir.

Je lui ai rapporté ma conversation avec Boniface.

— Une idée de ce qui a pu causer la mort ?

— LaManche pense à une mort accidentelle, survenue au cours d'une séance d'autoérotisme. Je suis quasiment sûre qu'il a raison. Ce type s'était mis sur son trente et un, rien que pour prendre son pied.

— Dans un étang ? (Ryan, sur un ton plutôt sceptique.)

— Tout est bon pour qui poursuit son rêve.

— Et le spectacle vaut qu'on risque sa vie ?

— C'est l'habitude, chez les amateurs d'autoérotisme.

— J'ai des choses aussi de mon côté, je me suis dit que ça t'intéresserait. La plaque du scooter a permis de remonter jusqu'à un certain Morgan Shelby, de Plattsburgh, dans l'État de New York. Je raccroche d'avec lui. Il dit qu'il l'a vendu à un homme de Hemmingford du nom de Jean Laurier. Transaction dénuée de tralala, dirons-nous.

— Règlement en espèces, sans papier. La bécane est livrée à Laurier, ce qui lui évite de payer les taxes d'importation.

— Exactement. D'après Shelby, il était censé immatriculer son véhicule au Québec.

— Sauf qu'il ne l'a pas fait.

— La vente a eu lieu il n'y a que dix jours.

— Jean Laurier, autrement dit : John Lowery.

— *Oui, madame**.

— Et c'est quoi, son histoire ?

— Bandau a fait un peu de porte-à-porte et a dégotté des gens qui l'avaient connu. D'après l'un d'eux, Laurier vivait dans le coin depuis aussi longtemps que remontaient ses souvenirs.

— 1969 ?

— Le monsieur n'a pas été aussi précis.

— Et il vivait de quoi, ce Laurier ?

— De petits boulots de bricolage. Travailleur indépendant exclusivement.

— Payé en liquide, là encore ?

— *Oui, madame**. Sur le plan administratif, Laurier n'est inscrit dans aucune case. Pas de carte d'électeur, pas de dossier aux impôts, pas de numéro d'assurance sociale. Ceux qui savaient des choses sur lui ont tous dit que c'était un gars solitaire, bizarre, mais pas dangereux.

— Tu as trouvé une adresse ? Sa dernière adresse connue.

— *Oui, madame**. Je compte y aller dès demain. Ça t'amuse de venir ?

— J'ai rien de mieux à faire.

— Rendez-vous pris, alors.

— Mais qui n'a rien de galant, Ryan.

— Même pas un petit tour chez moi après ?

— J'ai promis à Birdie de lui faire des œufs fourrés à la mayonnaise.

— J'ai aussi téléphoné aux flics de Lumberton. Des gars vraiment sympathiques, y a pas à dire, a-t-il ajouté en faisant traîner sa voix sur les voyelles comme un pur habitant de Dixie.

— Ah.

— Il y a encore des Lowery là-bas. Le type à qui j'ai parlé se souvenait très bien de John. Il a promis de passer à la bibliothèque municipale et de nous envoyer sa photo dans l'album de finissants.

— Pour quelle raison avait-il ses empreintes dans le fichier ?

— Un petit boulot, du temps où il allait à l'école secondaire, et qu'il n'aurait pas déclaré. Aide-soignant ou gardien dans un asile de fous. Quelque chose comme ça.

— Tu m'en bouches un coin !

— C'est ça, les détectives. Ça détecte ! Je descends à la salle des fax récupérer les photos de Lowery.

Sur le coup de midi, le plastique entourant la tête et le corps de la victime séchait sur une grille dans le hall. Le tube de respiration, un tuba tout à fait ordinaire, avait été photographié, lavé et envoyé au labo pour analyses. De même qu'un petit anneau en plastique découvert autour du pénis de Lowery. Cela, pour l'analyse des liquides corporels.

Lowery était allongé sur le dos. Il avait le visage tordu, le scrotum gonflé, le ventre ballonné d'une couleur virant au vert, mais à part ça, il était frais comme une rose. L'analyse du squelette ne serait pas nécessaire.

LaManche dictait dans son magnétophone.

— Individu de sexe masculin. Race blanche. Âge : entre cinquante et soixante ans. Cheveux noirs. Yeux bruns. Circoncis. Pas de cicatrices, de perforations ni de tatouages.

De mon côté, j'aidais Lisa à prendre les mesures.

— Taille : à peu près un mètre soixante-quinze.

LaManche a contourné le corps pour vérifier les yeux, les mains, le cuir chevelu et les divers orifices.

Ryan est entré à ce moment-là. Il m'a montré le fax qu'il avait reçu de la police de Lumberton.

Une image minuscule et floue, qui aurait pu représenter n'importe qui. On distinguait quand même certaines caractéristiques, comme la couleur des yeux : foncés, ou la forme des sourcils : arquée.

Les traits étaient réguliers. Les cheveux, noirs et coupés court, étaient coiffés avec une raie sur le côté.

— Aucun signe de traumatisme externe, concluait LaManche avec un petit salut en direction de Ryan. Détective…

Ryan lui a remis le fax en expliquant d'où il le tenait. LaManche l'a regardé avec Lisa avant de demander :

— Nettoyez le corps, s'il vous plaît.

Lisa a vaporisé de l'eau sur les cheveux de Lowery et les a séchés à l'aide d'une serviette avant de le peigner comme sur la photo. Puis elle a déposé le fax à côté de son oreille droite et s'est écartée.

Nos quatre paires d'yeux ont entamé des allers-retours du visage au portrait. Entre cet homme sur la table et le garçon sur la photo, il y avait quarante années de vie et deux jours de mort.

Le nez était plus bulbeux, les contours du visage affaissés, mais ces deux individus avaient en commun un petit air d'Al Pacino dû à leurs cheveux noirs, à leurs yeux foncés et à l'arc bien dessiné de leurs sourcils.

Le noyé d'Hemmingford était-il ce gamin de Lumberton avec des années en plus ?

Difficile de l'affirmer à cent pour cent. Je me suis tournée vers LaManche :

— Vous croyez que c'est lui ?

Pour toute réponse, un haussement d'épaules typiquement français pouvant aussi bien signifier : « Qui sait ? » qu'« À quoi bon me poser la question ? » ou « Quelle épice avez-vous utilisée dans ce ragoût ? »

Ryan, lui, gardait les yeux rivés sur l'homme allongé sur la table.

Pas étonnant, car c'était un spectacle plutôt inattendu.

En effet, John Lowery était décédé dans la tenue suivante : soutien-gorge rose en coton mou (marque Glamorise, taille : 44-B) ; culotte taille basse en polyester rose (marque Blush, taille : L) ; calot d'infirmière en coton et polyester blanc avec une ligne bleue (taille unique) ; une seule botte noire au pied (pied gauche, talon en fer, marque Harley-Davidson, taille 10).

À cela il fallait ajouter les accessoires retrouvés à l'intérieur de l'enveloppe en film plastique, ou plutôt deux instruments : un proctoscope, destiné à un usage que je préférais ne pas imaginer, et un couteau de l'armée à lames multiples. Pour se libérer, une fois le jeu terminé.

Le proctoscope était resté à l'intérieur d'un sachet en tissu que la victime portait pendu à son cou. Le couteau avait chuté à ses pieds.

Les traces de morsures sur l'embout du tuba donnaient à penser que cette expérience de jouissance solitaire sous-marine n'était pas une première pour Lowery. Sauf que cette fois-ci, pour une raison X, les choses avaient mal tourné. Scénario le plus probable : le tuba avait glissé hors de sa bouche et son couteau lui était tombé des mains.

Mise en scène inhabituelle, certes, mais le patron avait certainement vu juste. La mort de Lowery serait classée comme une asphyxie accidentelle provoquée par une activité autoérotique.

John Charles Lowery était mort en jouant sous l'eau à la vilaine infirmière, enfermé dans un sac étanche de fabrication personnelle.

Chapitre 4

Samedi, un ciel encore et toujours limpide. Température : vingt-sept degrés Celsius, à en croire les promesses des météorologistes.

Trois jours de beau temps à la file ? Un record, probablement, pour un printemps à Montréal.

Vers neuf heures, coup de fil de LaManche. Pour me faire part de ses résultats, tout simplement. Ce souci de politesse, voilà ce que j'aime en lui.

L'autopsie avait démontré la justesse de nos suppositions : il s'agissait bien d'une mort accidentelle, survenue dans le cadre d'une activité autoérotique. Cause du décès : asphyxie par privation d'oxygène.

Lowery ne souffrait d'aucune maladie préexistante, mise à part une athérosclérose bénigne. Pas de lésions traumatiques. Un petit œdème pulmonaire. Taux d'alcoolémie de 132 mg/100 ml.

À dix heures, je roulais à la vitesse de l'éclair en direction d'Hemmingford aux côtés d'un Ryan d'humeur radieuse. Soirée géniale la veille ? Circulation fluide ? Des kilos de beignes au petit déjeuner ?

J'ai stoppé là la liste des possibilités pour lui demander depuis combien de temps Laurier/Lowery vivait à l'adresse où nous nous rendions.

Réponse de Ryan : des lustres.

Je me suis étonnée : comment un type pouvait-il arriver à ne pas se faire repérer pendant tant d'années ?

L'histoire était un peu compliquée. Ryan a rapporté un changement fréquent de proprios pas très à cheval sur les règlements, pour ce qui était du bail. En gros, le dernier propriétaire étant décédé sans laisser d'héritier, Laurier/Lowery était tout simplement demeuré dans les lieux sans plus payer de loyer, en se contentant de régler les services et les taxes établies au nom du défunt. Ou un truc dans le genre.

Après, la conversation a dévié sur le malheureux destin du bonhomme. On n'allait quand même pas laisser de côté un sujet pareil.

— Manifestement, ça le faisait bander, le Lowery, de se laisser couler au fond d'un étang et de se débattre sous l'eau, empaqueté dans du plastique, a dit Ryan, sur un ton plus que dégoûté.

— Habillé en infirmière.

— Il se changeait dans le canot. Dans le sac en toile, on a retrouvé un jean, des chaussettes, des espadrilles et une chemise.

— Faut avoir un bon équilibre.

— Il y avait aussi une lampe de poche.

— Autrement dit, il faisait ça de nuit.

— Ne ferais-tu pas la même chose ? Mais quand même. J'ai du mal à comprendre. C'est quoi, l'idée ?

La veille, pour pallier mon absence de vie mondaine, j'avais fait des recherches sur Internet et découvert que le terme d'autoérotisme se rapportait à n'importe quelle activité sexuelle pratiquée en solitaire et nécessitant l'utilisation d'un accessoire quelconque, instrument ou appareillage, destiné à augmenter la stimulation sexuelle. Ryan le savait forcément.

— La plupart des activités autoérotiques se pratiquent à l'intérieur, ai-je fait remarquer.

— Ça t'étonne ?

— La mort est généralement due au mauvais fonctionnement du mécanisme utilisé.

— Lowery a probablement perdu son tuba et, dans sa panique, il a lâché le couteau qui lui servait à se libérer.

— C'est aussi l'idée de LaManche. Et c'est parfaitement plausible. La plupart des décès qui surviennent dans le cadre d'une pratique autoérotique sont accidentels. La personne s'étouffe ou s'étrangle au cours du processus de pendaison, de ligature ou d'enfermement dans un sac en plastique. Il y a aussi les électrocutions, les insertions de corps étrangers, les emmaillotements et autres emballages d'une partie du corps.

— Comme quoi ?

— C'est assez fréquent de s'enfermer la tête dans un sachet en plastique, ça l'est beaucoup moins de s'emballer entièrement dans quelque chose. Hier soir j'ai lu le cas d'un type de soixante ans retrouvé enroulé dans quatorze couvertures cousues ensemble, le pénis enveloppé dans un sachet en plastique. Un autre type de quarante-six ans a été découvert portant sept paires de bas, une robe de femme et des sous-vêtements féminins découpés de telle sorte que son petit oiseau était assis au premier rang. Un prof de vingt-trois ans a trouvé la mort vêtu d'une cape en plastique, trois jupes de coton, un imperméable et…

— Ça va, j'ai compris. Mais dans quel but, tout ça ?

— Exacerber l'excitation sexuelle.

— Si c'est ça, je connais des raccourcis pas mal du tout.

Regard appuyé dans ma direction. Deux yeux d'un bleu à vous tuer sur place.

Je me suis sentie rougir. J'ai détesté ça. Mieux valait revenir à mes découvertes sur Internet.

— L'excitation autoérotique dérive de mécanismes finalement assez peu nombreux. (Et de compter sur mes doigts.) En premier lieu, il y a la stimulation directe des zones érogènes. (Pouce levé en l'air.) Ensuite (index dressé) : la stimulation des centres du système nerveux central engendrant les réactions sexuelles.

— Par étranglement ou pendaison.

— Ou encore en couvrant sa tête pour s'empêcher de respirer, car l'hypoxie cérébrale peut exacerber le plaisir sexuel, c'est bien connu. Troisièmement, dans les contextes masochistes faisant appel à l'imagination (en posant le pouce sur mon majeur) : la suggestion d'un sentiment de crainte ou de détresse. Électrocution ou noyade, par exemple. Pour donner du piment à la situation.

— S'immerger le zizi, ça ne doit pas être tellement courant !

— Au contraire. Il y a même un terme spécifique pour ça : l'aquaérotisme. J'ai trouvé plusieurs cas où la victime s'était accroché une pierre à la cheville, comme Lowery.

Ryan a bifurqué sur la route 219 et roulé le long de l'étang pour s'arrêter un peu plus loin, près d'une boîte aux lettres portant le numéro 572. Une voiture de patrouille de la SQ était déjà garée là.

Brève observation de la maison avant de descendre.

Le bungalow de Laurier/Lowery, en retrait de la route, était en partie caché par un épais bosquet de pins. C'était une construction en bois d'un seul étage, peinte en vert et flanquée d'un petit hangar sur la droite.

Nous avons poursuivi notre examen des lieux en remontant l'allée de gravier : l'encadrement des fenêtres avait été repeint récemment ; le bois de chauffage était bien empilé et le grand jardin à l'arrière semblait avoir été labouré peu de temps auparavant.

J'ai surpris un mouvement derrière une fenêtre. Coup d'œil à Ryan, qui s'est mis à râler.

— Bandau a pas intérêt à jouer encore au cowboy solitaire.

Le cadre de la moustiquaire avait été tordu et le chambranle en bois entaillé au niveau de la poignée pour permettre l'ouverture de la porte.

Derrière, vue imprenable sur un salon meublé par l'Armée du Salut.

Bandau était à l'intérieur. Au bruit de nos pas, il s'est retourné. Derrière lui, un bureau avec un MacBook Pro au couvercle relevé. Tout neuf, vu de loin.

— Pas encore parti avant le signal, monsieur l'agent ? lui a lancé Ryan avec un sourire glacial.

— Non, monsieur.

— Pourtant, vous n'avez pas attendu que nous arrivions en possession du mandat de perquisition pour pénétrer dans la place.

— C'était pour en interdire l'accès.

— Espérons que vous dites vrai.

Silence, côté Bandau. Pas un mot pour se défendre ou s'excuser.

Nous avons procédé à une inspection méthodique des lieux, sans idée préconçue.

Les placards de cuisine vétustes contenaient des assiettes ébréchées et des produits courants achetés au supermarché. Des conserves maison en quantité suffisante pour soutenir un siège.

Dans le réfrigérateur, les produits de base habituels : condiments, laitages, viande et pain. Pas de caviar, de câpres ou d'eau minérale française.

Dans le séchoir à vaisselle en plastique vert, un seul plat, un verre et des ustensiles. Sur le plan de travail, une bouteille de scotch à moitié vide.

La salle de bains, comme la cuisine, était d'une propreté méticuleuse. Les objets de toilette habituels et, dans l'armoire à pharmacie, les médicaments courants, vendus sans ordonnance. Dans la douche, un savon et un shampooing bon marché.

La chambre à coucher ne présentait rien non plus de remarquable : un lit à deux places avec un oreiller et une couverture en laine grise tenant lieu de dessus-de-lit. Une table de chevet supportant une lampe, un radio-réveil et des gouttes pour les yeux : des larmes artificielles. Une commode en bois contenant des boxer-shorts et des t-shirts, une cravate à rayures, une demi-douzaine de paires de chaussettes roulées. Toutes de couleur noire.

Un placard grand comme un mouchoir de poche. Jeans et chemises. Un pantalon en polyester noir. Une veste de sport élimée en velours côtelé beige.

Sur le plancher, deux paires et demie de bottes, une paire de mocassins et une paire de sandales, le genre avec des semelles en pneu de voiture.

Sur l'étagère du haut, des piles de magazines.

— Eh bien voilà ! s'est exclamé Ryan après en avoir feuilleté quelques-uns.

Friand des nénés. Fesses à gogo.

— Un homme aux goûts éclectiques, ai-je renchéri à la vue de ces titres.

Ryan en a ouvert un autre. *Filles-sucettes*. Dans ce numéro-là, l'histoire principale avait pour titre : *Gare-le dans ma culotte.*

Une perle de la littérature. Mais avec une intrigue bien trop rocambolesque pour que je m'y plonge longuement.

J'ai jeté un regard à Ryan : il avait dans les yeux cette lueur bien connue, annonciatrice d'une remarque liée à mes dessous.

— Un peu de tenue, monsieur.

— D'ici à l'ordi là-bas ? a demandé Ryan, feignant l'obéissance.

— Phrase grammaticalement incomplète. On ne comprend pas ce que tu veux dire.

— Je parle de nous avancer jusqu'à lui, mademoiselle aux cheveux de lin !

J'ai levé les yeux au ciel comme jamais encore auparavant, battant probablement mon meilleur record dans ce domaine.

— Je cède le passage aux talents indiscutables de madame.

— Merci.

— Et à ce que l'on peut trouver dans ses petites culottes.

Cette dernière phrase, chuchotée à mon oreille, a valu à Ryan une tape sur le bras avant que je ne me dirige vers le bureau.

Bandau, les pieds écartés, les mains jointes dans le dos, continuait de regarder fixement par la fenêtre. Je lui ai lancé :

— Je ne vois ni téléphone ni boîtier pour le câble. Est-ce que Laurier avait un compte SIP ?

— C'est-à-dire ?

— Un serveur Internet.

— Pas que j'aie vu.

Le Mac, revenu à la vie dans un vrombissement, a réclamé un mot de passe. J'ai essayé « mot de passe ». 123456. ABCDEF. Diverses combinaisons de Jean et de Laurier. L'adresse de sa maison et le nom de sa rue. Puis tous les exemples précédents en ordre inverse.

Sans résultat.

LOWERY.

Non.

YREWOL.

J'ai converti en chiffres les initiales JCL selon leur position dans l'alphabet. 100312. Ai tenté l'inverse. 213001. Idem avec les initiales : LCJ. 120310. Puis l'inverse. 013021.

Le petit curseur persistait à me défier.

J'ai essayé les chiffres associés aux lettres L O W E R Y, sur les cadrans de téléphone : 569379.

Victoire !

Une fois l'ordinateur chargé, j'ai cliqué sur une icône de la barre d'état représentant une hélice. Trois barres.

— Il utilise la connexion des voisins.

Nom du réseau : Fife.

— C'est possible de faire ça ?

— Les Fife ont dû prendre leur numéro de téléphone pour mot de passe, comme bien des gens. Laurier devait le savoir. Ou bien il s'est débrouillé pour connaître leur mot de passe. Peut-être qu'il leur avait demandé la permission d'utiliser leur connexion. Quoi qu'il en soit, il suffit que le mot de passe ait été entré une fois pour que l'ordinateur le mémorise et sélectionne automatiquement le réseau correspondant par la suite. Les Fife n'habitent sûrement pas très loin. Le signal est faible, mais il fonctionne.

Ryan a inscrit le nom des Fife dans son carnet à spirale, pendant que je relevais les applications utilisées.

Celles qu'on trouve couramment sur les Mac : adresses, courrier, Safari, iCal.

Pas de documents ni de dossiers Excel enregistrés. Aucun contact dans le carnet d'adresses ni de rendez-vous inscrit dans l'agenda.

— Il n'envoyait pas de courriels. Ne se servait pas non plus d'iTunes, d'iPhoto, d'iMovie ou d'iDVD.

— Je vois.

Comment j'ai réagi, face à une exclamation aussi pertinente ? Comme d'habitude : en levant les yeux au ciel.

— Voyons voir à quoi il s'amusait sur la Toile.

J'ai lancé Safari et fait apparaître l'historique.

Au cours des deux dernières semaines, l'utilisateur avait recherché des renseignements sur les paillis et les engrais, le maïs ogm, la plongée sous-marine, l'hypoxie, les orties, le fil de cuivre, les tuiles de toiture, les écureuils du nord de l'Amérique, les dentistes du Québec, et une série de vitamines.

— Il a visité six fois un site appelé robesonian.com.

Ryan s'est rapproché pour mieux voir. A vogué jusqu'à moi une légère odeur de transpiration mêlée d'eau de Cologne. *Bay Rum*, je suppose. En tout cas, un parfum à vous faire chantonner *Don't worry, be happy.*

Ma réaction ? Un frétillement à hauteur de mes parties méridionales, mais la demoiselle aux cheveux de lin a su rester concentrée.

Robesonian.com était un journal en ligne destiné aux habitants de Lumberton, capitale du comté de Robeson, en Caroline du Nord.

— Merde, a marmonné Ryan tout contre mon oreille.

Retour à la barre des sites visités. Quelques instants plus tard est apparue une foule de noms très révélateurs.

Laurier/Lowery avait visité des douzaines de sites à l'intention des déserteurs de l'époque de la guerre du Vietnam, ou rédigés par eux, dont un site destiné aux insoumis qui s'étaient réfugiés à Toronto.

Parmi ces documents : des archives de CBC ; un article de fond sur une réunion à Vancouver en 2006 ;

une page tirée du site de l'université de Colombie-Britannique, intitulée : « Les opposants à la guerre du Vietnam réfugiés au Canada ».

— Voilà qui explique la situation, a dit Ryan en se redressant. Lowery a fui Lumberton pour ne pas être envoyé au Vietnam. Réfugié au Canada, il y a vécu une vie normale sous l'identité de Jean Laurier.

— Vie normale, agrémentée toutefois d'une petite excentricité.

Et j'ai désigné d'autres sites visités : « Aime-toi toi-même et raconte-le » ; « Bander en solitaire » ; « Le gourdin tout seul ».

— J'ouvre lequel ?

Ryan a posé le doigt sur le dernier titre.

Le blogue comportait deux histoires.

Un pasteur baptiste de l'Arkansas retrouvé mort chez lui, seul et en tenue de plongée complète, y compris le masque, les gants et les chaussures à semelle de plomb. Sous sa combinaison, il portait un second costume en caoutchouc retenu par des bretelles en caoutchouc, des sous-vêtements masculins, également en caoutchouc, et tout l'attirail nécessaire, en nylon et en cuir, pour se ligoter soi-même. Cerise sur le gâteau, le révérend avait enfoncé dans l'anus un godemiché protégé par un préservatif.

Un plombier du Kansas s'était pendu à sa douche en utilisant une ceinture en cuir appartenant à sa femme. Arraché *in extremis* à la mort, il narrait son épopée avec force détails explicites.

La page d'accueil du Gourdin invitait les visiteurs à participer au forum.

Non merci.

L'ordinateur refermé, nous avons procédé à la fouille des tiroirs du bureau. Sans grand intérêt, je l'avoue. D'ailleurs, que nous fallait-il de plus ? À l'évidence, le Jean Laurier qui vivait à Hemmingford, au Québec, et le John Charles Lowery né à Lumberton, en Caroline du Nord, étaient un seul et même individu : déserteur de la guerre du Vietnam.

Dans le tiroir central, sous le plateau de la table, un méli-mélo d'élastiques, de trombones, de ruban adhésif, de crayons et de stylos. Dans le caisson latéral, tiroir du haut : des comprimés bien rangés côte à côte, des enveloppes et deux paires de lunettes de lecture achetées en pharmacie.

Dans mon dos, Ryan s'affairait à soulever les coussins du canapé et à ouvrir les armoires.

Dans le tiroir du bas : toutes sortes d'objets se rapportant à l'ordinateur, écouteurs, aspirateur à clavier, câbles, adaptateur. En le refermant, j'ai fait bouger le tapis de la souris. Un bout de papier blanc est apparu.

Un rectangle de dix centimètres sur quinze portant les mots : *L'Araignée, 7 avril 1967.*

Je l'ai retourné.

Une photo en noir et blanc. Craquelée, froissée. À n'en pas douter, vieille de plus de quarante ans.

Y était immortalisé un adolescent, appuyé contre une Chevrolet des années 1950, un pied posé sur l'autre, les bras croisés, vêtu d'un jean et d'un t-shirt aux manches roulées. Il avait des cheveux noirs et des yeux sombres ; des sourcils épais qui épousaient le tracé de l'orbite. Et un sourire capable d'illuminer tout l'État du Montana.

— Viens voir !

Ryan s'est approché. Je lui ai tendu la photo.

— On dirait Lowery, a-t-il dit.

— Derrière, il y a écrit : L'Araignée.

Il est resté un moment à scruter le portrait avant de me le rendre.

À mon tour, j'ai étudié ce visage si jeune, si pur. D'autres images, d'autres traits s'y sont surimposés, boursouflés par un séjour dans l'eau. Les algues collées au film plastique. La toque d'infirmière détrempée.

— Fin de l'histoire, a décrété Ryan.

— On les emporte ? ai-je demandé en désignant la photo et l'ordinateur.

Ryan a regardé Bandau, puis la porte d'entrée forcée, et il a hoché la tête.

— Le mandat nous y autorise…

Je l'ignorais encore, mais cette photo allait m'accompagner longtemps et très loin, à des milliers de kilomètres de là.

Et presque me conduire à la mort.

Chapitre 5

Je me suis réveillée dans une chambre toute noire, au bruit de la pluie cliquetant sur les vitres. Un rectangle d'un gris plus clair se dessinait sur le rideau.

Neuf heures quarante à la pendule.

Du haut de la commode, deux yeux jaunes me regardaient sans ciller.

— Ça va, Birdie. On est dimanche.

Sa queue a eu un mouvement de balai.

— Et il pleut.

Mouvement identique en sens inverse.

— Impossible que tu aies faim !

La veille, en rentrant d'Hemmingford, on s'était arrêtés au Hurley's Irish Pub, à deux pas de la maison, pour grignoter quelque chose, et on était rentrés chez moi. Ryan, toujours délicat, avait rapporté du restaurant les restes de mon gâteau au fromage pour le chat.

Je vous entends déjà penser très fort : retour à la vie, après une longue solitude hivernale dans un appartement tristounet.

Eh bien, non. La soirée ne s'est pas achevée sur une partie de jambes en l'air, nonobstant les insinuations de Ryan. Nous nous en sommes tenus à une aimable conversation autour d'un thé en parlant de la pluie et du beau temps, c'est-à-dire de nos enfants et de Charlie, la perruche dont nous avons la garde partagée. Ryan avait pris le divan ; moi, le fauteuil à oreillettes, à l'autre bout de la pièce.

Je lui ai fait part de mes inquiétudes à propos de Katy, qui n'appréciait pas du tout de travailler la journée entière et qui s'était entichée récemment d'un batteur de trente-deux ans, prénommé Smooth.

Ryan a parlé de Lily, sa fille de dix-neuf ans, qui semblait sur la bonne voie : elle avait quitté son centre de désintoxication et était retournée chez sa mère, Lutetia. Pour l'heure, elle continuait à voir son psy, mais Ryan affichait un optimisme prudent.

À sept heures, il était parti pour emmener Lily au bowling.

Me laissant avec une kyrielle de questions sans réponses.

D'où lui venait sa bonne humeur d'aujourd'hui ? Des petits progrès accomplis par sa fille ? Du contact renoué avec la maman ?

Qu'importe !

Il avait promis de me rapporter Charlie le lendemain, conformément à l'accord passé entre nous. Quand je suis à Montréal, l'oiseau habite chez moi.

Mis au courant de l'arrivée prochaine de la perruche, Birdie s'en est montré ravi. Ou fâché. Ce n'est pas toujours facile de déchiffrer son expression.

Ryan parti, je me suis offert un bain très long, puis une séance DVD : toute la première saison d'*Arrested Development*. Birdie a trouvé Buster à mourir de rire.

À Montréal, l'hebdomadaire le plus important paraît le samedi. J'aurais préféré un autre jour, mais c'est comme ça.

Armée d'un café et d'un succédané d'œufs brouillés au fromage, j'ai commencé ma lecture de la *Gazette* de la veille.

Deux voies de fermées dans la partie surélevée de l'autoroute 15, à hauteur de l'échangeur Turcot. À cause d'un trou énorme dans la chaussée. Durée des travaux indéterminée.

Un enfant kidnappé en plein jour par un homme d'une quarantaine d'années qui l'avait balancé dans le coffre de sa voiture. Parmi les chefs d'accusation : enlèvement d'un enfant de moins de quatorze ans et agression sexuelle.

Douze articles sur la merde dans laquelle baignait l'économie.

J'en étais à la famille de sept personnes sauvée de l'incendie de leur maison grâce à leur hamster quand mon cellulaire a sonné.

Katy.

— Hé, *sweetie*.

— Hé, maman.

C'est comme ça qu'on se dit bonjour chez nous, dans le Sud.

— Tu es debout aux aurores.

— Il fait un temps superbe. Je pars jouer au tennis à Carmel.

Une belle humeur quelque peu déroutante, compte tenu qu'elle était plutôt à plat la dernière fois.

— Avec Smooth ?

Question purement rhétorique, car je voyais mal une tignasse rasta et un dorag bondir sur le court d'un club de tennis.

— Non, avec Lija. Smooth a un concert à Atlanta. (Reniflement de mépris.) Pour ce que j'en ai à faire, de ce type, il peut rester là-bas suspendu par le cul ! Là-bas ou à Savannah, Raleigh ou Katmandou.

Quand je dis qu'il y a un dieu qui répond toujours à nos prières !

— Et Lija, ça va ?

— Elle est en super forme !

Lija Feldman est la meilleure amie de Katy depuis l'école secondaire. Cette année, elles partagent toutes les deux un appartement. En fait, depuis que ma fille a achevé ses études après moult péripéties. Jusqu'ici, tout se passe bien.

— Ton boulot ?

— Abrutissant. Je trie des merdes, je photocopie des merdes, je fais des recherches sur des merdes et, parfois, j'ai même la chance de classer des merdes au palais de justice. Ces petites promenades dans les tribunaux, rien de tel pour vous fouetter les sangs ! (Riant.) Enfin, j'ai un travail quand tant de gens sont foutus à la porte comme des déchets nucléaires.

Bon.

— Où es-tu ?

— En ville. Seigneur, pourvu qu'on puisse rester dans l'appart' !

— Qu'est-ce que tu veux dire ?

— Coop doit bientôt rentrer d'Afghanistan.

Coop, c'est le propriétaire de Katy et aussi son petit copain intermittent, pour autant que je sache. Toutefois je ne pourrais pas le jurer, vu qu'il est toujours à l'autre bout du monde, ici ou là.

— Je croyais qu'il était en Haïti.

— Ça, c'était avant, quand il était dans le Peace Corps. Après, il a passé dix mois aux États-Unis. Maintenant, il travaille pour l'International Rescue Committee, une organisation humanitaire basée à New York.

— En tout, combien de temps aura-t-il passé en Afghanistan ?

— Presque une année entière. Dans un coin perdu, la province d'Helmand.

La réapparition de Coop était-elle à l'origine de la bonne humeur de Katy ? Et du congé signifié à Smooth ?

— Ça a l'air de te faire plaisir qu'il revienne. (Sur un ton comme si de rien n'était.)

— Ouais ! (Le « ouais » a bien duré cinq secondes.) Il est génial, Coop. Il doit passer me voir dès qu'il aura déposé son barda chez lui.

— Vraiment… (Là, j'ai pris un ton interrogatif.)

— Joue bien tes cartes, maman chérie, peut-être que je te le présenterai !

Esquive en guise de réponse. Comme Katy semblait ravie, j'ai décidé d'en savoir un peu plus.

— Je peux connaître au moins le vrai nom de ce monsieur génial ?

— Webster Aaron Cooperton. Il est de Charleston.

— Tu as fait sa connaissance à l'université de Virginie ?

— Ouais.

— Comment se fait-il que ce jeune monsieur Cooperton possède une maison à Charlotte ?

— Il a terminé ses études ici.

— Il n'aimait pas Charlottesville ?

— On ne lui a pas proposé d'y revenir.

— Je vois…

— Il est vraiment sympathique. Et très drôle.

Là-dessus, je n'avais aucun doute.

— Et cette maison à Charlotte ?

— Ses parents la lui ont achetée quand il a changé d'université. Investissement dans la pierre. Ils ont *beaucoup** de blé.

D'où la liberté qu'avait Coop d'accepter des emplois admirables sur le plan moral, mais fabuleusement mal payés.

Peu importe. *Ciao* au musicien chevelu ; bienvenue à l'humanitaire. C'était beaucoup plus à mon goût.

— À son retour d'Haïti, vous vous êtes vus, Coop et toi ?

— Quand on le pouvait. Il passait pas mal de temps à New York.

Je n'ai plus rien dit, afin de laisser à Katy la possibilité d'en venir au motif de son appel. Apparemment, il n'y en avait pas.

— Eh bien, *Mommy-o*, bonne journée !

Mommy-o ?

Quelle étrange demoiselle que cette jeune femme qui se disait ma fille !

Vers midi, passage de Ryan en coup de vent pour me déposer Charlie. La porte s'était à peine refermée que la perruche piaillait à tue-tête les phrases les plus osées de son répertoire.

— Remplis ton verre et gare tes fesses !

— Charlie !

— Refroidis ton outil !

En mon absence, elle n'avait pas dû écouter souvent son CD de rééducation.

Information nécessaire pour la compréhension du passage précédent : cette perruche, cadeau de Ryan à un Noël, provenait d'un bordel fermé par la police voilà plusieurs années. D'où ses répliques grivoises.

Une heure de l'après-midi : coup de fil de Jean-Claude Hubert, coroner en chef, pour me dire qu'il avait retrouvé le père de John Lowery, un certain Platon Lowery.

Sa réaction, en apprenant la découverte du corps de son fils à Hemmingford et son identification grâce à ses empreintes digitales, avait tout d'abord été la stupeur. Puis le choc. Et enfin le scepticisme.

L'armée américaine avait été informée, elle aussi.

J'ai demandé au coroner ce qu'on faisait maintenant.

— On attend de voir comment réagit Oncle Sam.

À une heure et demie, petit tour au marché Atwater, près du canal Lachine, dans le quartier Saint-Henri. Dix minutes en voiture de chez moi.

À l'intérieur de ce pavillon de deux étages de style Art déco construit en 1933 sont regroupés quantité d'étals où l'on vend du fromage, du vin, du pain, de la viande et du poisson. À l'extérieur, des marchands vendent du sirop d'érable, des fines herbes et d'autres produits alimentaires. À Noël, ça fleure bon le sapin fraîchement coupé ; au printemps et en été, les fleurs envahissent les trottoirs et on se promène au milieu d'un geyser de couleurs.

À l'époque où j'ai commencé à travailler à Montréal, ce quartier, très délabré, était encore peuplé d'ouvriers. Ce n'est plus le cas aujourd'hui. Depuis la réouverture du canal Lachine, en 2002, des immeubles en copropriété ont remplacé peu à peu les HLM vétustes. Dans cette partie de la ville, l'immobilier atteint aujourd'hui des records.

Est-ce un bien ? Je n'en suis pas si sûre. Pour se garer, en tout cas, c'est beaucoup plus facile.

J'ai acheté de la viande et du fromage à l'intérieur du pavillon, et des légumes et une tonne de soucis et de pétunias, dehors, dans la rue. Avec un peu de chance, ces fleurs connues pour être résistantes survivraient à la négligence qui les attendait chez moi.

De retour à la maison, je me suis consacrée au jardinage. Plantation tout autour de mon patio minuscule et dans le petit jardinet à l'arrière.

La pluie tombait toujours. Génial. Pas besoin d'arroser.

J'en étais à me brosser les ongles noirs de terre quand mon cellulaire a sonné. Indicatif régional : 808. Hawaï.

Le temps de m'essuyer les mains, et j'ai pris la communication.

— Docteur Tandler ! À quoi dois-je ce plaisir inattendu ?

(Inattendu parce qu'il me téléphonait un dimanche ; le motif de l'appel n'était pas difficile à deviner.)

— Parce que je dois avoir des raisons pour t'appeler ?

— Bien sûr.

Un bruit qui ressemblait à un long soupir, puis :

— Ton Lowery nous cause du souci.

Sentant une note d'inquiétude dans la voix, j'ai préféré le laisser venir.

— Hier, Merkel a reçu un coup de fil de Notter. Une nouvelle pareille, à peine descendu d'avion, avant même d'être rentré chez soi, tu parles qu'il était aux anges !

Le JPAC emploie plus de quatre cents personnes, militaires et civils confondus. En plus du CIL, basé sur l'aéroport militaire de Hickam, le JPAC a sous son égide trois détachements permanents à l'étranger : l'un à Bangkok, en Thaïlande ; l'autre à Hanoï, au Vietnam ; le troisième à Vientiane, au Laos. Il y en a encore un quatrième à Hawaï, basé lui à Camp Smith. Chacun de ces détachements est commandé par un lieutenant-colonel, l'ensemble du sandwich est sous les ordres d'un général d'armée. Du moins, pour le moment.

Le Notter dont parlait Danny, Brent Notter, était l'adjoint du commandant chargé des relations publiques et des affaires juridiques. Quant à Roger Merkel, c'était le directeur scientifique du CIL, adjoint du commandant, responsable des opérations d'identification. Autrement dit : le supérieur direct de Danny.

— Hier, après son entretien avec votre coroner du Québec, Platon Lowery a contacté son représentant au Congrès.

— *Oh boy*. C'est quoi, son lubrifiant, à ce Lowery ?

— De quoi tu parles ?

— Je ne vais pas te faire un dessin, Danny. Les requêtes formulées par téléphone, ça ne se règle pas en deux temps trois mouvements. Ça fait seulement vingt-quatre heures que Platon Lowery est au courant de la situation. Par conséquent, il a des relations.

— Selon O'Hare, le représentant au Congrès, les Lowery ont pour tradition d'envoyer leurs fils dans l'armée.

— Comme c'est la tradition dans quantité de familles.

— J'ai creusé un peu : O'Hare se représente aux élections cette année.

— Là encore, comme plein d'autres gens.

— O'Hare et Notter étaient dans la même promo à Wake Forest.

— Pigé.

— *Go Kappa Sig*. (Sur un ton qui se voulait détaché, mais sans y parvenir.)

— Et Notter s'inquiète ?

— Lowery n'était pas de bonne humeur. Il exige de savoir pourquoi des gens au Canada se permettent de remettre en question la mort glorieuse de son fils.

— On peut le comprendre.

— Et aussi pourquoi un *Frenchie* ose traiter son fils de déserteur.

— Je doute que le coroner ait employé ce terme.

Ou qu'il ait fourni des détails circonstanciés sur la mort de John Lowery. Mais cela, je l'ai gardé pour moi.

— En bon membre du Congrès, O'Hare a juré de protéger son électeur d'une campagne visant à le salir et, de surcroît, menée par nos voisins du Nord.

— Il l'a dit en ces termes ?

— Dans un communiqué à la presse.

— Et pourquoi O'Hare a jugé bon d'informer les médias ?

— L'esbroufe, il adore ça. Il ne rate pas une occasion de monter en épingle ses actions.

— C'est ridicule ! Quel intérêt aurait le Canada à salir la mémoire d'un gars originaire de Caroline du Nord ?

— C'est ridicule, bien sûr. Merkel pense qu'O'Hare doit avoir une dent contre l'ALENA. Le fait qu'il s'en prenne au Canada peut plaire à certains de ses électeurs.

Théorie qui n'était pas dénuée de fondement. La Caroline du Nord avait beaucoup souffert de cet accord de libre-échange nord-américain, qui avait jeté à la rue des milliers de gens employés dans les industries du textile et du meuble. Cela dit, l'accord en question remontait à 1994.

— Au cas où John Lowery serait bien mort au Québec, son père exige aussi de savoir qui est l'individu enseveli dans sa tombe.

Ça aussi, ça se comprenait.

— Notter tient à s'éviter un cauchemar médiatique.

— Et comment compte-t-il s'y prendre ?

— Tu habites toujours en Caroline du Nord, n'est-ce pas ?

— Oui. (D'ores et déjà sur mes gardes.)

— Tu parles la même langue qu'eux.

— Mouais.

— Notter veut que tu ailles à Lumberton et que tu identifies le type enterré là-bas sous le nom de John Lowery.

Chapitre 6

Platon Lowery était plus jeune que je ne m'y attendais : quatre-vingts, quatre-vingt-deux ans tout au plus. Des cheveux qui auraient transformé en star n'importe quel serveur de restaurant rêvant de devenir acteur. Tout blancs, certes, mais épais et brillants, et lui couvrant les oreilles.

Pourtant, c'étaient ses yeux qui retenaient l'attention : plus noirs que les trous noirs dans l'univers, et un regard qui vous transperçait l'âme comme un rayon laser.

C'est sous ce regard que j'ai demandé à l'équipe chargée d'exhumer le corps d'interrompre son travail. Étaient présents sur les lieux : l'opérateur de la pelle excavatrice, deux employés du cimetière, deux représentants du coroner, un reporter du *Robesonian*, un autre de la chaîne WBTW, un flic de Lumberton et un gradé de l'armée qui avait l'air d'avoir seize ans.

Nous étions le mardi 11 mai : deux jours après le coup de fil de Danny.

Il était à peine dix heures du matin, et il faisait déjà trente-deux degrés à l'ombre. Sous le soleil éclatant, la pelouse était d'un vert psychédélique. Une puissante odeur de terreau et d'herbe coupée flottait dans l'air.

Je me suis accroupie pour examiner de plus près une des parois de la tombe ouverte.

La stratigraphie racontait l'histoire du terrain.

Une couche d'un brun-noir profond au-dessus d'une autre d'un jaune bronze anémique. Un mètre vingt plus bas, une troisième strate à peine entamée par les griffes de la pelleteuse. Ici, comme au ras du sol, la terre présentait un riche contenu organique.

Par gestes, j'ai indiqué au gars de la pelleteuse de reculer et signifié aux fossoyeurs d'entrer en action. Pelle à la main, ils ont sauté dans la tombe.

Quelques minutes plus tard, un couvercle apparaissait. Il n'y avait pas de caveau, uniquement les restes écrasés du drapeau qui avait recouvert le cercueil. Pas bon, ça.

Un caveau, qu'il soit en béton, en plastique ou en métal, a pour effet de protéger le cercueil sur toutes ses faces, alors qu'un tissu n'en recouvre que le dessus et les côtés. Quarante ans au fond d'un trou sans la protection d'un caveau, la boîte avait toutes les chances d'être en piteux état.

Une heure plus tard, le cercueil, toujours au fond de la tombe, était entièrement déblayé. Et, à première vue, en plutôt bonne condition. Juste aplati à un bout.

Je l'ai photographié pendant qu'un des représentants du coroner rapprochait le fourgon.

Sur mes indications, une planche a été glissée en dessous du cercueil et des chaînes passées autour de ses deux extrémités. Puis l'opérateur de la pelle excavatrice a entrepris de le remonter lentement, guidé par les fossoyeurs. Après une délicate rotation vers la gauche, il l'a déposé enfin sur le sol. Spectacle incongru que ce cercueil au beau milieu de l'herbe verte, sous un magnifique soleil de printemps !

Je continuais à prendre des photos et à rédiger des notes, emplie du souvenir de l'autre journée baignée de soleil où s'était produite, si loin d'ici, la résurrection du vrai John Lowery. Un jeune homme plein de vie, à en croire la photo découverte dans le tiroir du bureau de Jean Laurier.

Ce matin, j'avais lu d'un bout à l'autre le dossier personnel de l'individu enseveli sous le nom de John Lowery, y compris les documents expédiés par l'armée en 1968, à savoir : le rapport d'identification d'après la charte anatomique (formulaire DD 893) ; le certificat de décès établi par le procureur général (formulaire DA 10-249) ; le document de transport et titre de transit (formulaire DD 1384) ; le rapport sur la préparation des restes et leur restitution à la famille (formulaire DD 2775).

Le sigle TSN-RVN y apparaissait fréquemment. Tan Son Nhut, république du Vietnam, avais-je réussi à décrypter. C'était là, à Tan Son Nhut, dans l'une des deux morgues militaires américaines au Vietnam, que le corps de Lowery avait été identifié et préparé pour le transport.

Sur le formulaire DD 893, un certain H. Johnson — apparemment un civil de classe GS-13 chargé des identifications —, avait reporté le grade et le matricule du défunt.

Dans la section *État des restes*, il y avait une croix dans les cases *Décomposé* et *Brûlé*.

Sur les diagrammes du corps de face et de dos étaient reportées de graves blessures à la tête et l'absence des deux pieds et des deux avant-bras. Aucune mention de cicatrice ou de tatouage.

Dans la section *Observations*, il était précisé que Lowery avait été retrouvé vêtu d'un treillis aux insignes arrachés, sans plaque d'identification ni papiers d'identité. Curieux, mais pas si rare. À l'époque où je travaillais comme consultante pour le CIL, j'étais déjà tombée sur un cas semblable. Et Johnson d'avancer, se fondant sur des pillages perpétrés dans le secteur aux alentours de cette même date, que ces objets avaient peut-être été dérobés par des villageois avant que le corps n'ait été récupéré.

Sur le formulaire DA 10-249, un médecin militaire à l'écriture indéchiffrable avait inscrit *Traumas multiples* dans la case *Cause de la mort*. Là aussi, c'était une conclusion fréquente. Notamment dans les écrasements d'avion ou d'hélicoptère.

Le chapitre *Disposition des restes* était signé du même entrepreneur de pompes funèbres Dadko, qui avait rempli le formulaire DD 2775.

Sur le formulaire DD 1384, concernant le rapatriement du cercueil, le lieu de départ indiqué était Saigon et le lieu d'arrivée, la base aérienne de Dover, dans le Delaware.

Nulle part la moindre mention des indices utilisés pour l'identification du corps.

D'où la question que je me posais maintenant : comment découvrir l'identité de l'individu exhumé dans la tombe du présumé Lowery ?

J'ai ordonné qu'on retire les chaînes autour du cercueil et j'en ai pris encore plusieurs photos avant qu'il ne soit soulevé de terre et transféré dans le fourgon du coroner avec des *han* et des *ah* grâce aux efforts conjugués des fossoyeurs, du flic, de l'opérateur de la pelleteuse, du représentant de l'armée et du journaliste de la télé pas vraiment enthousiaste.

J'ai jeté un coup d'œil à Platon Lowery : visage de marbre pendant toute la durée de l'opération. Mais quand les portières ont claqué, il a eu un sursaut de tout le corps.

Le véhicule parti, je me suis avancée vers lui.

— Ce ne doit pas être facile pour vous.

Phrase d'un banal achevé, je le sais, mais je ne suis pas douée pour le blabla mondain. Non. La formule est trop gentille. En fait, je ne sais pas exprimer mes condoléances. Dans cette matière, je suis nulle, archinulle.

L'expression de Lowery ne s'est pas adoucie.

D'autres claquements de portières et bruits de moteurs ont retenti dans mon dos : les journalistes et le flic se tiraient.

— Je vous promets de faire tout mon possible pour résoudre au mieux cette histoire.

Toujours pas de réaction de la part de Lowery. Un gars fidèle à lui-même. Tout à l'heure, quand on nous avait présentés, il ne m'avait pas dit un mot ni même tendu la main. À l'évidence, j'étais l'une des cibles de sa colère. Pour le rôle que j'avais joué au Québec ? Pour mon irruption dans son monde et l'obligation qui s'en était suivie de déterrer son fils défunt ?

Je m'apprêtais à lui dire une autre parole aimable quand son regard a dévié sur un point derrière moi. Je me suis retournée.

Le militaire, un échalas à la peau olivâtre et aux cheveux coupés ras, s'avançait vers nous d'un pas pressé. Guipani ? Guipini ? En tout cas, un lieutenant de Fort Bragg dépêché à cette exhumation pour retourner au mieux une situation quelque peu épineuse.

— Docteur Brennan, monsieur Lowery. Je me félicite de voir que les choses se sont bien passées, monsieur.

Le soleil a joué sur ses barrettes d'épaules. J'ai pu lire le nom inscrit sur la plaque accrochée à sa poche : *D. Guipone*, tandis qu'il poursuivait :

— Je veux dire : l'armée tout entière s'en félicite. (Sourire coincé dévoilant des dents qui auraient eu besoin d'un appareil orthodontique.)

— L'armée était convaincue, naturellement, qu'il en serait ainsi. Que tout se passerait bien.

Pas un muscle du visage de Lowery n'a tressailli.

— D'après mes collègues du Laboratoire central d'identification, le Dr Brennan est la personne la plus compétente, a-t-il continué. C'est de cette façon que l'affaire sera traitée, monsieur. Exclusivement par les personnes les plus compétentes. Et dans une transparence absolue, naturellement.

— Naturellement, a répété Lowery, en rivalisant de gravité avec son interlocuteur.

— Naturellement, a répété Guipone, et il a assorti ses paroles d'un hochement de tête assuré.

— Un cheval n'est jamais qu'un cheval.

— Pardon, monsieur ?

— Naturellement.

Guipone m'a lancé un regard perdu.

— Naturellement, ai-je déclaré à mon tour sur le même ton pince-sans-rire que le vieil homme.

Mais Guipone était trop jeune ou borné pour comprendre qu'il était l'objet d'une plaisanterie.

— Très bien, alors. (Nouveau sourire aux dents croches, cette fois dirigé sur moi.) Comment va se dérouler la procédure, maintenant ?

J'ai désigné la tombe ouverte.

— Sur la foi des registres du cimetière et des dires de la personne qui a gravé la plaque tombale, j'ai pu constater que cette parcelle était bien celle qui avait été assignée à John Lowery, ce dont nous ne doutions pas. À présent, je vais ouvrir le cercueil en présence du coroner, constater l'état des restes et les enfermer sous scellés dans une caisse de transport, pour qu'ils soient expédiés au JPAC à des fins d'analyses sitôt les formalités accomplies par l'armée.

— Mon fils est mort en héros, est intervenu Lowery d'une voix tendue.

— Oui, monsieur. Naturellement, monsieur. Rien ne sera laissé dans l'ombre, a affirmé Guipone.

Lowery lui a délibérément tourné le dos pour s'adresser à moi :

— Je veux le voir.

— Je ne crois pas que ce soit une bonne chose, ai-je répliqué en m'appliquant à parler avec une grande douceur.

Lowery a planté ses yeux plus noirs que l'ébène dans les miens. Plusieurs secondes ont passé.

— Comment pourrai-je alors m'assurer que mon fils aura été traité avec le respect qu'il mérite ?

J'ai placé une main sur l'épaule du vieil homme.

— Mon mari était marine, monsieur Lowery, et je suis une mère. Je comprends le sacrifice accompli par celui qui est enfermé dans ce cercueil. Et par ceux qui l'ont aimé.

Lowery a levé son visage vers le soleil et a fermé les yeux. Puis il a tourné les talons et il est parti.

Le titre de médecin examinateur, ou ME, est attribué par désignation. Le plus souvent, ce poste est confié à un docteur en médecine, de préférence à un médecin pathologiste — dans l'idéal à un médecin légiste certifié.

Le titre de coroner, en revanche, est obtenu à la suite d'une élection. Le candidat à ce poste peut aussi bien être mécanicien, professeur ou strip-teaseur au chômage. Généralement, il dirige une entreprise de pompes funèbres, ou y occupe un emploi quelconque.

En 1965, le Congrès de Caroline du Nord a passé un décret autorisant les comtés, à titre individuel, à supprimer le poste de coroner et à confier à des médecins appointés la charge d'enquêter sur les décès survenus dans les limites de leur territoire.

De nos jours, en Caroline du Nord, les investigations *post mortem* sont traitées sur la base d'un système centralisé et les ME des comtés sont nommés pour trois ans par le médecin examinateur en chef de l'État, lui-même basé à Chapel Hill.

Un progrès, direz-vous. En fait, ce n'est pas si bien que ça.

Dans les comtés où il ne se trouve pas de médecin désireux ou capable de remplir cette fonction, celle-ci se voit confiée à des individus n'appartenant pas au corps médical à proprement parler, le plus souvent à des infirmières agrémentées. D'ailleurs, aujourd'hui, on n'emploie plus le mot de « coroner », mais on dit : « assumant les fonctions de médecin examinateur ».

Et notez encore : sur le site Web des médecins examinateurs de Caroline du Nord, le système est décrit comme un réseau de médecins recrutés sur la base du volontariat et qui consacrent leur temps, leur énergie et leur expertise à mener des investigations d'ordre médical.

Autrement dit, pour qui sait lire entre les lignes, que les médecins examinateurs de Caroline du Nord aient un diplôme de médecine ou de promenade de chien, ils sont payés des clopinettes.

Dans le comté de Robeson, l'individu assumant la fonction de médecin examinateur se trouvait être Silas Sugarman, propriétaire et employé de la plus ancienne entreprise de pompes funèbres de Lumberton. C'était donc dans son entreprise qu'il avait été convenu de transporter le cercueil, après l'exhumation.

Ce matin, j'avais pris la route pour Lumberton au volant de ma voiture personnelle, alors que les premières lueurs de l'aube commençaient seulement à arracher Charlotte, notre Ville Reine, à son assoupissement. En quittant le cimetière, j'ai donc réussi à semer Guipone, bien qu'il ait demandé à tout le monde de respecter scrupuleusement le calendrier des événements.

Je ne l'ai pas laissé parce que je le trouvais barbant, mais parce que j'avais un plan.

Depuis le temps que je fais en voiture le trajet entre Charlotte et les plages de Caroline du Sud, c'est-à-dire des années, j'ai un itinéraire préféré. Il consiste à suivre tout droit la route 74 jusqu'à un endroit, juste à côté de Lumberton, où je m'arrête toujours pour manger du barbecue. Tel était donc mon projet du moment : me rendre au Fuller's Old Fashioned BBQ.

Je ne me suis pas privée. C'était à peine un détour. Ma présence aux pompes funèbres n'était pas requise avant deux heures de l'après-midi. De plus, mon ventre criait famine.

À une heure et quart, la foule du midi s'était disséminée. Ignorant le buffet, j'ai commandé mon menu habituel : travers de porc grillés, salade de chou, frites et beignets à la farine de maïs. Plus une tasse de thé sucré de la taille d'un silo.

OK. Mauvais pour le cœur. Sauf que les patrons, Fuller et Delora Locklear, en connaissent un rayon, question cochon grillé !

Au sortir du restaurant, j'ai eu l'impression de patauger dans une mélasse aussi épaisse que celle que j'avais laissée intacte sur ma table. À l'intérieur de ma Mazda, la température avoisinait les soixante-cinq degrés.

Tout d'abord, allumer l'air conditionné ; ensuite, inscrire l'adresse dans mon GPS. Je me suis retrouvée tournant au sud en direction du Martin Luther King Drive.

Quelques minutes plus tard, une voix de robot m'annonçait l'arrivée à destination.

L'entreprise de pompes funèbres Sugarman ressemblait à une Tara gonflée aux stéroïdes. Briques rouges, piliers blancs d'avant la guerre de Sécession avec des moulures en haut et en bas, et porche ouvragé sous lequel passent les voitures.

Un seul mot suffirait pour décrire l'intérieur : rose. Moquette rose. Tentures roses. Et, au-dessus du lambris, papier peint avec motifs de roses.

Dans le grand vestibule, un panneau de style faussement colonial sur lequel étaient inscrits les noms des deux résidents du jour : Selma Irene Farrington, qui attendait ses invités endeuillés dans la salle de l'Harmonie éternelle, et Lionel Peter Jones, qui faisait le pied de grue dans la salle de la Paix sempiternelle.

J'en étais à comparer les mérites de l'Harmonie et de la Paix quand une jeune femme s'est matérialisée devant moi. Je lui ai demandé comment me rendre dans les bureaux du maître des lieux. À sa suite, je suis passée devant la salle de recueillement Lilas, ouverte seulement les jours d'affluence, puis devant la chapelle mémoriale Edgar Firefox.

Sugarman était assis derrière un massif bureau en chêne pourvu d'ananas sculptés en guise de pieds. Avec son mètre quatre-vingt-dix-huit, ses cent cinquante kilos, ses cheveux noirs graisseux et son nez tordu, il avait tout d'un mafioso.

Étaient présents le gentil lieutenant et un petit monsieur à face de rat avec des cheveux bruns coupés court, séparés par une raie d'une précision chirurgicale.

Les trois hommes venaient probablement d'échanger des blagues. En m'apercevant sur le seuil, ils ont mis un terme immédiat à leurs rires discrets et se sont levés.

— Docteur Brennan, un honneur sans aucun doute.

Sugarman avait une voix étonnamment haut perchée et un accent aussi gluant que la mélasse de chez Fuller.

Il m'a présenté Face-de-Rat comme son beau-frère en même temps que le shérif du comté de Robeson. Petit salut de la tête à mon adresse de la part de ce Harold Beasley, tandis qu'il faisait passer son cure-dents du côté droit au côté gauche de sa bouche. Pas le moindre commentaire ni la moindre question sur ma présence dans sa juridiction. À l'évidence, il avait été mis au parfum du rôle qui m'était dévolu dans les activités du jour.

— Et vous connaissez déjà le lieutenant.

— Oui.

J'ai résisté non sans mal au désir d'ajouter : « Naturellement. »

Ayant fait prendre à ses traits puissants une expression solennelle conforme aux circonstances, Sugarman a déclaré :

— Madame, messieurs. Nous comprenons tous la triste affaire que le Seigneur a placée sur notre route. Je propose que nous nous y attelions sans plus tergiverser.

Et de nous précéder jusqu'à une porte au fond du vestibule, dépourvue de toute plaque susceptible d'indiquer quelle activité se pratiquait au-delà. Était-ce l'Embaumement éternel ? La Préparation perpétuelle ?

La salle en question, sans fenêtres, mesurait environ six mètres sur quatre.

Côté ouest, une fenêtre donnant sur l'extérieur. Juste à côté, un rayonnage en métal supportant l'assortiment habituel : instruments, produits chimiques et cosmétiques, sous-vêtements en plastique et liquides dont je ne tenais pas vraiment à connaître l'usage.

Côté sud, un évier profond. Sur le comptoir, des appareils à aspirer et à injecter, ainsi qu'un pied-de-biche et une petite scie électrique.

Les tables destinées à l'embaumement du corps et à son habillement avaient été reléguées contre le mur nord. Poussée tout près, une civière supportant un cercueil ouvert, prêt à recevoir les restes, et, à côté, la partie couvercle d'une caisse de transport en aluminium.

Celui qui avait été exhumé ce matin reposait toujours sur le chariot pliant sur lequel il avait fait le voyage depuis le cimetière. Les ventilateurs avaient beau faire de leur mieux, l'odeur de mildiou, de bois moisi et de chair en décomposition avait envahi la totalité de cet espace réduit.

Sugarman a retiré sa veste et roulé ses manches. Puis, pour lui comme pour moi, tablier, lunettes et gants. Beasley et Guipone nous observaient depuis le seuil. Tous les deux avec l'air d'avoir envie d'être ailleurs. J'ai espéré que ça se voyait moins chez moi.

Le vieux cercueil était en acajou, avec des coins sculptés. Le dessus, à présent effondré, avait été autrefois en forme de voûte. Les poignées de transport et la plus grande partie des décorations métalliques s'étaient détachées. Les rares morceaux encore en place étaient rouillés et décolorés.

Le temps de prendre des photos et de noter mes observations, et je me suis reculée.

Sugarman a haussé les sourcils. Je lui ai fait signe que oui.

S'étant approché du cercueil, il a inséré l'extrémité de son pied-de-biche entre le couvercle et le fond, et a appuyé de toute sa force de géant. Le bois putréfié s'est fendu et a volé en éclats.

Sugarman a écarté du pied les débris et a dégagé son levier, pour recommencer à un autre endroit. Le bois s'est disloqué. J'ai repoussé les fragments tombés à terre.

Enfin, Sugarman a reposé son instrument. Il y avait deux ronds plus sombres sous ses aisselles.

Je me suis avancée.

Guipone et Beasley ont fait de même.

Sugarman a pris sa respiration et soulevé ce qui restait du couvercle.

— Petit Jésus chéri ! s'est exclamé Beasley en portant vivement la main à sa bouche.

Chapitre 7

Grâce à nos bons offices, nos chers défunts sont protégés des ravages du temps, clament les entreprises funéraires. Et les fabricants de cercueils de proposer des blindages et des ferrures jointives, ainsi que des garanties sur l'intégrité structurelle du matériel. Concernant l'intégrité corporelle, ce sont les embaumeurs qui montent au créneau. Selon eux, rien n'égale leur pratique.

Mais tout cela n'est que peine perdue, face à l'inéluctable.

Car, à peine sonnée l'heure du trépas, les bactéries entrent en action. Les aérobies se chargent de la partie extérieure du cadavre, laissant à leurs petites sœurs anaérobies le soin d'œuvrer à partir de l'intestin. Les cercueils hermétiques, qui tiennent les aérobies à l'écart, ont pour effet d'accélérer l'action destructrice des anaérobies au lieu de la retarder. Résultat : le corps se liquéfie à l'intérieur de la boîte et se transforme en une soupe putride.

En revanche, les simples cercueils en bois, qui laissent passer l'air, ne contrecarrent en rien l'activité des aérobies, et le corps se transforme rapidement en squelette.

La plupart du temps, il est bien difficile de dire ce qu'on trouvera sous le couvercle d'un cercueil exhumé. Des ossements ? Un magma poisseux ? Un mélange durci par le temps ?

Dans le cas présent, nous disposions des données suivantes : un corps calciné, une période de temps de quarante ans, un cercueil plutôt mal en point.

Ces paramètres ne laissaient guère de place au doute.

Et de fait.

Nous avions un squelette couvert de moisissure et d'une sorte de fumier noir desséché. Sous la croûte rose clair, on apercevait des ossements sombres et pommelés.

— Dieu du ciel !

L'exclamation de Beasley nous est parvenue à travers le mouchoir dont il se couvrait la bouche. Guipone s'est contenté de déglutir bruyamment.

Les restes avaient été disposés dans le cercueil selon la méthode militaire. Il ne demeurait rien de la couverture en laine traditionnellement utilisée comme linceul, mais des épingles de nourrice rouillées attestaient sa présence autrefois.

— Je peux jeter un coup d'œil au dossier ?

Sugarman m'a remis une chemise en carton abandonnée sur le comptoir. Cette fois-ci j'ai fait l'impasse sur les formulaires administratifs. Ce qui m'intéressait, c'était le texte du responsable des pompes funèbres. Écrit à la main.

— Les rapports d'activité, ce n'était pas son point fort, à mon père. Et je le déplore, a dit Sugarman en accompagnant ses paroles d'un petit sourire qu'il devait considérer comme étant de circonstance.

Et qu'il devait pratiquer devant sa glace en faisant son nœud de cravate, avant la cérémonie.

— Autres temps, autres mœurs, a-t-il ajouté.

Pas toujours. Mais ça, je l'ai gardé pour moi.

Le deuxième classe John Charles Lowery a perdu la vie dans un accident d'hélicoptère au Vietnam. (Voir les formulaires de l'armée.) Son corps est arrivé à l'aéroport de Charlotte, Caroline du Nord, en provenance de Dover, Delaware.

Le 18 février 1968, j'ai personnellement réceptionné les restes en présence de Platon Lowery, père du défunt, et je les ai transportés par la route jusqu'à l'entreprise de pompes funèbres Sugarman à Lumberton, Caroline du Nord.

À la demande des parents, Platon et Harriet Lowery, le corps a été transféré dans un cercueil fourni par le client, puis enterré au cimetière des Jardins de la Foi, le 20 février 1968 (parcelle 9, rangée 14, tombe 6). Aucune demande supplémentaire n'a été formulée par la famille.

Holland Sugarman.
Fait le 12 mars 1968.

Note : Pierre tombale érigée le 4 octobre 1968.

Rien d'inédit là-dedans. Ayant posé de côté l'œuvre littéraire de papa Sugarman, j'ai entrepris d'arracher les morceaux de tissu encore collés au cercueil délabré : doublure, rembourrage, oreiller, couverture. Tous ces lambeaux ont atterri par terre.

Sugarman m'aidait sous le regard attentif du shérif et du lieutenant, tous deux bouches cousues. L'odeur de putréfaction et de rouille augmentait de plus belle. En l'espace de quelques minutes, le squelette a été entièrement dégagé. Il était nu, exception faite de son armure *post mortem* de moisissure et de magma carbonisé. Un crâne en morceaux, des couronnes dentaires délogées, pas de pieds ni d'avant-bras, conformément au diagramme joint au rapport d'identification officiel établi par Johnson.

Ces restes correspondaient-ils à ce que l'on savait à l'époque du profil biologique de John Lowery ? J'ai fait de mon mieux pour répondre à cette question.

Un robinet fuyait. Les néons grésillaient. Beasley et Guipone se balançaient d'un pied sur l'autre.

D'après la forme du pelvis, l'individu exhumé était sans aucun doute de sexe masculin. Et il avait entre dix-huit et vingt-cinq ans, à en croire l'une des faces de la symphyse pubienne. Le crâne, réduit à l'état de fragments, ne permettait pas d'établir sa race en toute certitude.

J'ai gratté du bout du doigt la croûte qui recouvrait un des morceaux. En dessous, une surface corticale noire et désagrégée. Conforme, là encore, à ce que Johnson écrivait dans son rapport à propos de l'état du corps : le défunt avait été calciné au moment même du trépas ou alors, juste après.

À l'intérieur du cercueil, un objet inattendu, en plus des épingles de nourrice : un pot de confiture avec de la poudre au fond. Sinon, aucun objet funéraire rituel et pas non plus de plaque d'identification, de boutons, de boucle de ceinturon ou d'insignes.

J'ai rédigé un résumé des faits et pris des photos.

Ce premier constat achevé, je me suis tournée vers Sugarman, satisfaite de ne rien avoir oublié. L'entrepreneur de pompes funèbres avait changé de gants. Travaillant de concert, nous avons glissé un drap en plastique bleu sous les ossements, puis, délicatement, nous avons transféré les restes dans le cercueil neuf.

Immobiles, nous avons tous regardé Sugarman en abaisser le couvercle et verrouiller les fermetures, puis positionner par-dessus la partie supérieure de la caisse de transfert. Je l'ai aidé à fermer les attaches coulissantes métalliques.

Gravés dans l'aluminium, il y avait les mots *Tête* et *Pieds*. À l'intention de la garde d'honneur qui la hisserait, avec un grand respect, dans l'avion corbillard, recouverte du drapeau. Je me suis représenté la scène.

Déjà cinq heures et demie. Il ne me restait plus qu'à me laver les mains et à signer les papiers de transfert.

Nous nous sommes séparés à l'entrée, sous le porche. J'ai remercié Sugarman, qui m'a remerciée, et Guipone nous a tous remerciés. Si Beasley avait des éloges à nous faire, il les a gardés pour lui.

Direction le stationnement. L'air brûlant était parcouru de vibrations. Mes chaussures s'enfonçaient dans l'asphalte.

Mouvement sur ma gauche : la portière d'une Ford Ranger bleue, à cinq places de ma Mazda, venait de s'ouvrir côté conducteur. Légère sensation d'alarme. J'ai refusé d'y prêter attention.

L'homme descendu du véhicule m'observait.

L'ombre de sa visière de casquette avait beau dissimuler en partie son visage, comment pouvais-je ne pas reconnaître ce corps massif, ces épaules carrées et, surtout, ce t-shirt à la gloire des Braves d'Atlanta ? Arrivée à dix pas de lui, j'ai lancé :

— Bon après-midi, monsieur Lowery. Une telle chaleur si tôt dans l'année, ça nous promet un rude été.

— En effet.

Pas un mot de plus, bien qu'à l'évidence il m'ait attendue.

Des yeux noirs comme le charbon et, au-dessus, des lettres jaunes autour d'un globe terrestre représenté en vert. *Fier à tout jamais d'avoir participé à la guerre de Corée. 1950-1953.*

J'étais crevée, sale et trempée. Je ne rêvais que de prendre une douche et de me laver les cheveux. Et aussi de me mettre quelque chose sous la dent. D'autant qu'un long trajet m'attendait encore. Entre Lumberton et Charlotte, il faut compter deux heures de route quand tout va bien. En cette fin de journée, il m'en faudrait bien trois. Au mieux.

— Vous voulez quelque chose, monsieur ?

— Vous allez me dire ce que vous avez vu dans ce cercueil ?

— Je suis désolée, je suis tenue à la réserve.

Aucun effet sur Lowery. Il est resté planté devant moi un long moment avant de hocher la tête d'un air tendu. Comme s'il venait enfin, maintenant seulement, de se décider à accomplir un acte pénible.

— Je suis pas très doué pour les discours. Faut que j'y sois obligé. Et que je sache à qui j'ai affaire.

Il s'est essuyé les deux mains sur son jean.

— O'Hare se sert de cette histoire pour avoir son nom dans les journaux, Guipone est un crétin, l'armée est dedans jusqu'au cou et moi, je suis pas une grenouille de bénitier pour aller demander au Seigneur qui a tort et qui a raison. J'ai rien que mon intuition.

Son malaise était douloureux à regarder.

— Je vous ai entendue là-bas, au cimetière. Et aussi maintenant. Mon intuition me dit que j'peux vous faire confiance.

— Merci, monsieur.

— J'aimerais que vous écoutiez ce que j'ai à dire.

— Voulez-vous que nous parlions dans ma voiture ?

Le temps que j'actionne le bidule qui ouvre les portières et que j'allume le climatiseur, il est allé chercher un paquet resté dans son camion, sur le tableau de bord.

Une vague de senteurs, mélange d'eau de Cologne bon marché et de transpiration, s'est abattue sur moi quand il s'est laissé tomber sur le siège passager. Déplaisant, mais au moins ça effaçait la puanteur que je venais de quitter.

Ce que Lowery tenait serré contre son cœur était un album de photos en cuir rouge, doré sur tranche. Les yeux rivés droit devant lui, il s'est mis à en tambouriner la couverture de ses deux pouces rugueux.

Des secondes ont passé. Une minute pleine.

Enfin, il s'est décidé.

— Ma mère m'a pas fait de cadeau en me donnant ce nom de Platon. Vous imaginez les plaisanteries.

— Si quelqu'un peut vous comprendre, c'est bien moi ! ai-je dit en me frappant la poitrine. Je m'appelle Temperance. Tout le monde croit que je suis favorable au rétablissement de la prohibition.

— Pour mes garçons, j'ai choisi des noms tout simples.

Curieux, ce pluriel. Dissimulant ma surprise, j'ai dit seulement :

— Avec John, difficile de se tromper.

— John n'avait pas encore cinq ans quand il a commencé à collectionner des araignées. Il les gardait dans des flacons bien rangés sur le rebord de sa fenêtre. Des araignées rouges, d'autres tachetées, d'autres encore toutes noires et velues. Il en avait tellement que sa mère avait la frousse d'entrer dans sa chambre.

Je l'ai laissé poursuivre.

— Dès qu'il a su lire, il a emprunté des livres à la bibliothèque itinérante. Il parlait plus que des araignées. Ce qu'elles mangeaient, comment elles vivaient, comment elles faisaient des petits. La bibliothécaire lui donnait tous les livres qu'elle pouvait trouver sur le sujet. J'avais pas les moyens d'en acheter, j'avais pas beaucoup de boulot à l'époque.

Il a fait une pause, les yeux toujours rivés sur un point situé bien au-delà de la voiture, peut-être même bien au-delà du moment présent.

— Les gens ont commencé à l'appeler l'Araignée. Ce surnom lui est resté collé, comme de la gomme à une semelle de chaussure. Très vite, tout le monde a oublié qu'il s'appelait John. En classe, même les profs disaient l'Araignée.

Lowery est retombé dans le silence. Je n'ai pas insisté.

— Ça s'arrêtait pas qu'aux araignées. John, il aimait toutes les bêtes. Il en rapportait des quantités à la maison. Le plus souvent, sa mère lui permettait de les garder.

Lowery s'est tourné vers moi, mais en gardant les yeux baissés.

— Harriet… Cinq ans déjà qu'elle est partie. Ses reins. Ils ont fini par lâcher. Elle était toujours malade, même après la greffe.

— Je suis désolée.

— L'Araignée avait offert un de ses reins à sa maman. C'est dire combien il était généreux, ce garçon… Ça a pas marché, a ajouté Lowery d'une voix presque inaudible.

Je l'ai laissé poursuivre.

— L'Araignée avait un jumeau, Thomas. John et Tom. Deux beaux prénoms, tout simples. Tom est mort, lui aussi. En 2003. Accident de tracteur. Ça a tari en elle le flot de la vie, à Harriet, d'avoir perdu ses deux garçons.

— La mort s'accompagne parfois de conséquences lourdes à porter pour ceux qui restent.

Les yeux de Lowery se sont levés vers les miens. J'y ai lu une angoisse et un chagrin ressuscités.

— Madame, est-ce que vous avez retrouvé un bocal dans le cercueil ?

— Oui, monsieur.

— C'est moi qui l'ai mis. (Il a fait une pause. Gêne ou regret de devoir me faire cette confidence.) Une bêtise. (Il s'est détourné et a secoué la tête.) J'ai attrapé une araignée et je l'ai mise là-dedans, avec mon garçon.

— C'est ce que j'appelle une véritable attention, monsieur Lowery.

— C'était mon fils à moi ! (Il s'est donné un coup si fort sur la poitrine que j'en ai sursauté.) Un bon garçon, en passe de devenir un bon jeune homme. (Ses mâchoires se sont crispées.) C'est pour ça que je vous raconte ça. Pour que vous pensiez à lui comme à une vraie personne au moment où vous le découperez.

— Monsieur Lowery, ce n'est pas moi qui…

— Sa maman avait gardé ça.

Il s'est penché vers moi. Son odeur de transpiration a failli me faire tourner de l'œil. Avec force, il m'a fourré son album dans les mains.

Des photos noir et blanc aux bords dentelés, de taille 16 × 24. Quatre ou six sur chaque page. Portraits de bébés et d'écoliers.

J'ai feuilleté les pages en posant des questions sur les gens représentés, les lieux, les événements.

Lowery répondait avec des phrases succinctes. Souvent d'un seul mot. Noël 1954. 1961. 1964. Vacances à Myrtle Beach. Harriet. Tom. Notre maison à Red Oak. Le camion près du lac.

Sur chaque photo, en plus jeune, le garçon que j'avais déjà vu au Canada sur le portrait découvert dans le tiroir du bureau de Jean Laurier.

Sur l'une d'elles, Platon en compagnie d'une dame. Sa femme, probablement.

— Votre épouse ?

— Harriet, oui. Elle avait vraiment de beaux yeux. Incroyables. L'un marron, l'autre plus vert qu'un pin loblolly.

Détail intéressant.

Sur celle d'après : l'Araignée, Platon et Harriet sur un ponton, tous les trois en short et chemisette. À l'évidence, Harriet avait pris trop de soleil. Au creux de son abondante poitrine, on apercevait une série de rides en forme de V.

Sur l'avant-dernière image, l'Araignée immortalisé sous une arche de ballons. À côté de lui, une fille à lunettes avec un chignon en pain de sucre. Veste blanche et œillet à la boutonnière pour lui, robe du soir rose et fleur au poignet pour elle. L'air aussi guindé et coincé l'un que l'autre.

Dernière photo de l'album : un portrait de groupe. Une équipe de baseball répartie sur deux rangs. Douze garçons en uniforme et deux entraîneurs. Devant, tous les gars un genou par terre. Derrière, tout le monde debout. Saison 1966-1967, indiquait l'inscription en dessous de l'image.

A suivi une explication plus longue que pour les autres photos.

— Photo de classe, prise la dernière année. Juste avant qu'il parte pour l'armée. Le sport, c'était pas vraiment son truc, à John. Il passait la plupart du temps sur le banc. C'est lui, là.

Lowery a désigné un jeune accroupi au premier rang. J'approchais l'album de mes yeux quand il me l'a presque arraché des mains.

— Attendez.

Il a examiné la page en tenant l'album à bout de bras, puis en le rapprochant de ses yeux pour l'écarter à nouveau. Cette fois, il a posé le doigt sur un jeune debout.

— Non, il est là, l'Araignée.

Confusion bien compréhensible : les deux garçons avaient les mêmes cheveux noirs, les mêmes yeux foncés et les mêmes sourcils, épais et arqués.

— Wow ! Ils pourraient être frères.

— Seulement cousins, du côté de Harriet. Les gens les confondaient souvent. Sauf que l'Araignée avait les yeux verts de sa mère, et Reggie des yeux noirs comme les miens.

L'image était trop ternie, les visages trop petits pour qu'on puisse noter la différence.

— Les deux, ils étaient comme deux doigts de la main, continuait Platon. C'est Reggie qui avait convaincu l'Araignée d'entrer dans l'équipe.

Le vieil homme a repris l'album et l'a fermé.

Au bout d'un long silence, il a repris :

— Mon père s'est battu en France. Moi en Corée. Trois frères dans l'armée de terre, un dans la marine. Tous nos fils se sont engagés. Je dis pas ça pour me vanter, juste pour dire les choses comme elles sont.

— C'est admirable, monsieur.

— L'Araignée est parti au Vietnam. Il en est revenu dans une boîte.

Lowery a inspiré fort par le nez. A relâché l'air bruyamment. A dégluti.

— Jusqu'ici j'avais toujours eu une foi aveugle dans les militaires. Maintenant…

Il a rouvert l'album brusquement, en a retiré la photo de l'équipe de baseball et me l'a donnée.

— Je vous fais confiance pour bien traiter mon garçon.

Dix heures du soir, m'a appris le carillon de la pendule de grand-mère sur la cheminée du salon quand je suis arrivée à Charlotte. Erreur d'une heure dans mon évaluation du temps de retour.

Un Birdie irradiant la fureur m'a coupé la route.

Je lui ai présenté mes plus plates excuses et j'ai rempli son bol de croquettes. J'ai fourré mes vêtements dans la machine à laver et me suis dirigée vers la douche. Après, tout en me séchant, j'ai raconté au chat ma journée à Lumberton.

Je venais d'enfiler mon pyjama quand du bruit m'est parvenu de la cuisine. J'ai foncé au rez-de-chaussée.

Alors que je traversais la salle à manger au pas de course, ma fille Katy s'est encadrée dans la porte.

Sa vue m'a glacé les sangs.

Chapitre 8

Une Katy hirsute, les yeux rouges et humides, les paupières inférieures et les joues noires de mascara.

Je me suis précipitée vers elle et l'ai serrée contre moi.

— Ma chérie, qu'est-ce qui se passe ?

Silence. Les épaules affaissées, les poings serrés.

Je l'ai poussée jusqu'au bureau et l'ai assise de force sur le canapé. Je l'ai reprise dans mes bras. Elle demeurait pétrifiée, insensible à mes caresses, même si elle ne leur opposait pas de résistance.

Des secondes ont passé. Une minute entière. Finalement, elle s'est effondrée contre moi dans un gros sanglot. En un rien de temps, mon haut de pyjama a été trempé de larmes.

Des scènes de son enfance me sont revenues en mémoire, disloquées comme des images de kaléidoscope. L'estomac noué, j'ai revécu les tragédies qui lui avaient arraché des larmes aussi violentes : la mort d'Arthur, son petit chat ; le départ pour l'Iowa de sa meilleure amie au collège ; la nouvelle que nous nous séparions, Pete et moi.

Aujourd'hui Katy avait vingt-quatre ans. Qu'est-ce qui pouvait la bouleverser à ce point ? L'annonce d'une maladie incurable ? Un problème au travail ? Une dispute avec Lija ? avec son père ?

Face à ce chagrin, ma réponse a été fulgurante, instinctive. Comme autrefois.

Réparer les pots cassés !

Hélas, ce n'était pas en mon pouvoir et je le savais bien.

J'ai continué à lui caresser les cheveux en marmonnant des paroles apaisantes.

La pendule de grand-mère jouait les métronomes. Grand-mère… qui savait si bien calmer mes malheurs d'enfant du simple son de sa voix, sa main noueuse posée sur ma tête.

Dehors, un chien a aboyé. D'autres lui ont répondu. Une voiture a klaxonné.

À un moment, Birdie a pointé son nez. Tension dans la pièce ? Envie de croquettes ? Agacement ? Quoi qu'il en soit, il a passé son chemin.

Lentement, comme cela finit toujours par arriver, les pleurs de Katy se sont calmés, ses hoquets ont disparu. Elle s'est écartée de moi et s'est assise tout droit sur le canapé.

Son maquillage, d'ordinaire si soigné, répondait ce soir à des normes nouvelles. Elle s'est essuyé le nez du dos de la main, a rejeté ses cheveux blonds en arrière.

Je lui ai passé des mouchoirs en papier, tirés d'une boîte à portée de ma main. Elle s'est frotté les yeux, s'est mouchée. A jeté au loin le Kleenex roulé en boule.

— Coop est mort. (Chuchotement à peine audible.)

— Il doit rentrer ces jours-ci.

Commentaire idiot, je sais, mais je n'ai rien trouvé de mieux à dire. J'avais l'esprit bloqué.

— Ouais. (Elle a refoulé une nouvelle crise de larmes.) Rentré dans une boîte.

Je lui ai passé une autre poignée de mouchoirs, puis j'ai pris ses mains dans les miennes.

— Qu'est-ce qui s'est passé ?

— Tu n'as pas regardé les infos ?

— Je rentre tout juste de Lumberton. J'y ai passé la journée.

— Des rebelles ont tiré sur son convoi. Un chauffeur afghan et deux Anglaises ont été tués aussi.

— Oh, mon Dieu. Quand ça ?

— Hier. (Longue inspiration chevrotante.) Hier déjà, j'avais vu ça sur CNN, mais je n'avais pas imaginé un instant qu'il puisse s'agir de lui. On ne donnait pas les noms des victimes ni celui de l'ONG. On ne les a révélés qu'aujourd'hui. Je…

Normal : n'indiquer l'identité des victimes qu'une fois les proches prévenus.

Elle s'est mordu violemment la lèvre, pour l'empêcher de trembler.

— Oh, Katy ! (Et tout bas dans ma tête : Ces salauds !) Tu as téléphoné à sa famille ?

— Ouais, tu parles ! (Reniflement rageur.) Je suis tombée sur un oncle ou quelqu'un dans le genre qui m'a dit d'aller me faire voir ailleurs !

— Qu'est-ce qu'il a dit exactement ?

— Qu'il n'avait pas la moindre idée de qui j'étais et qu'il s'en foutait comme de l'an quarante. Enterrement dans la plus stricte intimité. Merci d'avoir appelé. Allez vous faire foutre !

— Où est-ce qu'ils ont été attaqués ?

— Sur une route, en dehors de Kaboul. Dans ce convoi, il n'y avait rien que des membres de l'IRC. On conduisait Coop et l'une des Anglaises à l'aéroport.

Pour rentrer au pays. Mais cela, Katy n'a pas eu la force de le dire.

— Deux blessés seulement dans le second véhicule. Dans celui de tête, tout le monde a péri. Quatre personnes en tout ! (Elle a dégluti.) Multiples blessures par balles, comme on dit.

— Oh, chérie. Je suis tellement désolée pour toi.

— Ce n'étaient que des humanitaires ! (Dit quasiment en hurlant.) Des jeunes venus creuser des puits ! Pour enseigner aux gens du coin des rudiments de médecine.

J'ai serré les mains de Katy. Elles tremblaient.

— La tuerie a été revendiquée par les talibans. D'après eux, Coop et les autres étaient des espions. Des espions ! T'imagines ?

Excuse habituelle. Simple prétexte pour justifier leurs meurtres. En moi, la haine le disputait au chagrin. Et aussi à une fureur grandissante.

— Ils prétendent, ces abrutis, que l'ONG travaillait main dans la main avec les armées étrangères qui envahissent leur pays.

— Que j'aimerais pouvoir trouver les mots qui te réconfortent, mon cœur.

— Les gens du convoi n'étaient même pas armés, maman. Et les véhicules portaient le sigle de l'organisation humanitaire.

— Je suis si triste pour toi.

Pauvre réponse, mais j'étais épuisée par ma journée. Et je craignais aussi de ne pas pouvoir retenir mes émotions si jamais je leur laissais libre cours.

— Coop, un espion ? C'est seulement pour aider le peuple afghan qu'il est allé là-bas. C'est tellement injuste que ce soit lui qui meure !

— La guerre tue bien des gens qui n'ont rien à se reprocher.

— Coop s'était engagé de lui-même. Rien ne l'obligeait à se rendre là-bas. (Les joues à nouveau inondées de larmes.)

— Je sais.

— Pourquoi lui ?

Que répondre à cela ? J'ai laissé passer plusieurs secondes avant de demander :

— Lija est en ville ?

— Non, à la montagne. (Elle s'est violemment essuyé un œil, puis l'autre.) À Banner Elk, je crois.

— Tu l'as prévenue ?

— Je lui ai laissé un message.

— Tu veux rester dormir ici ce soir ?

Katy s'est immédiatement effondrée contre mon cœur. Comme dans son enfance.

— Je prends ça pour un oui.

Nous sommes restées ainsi, serrées l'une contre l'autre, perdues dans nos pensées pendant un moment qui a bien duré soixante tic-tac de la pendule de grand-mère.

— Salauds de talibans !

La voix de Katy tremblait de colère. Un mouchoir a volé du canapé et atterri sur le tapis.

Sa rage m'a fait froid dans le dos.

Je l'ai étreinte avec force et j'ai posé ma tête contre la sienne. Ensemble, nous avons pleuré doucement. Elle pour son ami disparu ; moi pour un chagrin datant de mon enfance et dont je souffrais toujours.

Nous avons ouvert le canapé-lit et Katy est allée prendre une douche pendant que je faisais des gâteaux.

Quand elle est réapparue, la maison tout entière sentait le chocolat. Avec une grâce que n'aurait pas reniée Martha Stewart, je lui ai proposé un verre de lait et des brownies tout chauds.

Katy a tendu le bras vers le plat, puis s'est arrêtée à mi-chemin, les yeux levés vers moi. Des joues immaculées, un regard étonné.

J'ai admis ma culpabilité. Pâte surgelée, effectivement. Mais qu'elle me reconnaisse au moins le mérite de l'avoir achetée ! J'ai eu droit à un presque sourire.

Je déposais les verres dans l'évier quand le téléphone a sonné.

Coup d'œil à la pendule murale : minuit et quart.

Gênée, je me suis précipitée sur l'appareil.

— Le gros lot : séjour à Hawaï tous frais payés !

Danny Tandler, imitant un présentateur de jeux télévisés.

— Tu sais l'heure qu'il est, chez nous ?

Katy s'est éclipsée sur un petit au revoir du bout des doigts.

— Celle de faire tes valises !

— Quoi ?

— Notre gagnante recevra un billet d'avion en classe touriste avec un fauteuil tout près des chiottes, et une chambre dans un hôtel minable à des kilomètres de la plage.

— De quoi tu parles ?

— Platon Lowery en perdait son froc de t'avoir rencontrée. Ton charme, je suppose.

— C'est un très gentil monsieur.

— Eh bien, ce très gentil monsieur te veut toi, rien que toi, pour s'occuper de son fils. Et son membre du Congrès a tiré les ficelles pour qu'il obtienne gain de cause.

Exactement ce que je craignais, pendant que je regardais l'album de photos avec Platon.

— Et O'Hare vous a rappelés, bien sûr ?

— Ouais. Je ne sais pas qui des deux a contacté l'autre, si c'est Lowery ou son gentil membre du Congrès, mais le fait est qu'O'Hare a appelé Notter et que Notter a appelé Merkel. C'est-y pas génial, les moyens de communication modernes ?

— Je ne peux pas venir à Hawaï en ce moment.

— Notter est persuadé du contraire.

— Il faudra qu'il se fasse une raison.

— Et si on te cantonne sur une plage vraiment jolie ?

— Danny !

— Qu'est-ce qui t'en empêche ?

Je lui ai raconté ce qui était arrivé à Coop.

— *Jesus*, j'ai vu ça aux infos. C'était un ami de Katy ?

— Oui.

— Pauvre enfant ! Et ils étaient proches ? Tu vois ce que je veux dire.

— Assez, oui.

J'ai préféré rester dans le vague, n'étant pas vraiment au courant des amours de ma fille.

— Embrasse-la bien fort de ma part. Mais non, que je suis bête, viens plutôt avec elle ! Notre soleil d'Hawaï, ça lui remettra du baume au cœur !

— Danny !

— Lowery ne te lâchera pas. Il a décidé une fois pour toutes que ce serait toi qui accompagnerais le corps de son fils à Honolulu et qui superviserais de bout en bout la nouvelle analyse.

— Dis à Notter de le calmer.
— Ça ne marchera pas.
— C'est pas mon problème.
— À quand remontent tes dernières vacances ?
— À Noël.
— Écoute, Tempe. Nous savons toi et moi que le type que tu as exhumé aujourd'hui n'est pas John Lowery.
— On l'appelait l'Araignée.
— Pourquoi ?
— Longue histoire.
— Fais ça pour le vieux Platon, sinon cette affaire va le laisser sur le flanc. Fais ça aussi pour Notter et Merkel. Qui sait, tu peux avoir besoin d'eux, un jour ?

Des visions se sont succédé devant mes yeux : le regard tourmenté d'un père sous sa casquette de vétéran de la guerre de Corée ; un cadavre enveloppé dans une coque en film plastique ; un squelette recouvert de moisissure…

Rien n'exigeait ma présence en Caroline du Nord ou au Québec. Et, comme le disait Danny, un séjour à Hawaï serait peut-être pour Katy la meilleure des thérapies. Pour ne rien dire du fait que je pouvais me retrouver un jour à avoir besoin d'un coup de pouce de la part des services d'Honolulu. Argument de poids. Mais il y avait un hic : Katy accepterait-elle de venir ?

— Le branle-bas de combat est prévu pour quand ?
— Le transfert des restes doit avoir lieu vendredi. Lowery exige que tu prennes le même vol.
— Il l'exige ?
— Il est catégorique.
— Je vais demander à Katy.
— Bonne fille !
— Je ne promets rien, Danny. Katy a besoin de moi en ce moment. C'est elle qui prime.
— Elle est abattue, je suppose.
— Très.
— Elle doit assister aux obsèques ?
— L'enterrement aura lieu dans la plus stricte intimité.

Pause… Un silence qui a bourdonné du sud du Pacifique jusqu'à la côte Sud-Est.

C'est Danny qui l'a rompu.

— Je te transmets les détails du vol dès que j'en ai connaissance.

Chapitre 9

Le lendemain matin, lever de bonne heure et razzia au rayon des fleurs du Harris Teeter d'à côté. De retour à la maison, téléchargement de photos d'Hawaï choisies avec soin et petit tour sur la pointe des pieds dans la pièce où dormait Katy.

Elle s'est réveillée, entourée de paysages sublimes punaisés au mur, de bouquets d'orchidées et de frangipaniers, et de colliers de fleurs fabriqués de mes blanches mains. Peu après dix heures, elle a fait son entrée dans la cuisine, les cheveux en bataille, quelque peu éberluée, tenant à la main une photo particulièrement attirante de la plage de Kamaole I, sur l'île de Maui.

Ma question « Comment ça va ? » n'a eu droit qu'à un haussement d'épaules.

Je lui ai transmis les condoléances de Danny Tandler. Elle a soupiré bruyamment.

J'ai fait miroiter la perspective d'une mer admirable, de paysages sous-marins grandioses et de leçons de surf si ça l'amusait. Discours soigneusement préparé.

Elle m'écoutait sans rien dire, les yeux rivés sur la vapeur qui montait de sa tasse.

J'ai poursuivi mes descriptions sans m'arrêter à cette absence de réaction : le rocher de Diamond Head, à Waikiki ; la plage de Lanikai. Le tout, accompagné de petits mouvements de danse hula.

— Qu'est-ce que tu en dis, *sweetie* ? *Aloha ?*

— Ouais, éventuellement.

Pas vraiment un cri de joie, mais pas non plus un non définitif.

Vers midi, grâce à l'intervention de Charlie Hunt, l'employée la moins qualifiée de tous ceux qui travaillent au bureau du procureur, puisqu'elle n'y était que depuis un an, se voyait accorder un congé exceptionnel « par mesure de compassion ». Congé de deux semaines. Mais sans salaire.

Normal.

Après un repas constitué d'une soupe aux tomates et de sandwiches au thon, nous avons entrepris de fouiller la maison pour remettre la main sur nos tenues de plongée. En tout cas, c'est ce que j'ai fait, parce que Katy est surtout restée à me regarder ouvrir les placards.

Après, une fois Katy rentrée chez elle pour boucler sa valise, j'ai passé plusieurs coups de téléphone indispensables. Tout d'abord à Montréal. Pas d'objection de LaManche à ce que je m'absente du LSJML pour une durée de deux semaines, du moment que je restais joignable. Ensuite à Pete et à mon voisin. Le premier prendrait Birdie chez lui, le second garderait un œil sur la maison. Après, à Tim Larabee, médecin examinateur du comté de Mecklenburg. Pas d'objection de sa part non plus, à condition qu'avant mon départ j'examine un crâne découvert du côté de Sam Furr Road, juste au nord de Charlotte. J'ai promis de m'en occuper dès le lendemain.

Vers six heures, Danny a appelé pour me transmettre les informations relatives au vol. Il avait d'ores et déjà réservé un billet pour Katy, persuadé qu'elle m'accompagnerait.

Il viendrait nous chercher à l'aéroport et il aurait une bonne surprise pour nous. Rien à faire pour lui arracher son secret. J'ai raccroché, un peu désemparée.

Jeudi soir, mes analyses du crâne achevées, j'ai invité Charlie au restaurant. En partie parce que je ne l'avais pas vu depuis longtemps, en partie pour le remercier d'avoir obtenu pour Katy ces vacances imméritées.

Nous nous sommes donné rendez-vous chez Barrington, un bistro minuscule au fin fond d'un centre commercial du sud-est de Charlotte. Endroit inattendu, s'il en est. Prix correct, bouffe à tomber !

J'ai pris les tagliatelles, Charlie le mérou. Pour le dessert, on a partagé un pouding au pain et sa glace au chocolat blanc.

Après, appuyée contre le flanc de ma Mazda, j'ai dit *mahalo* à Charlie en y mettant pas mal de passion. Vu l'ardeur de sa réponse, il aurait volontiers poursuivi la séance chez lui.

Tentant. Très tentant, même.

Mais trop tôt.

La soirée s'est donc terminée en solo, chacun chez soi. À son grand déplaisir.

Aller de Caroline du Nord à Hawaï, c'est beaucoup plus facile de nos jours que dans les années 1990 quand j'effectuais des missions de consultante pour le CIL. Cela dit, le trajet prend toujours la moitié de la vie.

Le vendredi, je me suis levée à l'aube et j'ai immédiatement appelé Katy. Elle était déjà debout mais crevée, à en croire sa voix. Incapable de fermer l'œil, elle avait passé la moitié de la nuit à écrire différentes choses dans son blogue, ce qu'elle avait déjà fait toute la journée d'avant. Des trucs sur la mort de Coop.

Katy a commencé un blogue, il y a un peu plus d'un an. ChickWithThoughts.blogpost.com. Elle s'y exprime avec une éloquence qui m'épate. Tout comme m'épate le sérieux des thèmes qu'elle y aborde et qui vont de la politique menée par notre président à l'écoterrorisme, en passant par la mondialisation considérée du point de vue économique. Incroyable le nombre de gens qui participent à ses forums de discussion.

Vol US Airways Charlotte-Honolulu, avec une escale à Phoenix. Arrivée à deux heures et demie de l'après-midi. Dans ce sens, d'est en ouest, on gagne cinq heures de vie et on a l'impression fallacieuse de ne pas être concerné par le décalage horaire. Mais le retour est affreux, croyez-en mon expérience.

Au cours de ce vol, quand bien même je n'étais investie d'aucune mission officielle concernant son transfert, il m'a été difficile de ne pas penser au jeune homme dans un cercueil qui voyageait sous mon siège, dans la soute. Qui était-ce ? Quelle était l'histoire de sa vie ? Par quel concours de circonstances s'était-il retrouvé dans la tombe de l'Araignée Lowery ?

Katy a dormi la plupart du temps. J'ai tenté de rédiger divers rapports. Sans succès. Je travaille mal en avion. La faute à l'altitude. Du moins, c'est ce que je prétends, mais il s'agit plutôt d'un manque de discipline.

Les films proposés étaient destinés aussi bien à des marins en goguette qu'à des bambins de quatre ans élevés dans le respect le plus strict des conventions baptistes. J'ai donc opté pour la lecture, naviguant entre un guide sur Hawaï et un roman de Stephen King.

J'ai aussi expliqué à Katy, pendant l'un de ses brefs réveils, ce en quoi consistait le JPAC. Sans entrer dans les détails, bien évidemment, le moment n'étant pas le mieux choisi pour évoquer les guerres et leur coût en vies humaines. Mais livrée à elle-même pendant que je travaillerais, elle se demanderait sûrement ce que je fabriquais au CIL et pourquoi.

Elle ne m'a pas interrompue une seule fois. Apathie caractérisée. En temps ordinaire, elle aurait posé des milliers de questions et exprimé tout autant d'opinions. Ça m'a déstabilisée, même si je pouvais comprendre sa réaction.

Jeudi, elle avait rappelé les Cooperton avant de rentrer chez elle. Elle ne m'en avait rien dit, mais j'avais surpris sa conversation et deviné qu'à l'autre bout du fil on lui opposait la même fin de non-recevoir.

Comme promis, Danny nous attendait près du tapis roulant avec un chariot pour nos bagages. En nous apercevant, il a eu le même sourire qu'un enfant qui vient de se taper une barre de chocolat.

Étreintes et embrassades à qui mieux mieux, et attente des bagages. Danny a profité de ce que Katy partait à la recherche des toilettes pour me demander comment elle allait.

J'ai répondu par un geste de la main : couci-couça.

Il m'a ensuite confirmé, rapport de vol à l'appui, que la caisse contenant les restes exhumés à Lumberton avait bien été livrée à l'aéroport de Charlotte par Silas Sugerman et embarquée sur le même vol que nous.

Ce qui allait se passer maintenant, je le savais déjà. La caisse serait transportée en salle de fret où elle serait réceptionnée par des employés de chez Borthwick, la morgue d'Oahu. Là, une fois tous les documents remplis, elle serait placée à bord d'un corbillard et conduite à la base militaire d'Hickam, où elle pénétrerait dans les locaux du CIL par une porte de service. Un numéro lui serait alors attribué. Et les restes n'auraient plus qu'à attendre mon bon vouloir.

Au comptoir d'Avis, la file avançait à la vitesse d'un escargot.

Quand mon tour est arrivé, impossible de retrouver la trace de ma réservation. Après force soupirs et dénégations dépités, une voiture a quand même pu être trouvée, une Chevrolet Cobalt de couleur rouge, pas plus grande que mon sac à main.

Danny nous a aidées à y caser nos valises et il m'a ordonné de suivre sa Honda. Sans me fournir la moindre indication concernant l'hôtel.

À l'époque où je travaillais pour le CIL, je descendais toujours dans un hôtel pas cher du côté de Waikiki Beach. Pour s'y rendre, il fallait prendre en gros vers le sud-est.

À mon grand étonnement, Danny a contourné la ville par le nord en suivant l'autoroute H-1, puis a coupé vers l'est et suivi la H-3 en direction de Kaneohe.

Nous n'avions pas quitté l'aéroport que ma navigatrice préférée dormait déjà, effondrée contre la fenêtre.

Ne pas perdre Danny de vue dépendrait donc de moi seule. Défi grandiose, car le pied de ce type acquiert un poids atomique deux fois supérieur au plomb sitôt qu'il se pose sur une pédale d'accélérateur.

Vingt minutes plus tard, Danny empruntait la route 630, Mokapu Boulevard, puis tournait au sud dans Kalaheo. Au bout d'un moment, nous avons fini par passer devant le parc de Kailua Beach.

Mon GPS interne s'est alors reconnecté et j'ai aussitôt éprouvé un sentiment d'enthousiasme : l'endroit que je préfère à Oahu, c'est Lanikai Beach, et Danny le sait très bien. Ça se trouve juste au sud de Kailua. Est-ce que c'était là qu'il nous conduisait ? Est-ce que c'était ça, sa fameuse surprise ?

Oublie ça, s'est empressé de me souffler un neurone dévolu au pessimisme. *Tu es ici aux frais de l'armée.*

Et alors ? On peut toujours rêver ! a rétorqué son petit frère, optimiste invétéré.

Une fois franchi le pont de Kailua, on peut se croire à Charlotte : la même rue change de nom tous les dix mètres. Lihiwai. Kawailoa. Alala. Mokulua.

Sauf que c'est en hawaïen. Formidable, n'est-ce pas ?

Enfin, Danny a introduit sa Honda dans un passage à peine visible entre des haies très hautes. J'ai suivi.

Le chemin menait à un bout de gazon devant une maison en stuc de deux étages, entourée de *lanais* sur trois de ses façades, c'est-à-dire des vérandas conçues tout spécialement pour laisser circuler la brise. Au-delà, du gazon, du sable blanc et la baie de Kailua scintillant de tout son admirable turquoise.

Danny s'est arrêté. Descendu de voiture, il s'est avancé vers nous. J'ai baissé ma vitre.

— La maison de mesdames ! a-t-il déclaré avec un grand geste du bras.

— C'est ici qu'on va habiter ?

J'ai presque hurlé de joie.

Danny souriait jusqu'aux oreilles.

Katy s'est redressée et a scruté les lieux.

— Comment tu as fait ?

— Y en a là-dedans !

Et Danny de se tapoter la tempe.

J'ai répondu par un geste, moi aussi. Un petit mouvement de mes doigts repliés pour lui signifier de m'en dire plus.

— Cette maison appartient à un colonel à la retraite, qui est parti pour un mois voir ses enfants sur le continent. Ça le rassure de savoir sa baraque occupée pendant son absence.

Katy se dirigeait déjà vers la maison.

— Madame désire-t-elle voir si cette habitation lui sied ? a proposé Danny sur son ton *British* le plus snob.

Comment aurait-elle pu ne pas me plaire ? Elle était faite pour séduire les gens les plus huppés. Des gens que je ne suis pas portée à fréquenter de par ma profession et que je ne connais que par ouï-dire.

Je lui ai emboîté le pas.

La décoration était un mélange de style traditionnel hawaïen et de technologie dernier cri. Des portes et des fenêtres en arceaux. Du bois sculpté. Une verdure luxuriante. Des sols en pierre ou en cerisier du Brésil.

Dans les parties salle à manger et salon, le plafond était une voûte en bois. Les baies vitrées coulissantes donnaient sur une véranda en surplomb au-dessus de la piscine. Au-delà, sur une trentaine de mètres, s'étendait une pelouse, fermée au fond par une rangée de cocotiers. Ensuite, c'était la plage.

Dans la cuisine, pas un seul appareil électroménager qui ne date du nouveau millénaire. Quant aux éléments en inox, il y en avait assez pour équiper tout un bloc opératoire.

Au rez-de-chaussée, une chambre à coucher et sa salle de bains, un cabinet de toilette, une petite salle de gym et un bureau.

Au premier étage, trois chambres doubles avec salle de bains, chacune pourvue d'une baignoire, d'une douche à l'italienne, d'un spa. Des kilomètres de marbre. Des lits immenses, des télés à écran plat. Des ventilateurs au plafond. Une vue sur l'océan à couper le souffle.

Katy est restée murée dans le silence pendant toute la visite, marchant à la traîne. De retour en bas, je lui ai demandé quelle chambre elle préférait.

— La verte est pas mal.

— Eh bien, elle est à toi.

Pendant qu'elle allait chercher ses bagages dans la voiture, je me suis enquise du programme.

Danny a regardé sa montre.

— On est vendredi et il est presque cinq heures. D'ici peu, le labo sera plus vide que le cœur d'un politicien.

Sa comparaison m'a arraché un sourire. Il a continué :

— J'ai réussi à déterrer quelques renseignements sur ton Lowery. Pas grand-chose. Quarante ans, ça fait un bail. Voici ce que je propose : je te dis ce que je sais maintenant, et tu t'offres un week-end tranquille avec Katy. Lundi matin, on se retrouve au CIL et on commence les analyses.

Deux jours de perdus. J'étais un peu déçue, mais Danny avait raison. Chez moi, en Caroline du Nord, il était presque dix heures du soir et j'étais debout depuis cinq heures du matin. Je n'avais pas beaucoup dormi en avion. Côté esprit critique, je n'étais certainement pas au meilleur de ma forme. En plus, ce délai me permettait de me consacrer à Katy et c'était le plus important.

— Va pour ce programme !

Danny a insisté pour transporter mes bagages. J'ai eu beau lui dire que je n'avais qu'une valise et mon ordinateur portable, rien à faire ! Il a tenu à les porter lui-même.

J'en ai profité pour jeter un coup d'œil au contenu du réfrigérateur.

Des victuailles à foison. Des sodas et des jus de fruits. Du fromage. Des yaourts. Du houmous. Des fruits et des légumes. Des bagels et du fromage à tartiner. Des plateaux de sushis.

Il en allait de même dans toutes les armoires.

Danny, c'est la bonté faite homme. Que de fois ne m'a-t-il pas envoyé un truc rigolo quand j'étais déprimée, ou un cadeau plus bête encore quand j'étais contente de moi, fière d'avoir remporté une petite victoire ou accompli quelque chose. Histoire d'augmenter mon bonheur, c'est tout.

J'ai voulu lui rembourser l'épicerie, mais impossible de lui faire accepter un sou. Il n'a pris que mes remerciements. Et une bière. *Niet* aussi pour l'invitation à dîner. On en est presque venus aux mains. Il a fini par lâcher un chiffre. Qui ne correspondait à rien. Je lui ai signé un chèque du double du montant indiqué et nous nous sommes installés dans les fauteuils sur la véranda pour discuter de l'Araignée.

— Le vieux ne sera pas content quand il connaîtra l'histoire de son rejeton, a commencé Danny.

Une gorgée de Corona avant de poursuivre.

— En décembre 1967, au Vietnam, le seconde classe John Lowery, dit l'Araignée, s'est tiré de son unité sans autorisation.

— Tu veux dire qu'il s'est enfui ?

— Apparemment. Six semaines plus tard, il a été arrêté par des MP chez une prostituée vietnamienne, dans la banlieue de Saigon.

— Ils jouaient à la bête à deux dos ? ai-je demandé en reprenant une expression couramment employée à l'époque.

— Ouais. Pour faire court, Lowery s'est retrouvé à Long Binh, une prison militaire entre Bien Hoa et Saigon. Au bout du compte, on lui a proposé la libération anticipée à condition de regagner immédiatement son unité.

— Ça se faisait couramment ?

— Oui. La guerre battait son plein. Obligée de lancer de plus en plus d'hommes dans la bataille, l'armée fermait les yeux sur les infractions mineures, du genre absence non motivée.

1968, l'offensive du Têt, la bataille de Hué.

À l'époque, j'étais encore une enfant, mais mon travail auprès du JPAC m'avait familiarisée avec ces événements.

En janvier 1968, espérant un soulèvement national, l'armée nord-vietnamienne soutenue par le Vietcong, c'est-à-dire le Front national pour la libération du Vietnam du Sud, avait rompu la trêve traditionnelle du Nouvel An lunaire et lancé une offensive. Plus de cent villes avaient été attaquées. Y compris le QG de Westmoreland et l'ambassade des États-Unis à Saigon. Au cours de cette offensive urbaine, l'ancienne capitale, Hué, était tombée. Les marines avaient contre-attaqué et repris la ville, une maison après l'autre, dans un bain de sang.

— L'Araignée a été libéré de Long Binh le 23 janvier 1968, enchaînait Danny. Il est monté à bord d'un hélico pour rejoindre son unité. Son nom figure sur la liste des passagers en plus des quatre membres d'équipage. Mais le coucou s'est écrasé peu après le décollage et a pris feu. Toutes les personnes à bord ont péri dans l'incendie.

« Trois des membres d'équipage ont été récupérés et identifiés le lendemain. Autrement dit : deux adjudants, le pilote et le copilote, et un sergent, le chef d'équipage. Un quatrième corps, gravement brûlé, a été retrouvé près du lieu de l'accident, quelques jours plus tard. Il portait un treillis de l'armée mais pas d'insigne. »

— Bizarre, non ?

— Non, Lowery sortait tout juste de prison. (Autre gorgée de bière.) Ce corps carbonisé a été envoyé à la morgue de Tan Son Nhut. Là, il est apparu au terme des analyses médico-légales que la victime avait le même profil que Lowery, pour ce qui était de l'âge, du sexe, de la race et de la taille.

— Et le quatrième membre d'équipage ?

— C'était un spécialiste de deuxième catégorie, chargé de la maintenance. La possibilité que ce corps soit le sien a été exclue à l'époque. Je ne saurais pas te dire pourquoi.

— Ses restes ont été retrouvés ?

— Il faudra que je me renseigne. (Nouvelle lampée.) Une fois l'identification établie et dûment enregistrée, les restes de ce prétendu Lowery ont été expédiés de Tan Son Nhut à Lumberton, où ils ont été enterrés. Fin de l'histoire.

— Sauf que non, apparemment.

— Apparemment.

Danny a reposé sa bouteille vide et s'est levé.

— Passez un bon week-end, Katy et toi !

Et c'est ce à quoi nous nous sommes employées, malgré la tristesse de Katy.

Chapitre 10

Le lundi matin, à l'heure où je suis partie de la maison, Katy dormait toujours. Elle projetait pour cette journée de faire la même chose que la veille et l'avant-veille : un peu de lecture sur la plage ou au bord de la piscine, de la plongée sous-marine, un petit jogging le long de l'océan et une sieste interminable.

Hawaï tient l'équateur serré dans ses bras, de sorte que le temps y est assez stable. Température dans les vingt-huit degrés et soleil en permanence, sauf l'après-midi où une averse peut survenir. Le temps d'un clin d'œil, c'est tout.

En un mot, le paradis.

En tous points, sauf la circulation à Honolulu, qui est un enfer aux heures de pointe.

Des successions de coups de frein et d'embardées pour avancer de seulement quelques mètres.

Outre le JPAC, la base militaire d'Hickam abrite les soixante-sept unités de la quinzième escadre aéroportée, le QG de l'armée de l'air pour le Pacifique et la garde nationale aérienne d'Hawaï. Comme dans toutes les autres bases, il faut montrer patte blanche pour entrer.

J'ai dû me taper dix minutes de queue devant le portail avant qu'un soldat tout jeune et d'une politesse exquise ne me fasse pénétrer dans un bureau peuplé de gens affublés de gilets de sécurité orange.

Danny avait fait établir un laissez-passer à mon nom. Le temps de scanner mes papiers d'immatriculation et d'identité, et on m'a fait dégager.

J'ai contourné le terrain d'aviation et rejoint le périphérique. Là, je suis passée devant le QG de l'armée de l'air et sa façade criblée de balles et conservée en l'état, en souvenir de l'attaque du 7 décembre 1941 à la suite de laquelle les États-Unis entrèrent dans la Seconde Guerre mondiale. Petit point d'histoire que l'on ne manque pas de rappeler à quiconque vient ici pour la première fois.

Après, j'ai tourné à droite et continué tout droit le long de hangars abritant des avions. Ensuite à gauche, et je me suis arrêtée dans le petit stationnement. Bloc 45. Les appellations militaires, quoi de plus poétique ?

J'ai appelé Danny de mon cellulaire. « J'arrive », a-t-il répondu.

En l'attendant, je me suis octroyé un petit instant de méditation sur la raison d'être du JPAC. Que de responsabilité incombe à tous les gens qui travaillent ici.

De 1959 à 1975, le Vietnam du Nord, soutenu au sud par ses alliés communistes, a lutté contre le gouvernement sud-vietnamien et son armée, elle-même soutenue par l'Amérique et les pays membres de l'OTASE, l'Organisation du traité de l'Asie du Sud-Est. À son apogée, cette guerre a vraiment fait jaillir les pires choses au Vietnam, au Laos et au Cambodge.

Voici comment s'est déroulé le conflit.

Face aux États-Unis et à la tactique habituelle du trio, c'est-à-dire l'intervention conjuguée des unités terrestres et de l'artillerie avec le soutien massif de l'aviation, les partisans vietcong, mal armés, pratiquaient une guerre d'usure, laissant à l'armée nord-vietnamienne la tâche de mener le combat de façon plus conventionnelle, en lançant souvent de grandes unités dans les batailles.

Résultat : les pertes humaines furent colossales. Entre trois et quatre millions pour le Vietnam, Nord et Sud confondus ; entre un million et demi et deux millions pour le Laos et le Cambodge. Du côté américain, il n'y eut en tout que cinquante-huit mille cent cinquante-neuf victimes.

De tous ces Américains tombés au front, mille huit cents ne rentrèrent pas au pays et leur mort demeura inexpliquée.

D'où la création du CIL et, par la suite, du JPAC.

Maintenant, les sigles.

Fondé en 1973, le Laboratoire central d'identification de Thaïlande, ou CIL-THAI, avait pour objectif de localiser les soldats américains portés disparus en Asie du Sud-Est. Trois ans plus tard, transféré à Honolulu, il se vit confier une mission plus vaste : retrouver les restes de tous les Américains portés disparus au cours des conflits antérieurs, les récupérer et les identifier. Ce labo prit pour nom le CIL-HI, Laboratoire central d'identification d'Hawaï.

Grâce à lui, à ce jour, cent vingt personnes ayant péri au cours de la guerre froide ont pu être identifiées en plus des soldats tombés au Vietnam, de même que huit mille cent soldats morts en Corée et soixante-dix-huit mille morts pendant la Seconde Guerre mondiale.

Saut de presque vingt ans, pour nous retrouver en 1992.

Cette année-là fut créé un groupe de travail conjoint chargé des recherches, le JTF-FA ou Joint Task Force/Full Accounting, afin de mieux résoudre les multiples questions concernant les Américains portés disparus en Asie du Sud-Est. Dix ans plus tard, le DOD, ou Département de la défense, estima plus efficace que toutes ces recherches relèvent d'une unique entité. Et c'est ainsi qu'en 2003 les deux organismes fusionnèrent pour former le JPAC, Joint POW/MIA Accounting Command, Groupe unifié de recherches intensives sur les soldats prisonniers de guerre ou morts au combat.

À l'instar de son prédécesseur, le JPAC a pour mission de retrouver les Américains morts au cours des divers conflits et de les ramener au pays. Son travail consiste à remonter toutes les pistes, à récupérer les restes — humains et autres — et à identifier toutes les victimes, qu'elles appartiennent à l'armée de terre, à la marine, à l'armée de l'air ou au corps des marines.

Toute recherche débute sur le papier. Les historiens et les analystes du JPAC réunissent des documents variés : correspondance, cartes géographiques, photographies, histoires des différents bataillons, dossier médical du soldat. Pour chacune des victimes, la section Recherche et Dépouillement établit le scénario des événements.

La plupart du temps, les enquêtes nécessitent d'éplucher un grand nombre de sources extérieures, provenant d'archives ou de bases de données américaines et étrangères, mais aussi de particuliers — de vétérans, de la famille de la victime, d'historiens en titre ou de chercheurs amateurs. Et quantités de renseignements sont fournis régulièrement par tous ces gens-là.

Enfin, les données recueillies sont rassemblées par des experts et regroupées dans un dossier dit « de disparition ». Au CIL, il y a toujours plus ou moins sept cents dossiers en cours d'étude.

Danny a fait son apparition, vêtu d'une chemise hawaïenne rose et d'un ample pantalon marron. Ébloui par le soleil et clignant des yeux derrière les verres épais de ses lunettes.

Nous sommes entrés dans le Bloc 45 par une porte de service. Là, nous avons longé un couloir qui nous a conduits jusqu'à l'entrée principale en passant devant le secrétariat du général. Aux murs, il y avait des plaques en cuivre montées sur bois, sur lesquelles étaient gravés les noms de toutes les victimes identifiées grâce au JPAC.

Danny a posé son badge sur la porte en verre à double battant et nous avons débouché dans le vestibule. À gauche, une longue cloison en verre et, devant la cloison, sur une table pliante, différents objets destinés à être montrés : crânes, os et pièces d'équipement militaire. Derrière la vitre, le laboratoire lui-même.

En face de nous, un vaste hall desservant des bureaux, la salle des photocopieuses, une cuisinette, une salle de conférences et un local d'autopsie réservé au nettoyage et à l'analyse des objets façonnés. Plus loin, sur la droite, un comptoir avec un jeune gars aux cheveux ras en treillis de l'armée. Au-dessus de sa tête, plusieurs pendules indiquant l'heure qu'il était dans les cinq fuseaux horaires du pays.

Tout autour de ce périmètre, les bureaux des responsables du JPAC. Deux portes ouvertes seulement.

Roger Merkel est un homme de haute taille, qui se tient un peu voûté et a un visage buriné dû à de longues années passées au soleil. À cinquante ans bien sonnés, il présente un début de calvitie.

En m'apercevant, il a bondi sur ses pieds pour venir me serrer dans ses bras. Étreinte si violente que les larmes me sont montées aux yeux, et je n'ai plus rien vu du bureau où il était assis l'instant d'avant.

Enfin libérée, je me suis émerveillée une fois de plus de son ordre méticuleux. Pas un papier qui dépasse de ses piles de dossiers. Quant à ses livres, photos et souvenirs, ils sont placés en formation parfaite. Admirable !

Après un bref échange d'amabilités, je suis partie me chercher un café, toujours accompagnée de Danny. Au moment où nous allions entrer dans la cuisinette, Gus Dimitriadus en est sorti. C'est un anthropologue de notre âge, avec qui je n'ai jamais eu d'atomes crochus. Le genre plutôt beau gosse, avec des cheveux superbes et des yeux splendides. Sauf qu'il ne rit jamais. Jamais. À croire qu'il a dans les veines du liquide d'embaumement à la place de sang. Je ne l'aime pas beaucoup et, apparemment, je ne suis pas la seule.

Depuis que je le connais, il n'a jamais vécu autrement que seul, dans un petit appartement du côté de Waikiki Beach.

Il a relevé les yeux du fax qu'il était en train de lire. À ma vue, ses traits sévères se sont encore rigidifiés et, sur un simple signe de tête, il a poursuivi son chemin.

— Quelle mouche l'a piqué ? me suis-je étonnée.

— Vous n'avez jamais été vraiment copains, tous les deux.

— Oui, mais on a toujours été polis.

— Laisse tomber.

Danny s'est mis en demeure de trouver des tasses et de nous verser du café. Du goudron liquide.

Depuis combien de temps n'avais-je pas vu Dimitriadus ? Sûrement une bonne douzaine d'années. Les dernières fois où j'étais venue, il était en mission.

— Tu crois qu'il m'en veut toujours pour sa bévue dans l'affaire Kingston-Washington ?

Bernard Kingston avait trouvé la mort avec trois camarades en 1967, alors qu'ils étaient à bord d'un bateau balai sur le Mékong. Trente ans plus tard, quatre squelettes incomplets étaient arrivés au CIL.

Longue histoire. Pour faire court, quand les corps des marins avaient été rejetés sur le rivage, des gens du pays les avaient enterrés. En 1995, ils avaient avoué la chose dans l'espoir de se faire un peu d'argent.

C'est Dimitriadus qui s'était occupé de ces cas. Et moi qui les avais révisés. J'avais invalidé son rapport, soupçonnant une inversion d'identité pour deux d'entre eux, et il s'était avéré que j'avais raison.

— Tu crois que c'est ça, vraiment ?

Danny a acquiescé.

— *Jesus*, ça remonte à une éternité !

— Que veux-tu que je te dise ? Ce type a la rancune chevillée au corps !

Danny m'a tendu une tasse et nous avons gagné son bureau sans croiser personne en cours de route.

— Quel silence, ai-je constaté, me rappelant le bruit et l'urgence qui régnaient en ces lieux autrefois.

— Beaucoup de gens sont en opération.

Il voulait parler de l'acheminement des corps récupérés.

Explication en deux mots du déroulement desdites opérations.

Dès qu'un dossier de disparition est ouvert et que le lieu probable de la disparition a été répertorié, une équipe de recherches, ou ER, est dépêchée sur place. Ce peut être n'importe où — une rizière en Asie du Sud-Est, une falaise en Papouasie, un pic dans l'Himalaya, une fosse sous-marine près des côtes tunisiennes.

Une ER regroupe de dix à quatorze personnes sous les ordres d'un chef d'équipe et d'un anthropologue judiciaire, le premier étant responsable de la sécurité du groupe et du succès de la mission, le second de l'exhumation en soi.

Parmi les autres membres de l'équipe, on compte un chef d'équipe en second, un linguiste, un infirmier, un technicien de survie, un photographe judiciaire et un technicien spécialisé dans les explosifs. D'autres spécialistes peuvent se joindre au groupe selon les besoins de la mission : plongeurs ou guides de montagne, par exemple.

Les sites de récupération peuvent couvrir une superficie de quelques mètres carrés seulement et ne comporter qu'un seul corps, ou être bien plus grands que des terrains de football. Ce qui est souvent le cas pour les écrasements d'avions.

L'anthropologue commence par délimiter la zone d'action en traçant au sol une grille à l'aide de pieux reliés par des cordes. Tous les carrés sont ensuite fouillés l'un après l'autre. La totalité de la terre extraite est tamisée afin d'augmenter les chances de retrouver des fragments de squelette ou d'objets plus petits. Au besoin, pour mener à bien le projet, on peut être amené à engager des ouvriers sur place et leur nombre peut aller d'une poignée d'individus à une centaine.

Une fois tous les éléments rapatriés au CIL, les rats de laboratoire entrent dans la danse. Les ossements, les dents et les autres preuves matérielles sont analysés, et les résultas obtenus mis en corrélation avec les rapports historiques. L'anthropologue établit ensuite, le plus précisément possible, le profil biologique de l'individu en tenant compte des traumas recensés, mais aussi des données pathologiques, telles que des signes d'arthrite ou des fractures guéries.

L'analyse des dents est confiée à un odontologiste qui les compare aux radios, chartes et autres données contenues dans les dossiers établis du vivant de la victime. L'anthropologue, tout comme l'odontologiste, prélève des échantillons en vue d'analyser l'ADN mitochondrial.

Les preuves matérielles varient d'un cas à l'autre. Il peut s'agir de plaques provenant d'un avion et portant des données diverses, d'armes ou d'engins d'artillerie, de sacs à parachute, de gamelles, d'uniformes, de matériel de survie, d'effets personnels, comme les alliances, les montres, les peignes. Chaque fragment d'objet est scruté sous toutes ses faces.

On voit donc qu'il s'agit d'un travail minutieux, et qui peut prendre des années avant de déboucher sur une identification certaine.

Dans les cas où il s'est avéré possible de prélever de l'ADN mitochondrial sur des os ou des dents, le processus d'identification peut prendre encore plus de temps, car il faut encore obtenir des échantillons de référence provenant de la famille.

Et même alors, le travail n'est pas achevé. Car avant d'être considérée comme positive, toute identification doit aussi faire l'objet d'une contre-analyse, afin de confirmer les premiers résultats. Contre-analyse qui est pratiquée par des experts indépendants, extérieurs à la base. C'est là que j'interviens.

Des années durant, j'ai évalué des dossiers et disséqué des preuves se rapportant à des restes qui faisaient litige.

C'est *beaucoup** d'énergie et d'argent, direz-vous. Mais ça paie, croyez-moi. En moyenne, le JPAC identifie six personnes par mois. À ce jour, plus de mille quatre cents soldats ont été rendus à leurs proches. La gratitude des familles est incommensurable.

Il n'y a pas que ça. Il y a la certitude, chez tous les hommes de la troupe, que, si un jour ils partent à la guerre, ils reviendront au pays tôt ou tard.

— En gros, le JPAC mène combien de missions par an, ces temps-ci ?

Ne travaillant plus pour cette organisation, j'ignorais les données récentes.

— En Asie du Sud-Est une dizaine au moins, et peut-être cinq en Corée.

Les lèvres pincées, Danny a réfléchi un moment avant d'ajouter :

— Une dizaine d'autres encore, ici ou là. Des cas datant de la Seconde Guerre mondiale ou de la guerre froide. C'est un ballet incessant. Ah ça, les équipes de récupération ne chôment pas, tu peux me croire !

Le bureau de Danny était l'exact opposé de celui de Merkel, livres et papiers s'entassaient partout. Les dossiers empilés étaient à deux doigts de s'écrouler, et les Post-It collés à l'endroit même où ils étaient arrivés dans la pièce. Il y avait aussi un bâton de baseball signé d'une foule de gens, un cerf-volant, une photo de Danny sur une montagne en train de fouiller un site.

Sur le bureau, d'autres souvenirs personnels : une œuvre d'art micronésienne sculptée dans une défense de sanglier ou quelque chose d'approchant ; une noix de coco décorée ; un squelette miniature avec la photo de Danny à la place du visage et un lézard empaillé dont je n'aurais pas su nommer l'espèce.

Il a libéré une chaise d'une pile de dossiers pour me faire de la place.

Il avait déjà sorti le dossier de l'Araignée Lowery. C'est par lui qu'on a commencé, même si on savait déjà très bien tous les deux ce qu'il contenait.

La revue de tous les documents nous a pris une heure. En les étudiant, j'ai repensé aux centaines d'heures que j'avais passées ici à me crever les yeux sur de vieux formulaires, des copies au carbone à demi effacées, des messages sur le trafic aérien et autres notes manuscrites illisibles.

— On t'a prélevée ? a soudain demandé Danny en se levant.

— Oui.

Il voulait parler de l'échantillon d'ADN que tout individu pénétrant pour la première fois au labo est tenu de fournir. C'est l'affaire d'un instant, le temps qu'on vous racle l'intérieur de la joue avec un bâtonnet. Le spécimen sera conservé à des fins de vérification, au cas où il y aurait contamination au cours d'une identification.

Nous sommes repartis vers la paroi de verre. Danny a placé son badge sur le capteur et, dans un cliquetis, la porte a coulissé.

À l'intérieur du labo, nous avons slalomé au milieu d'un labyrinthe de tables, les unes vides, les autres occupées par des ossements, jusqu'à un homme en chandail rouge installé au fond de la salle.

L'individu exhumé à Lumberton avait reçu le numéro d'entrée 2010-37.

Danny a présenté son insigne et réclamé le dossier en le désignant par son numéro.

Chandail Rouge s'est levé et a enfoncé un bouton. Un pan de rayonnage allant du sol au plafond s'est écarté, et il a disparu derrière, pour revenir, l'instant d'après, lesté d'une longue boîte en carton blanc.

À présent, ces restes allaient se voir attribuer une table précise où ils pourraient demeurer trente jours. Le transfert serait enregistré dans le programme de localisation des restes de l'ordinateur. De plus, l'emplacement des ossements serait reporté sur un diagramme et affiché au mur ou sur le tableau noir de la salle.

Scan du badge de Danny, qui a pris la boîte et s'est dirigé vers la table indiquée. J'ai suivi le mouvement.

Nous avons enfilé des gants et, d'un geste, Danny m'a signifié : « À toi l'honneur ! »

J'ai ouvert le couvercle.

Les restes étaient identiques au souvenir que j'en avais gardé : un crâne éclaté, des bras tronqués et des jambes sans pieds, des surfaces corticales parsemées de taches sombres et recouvertes d'une croûte de moisissure blanc rosé et de matériau carbonisé.

En silence, nous avons travaillé à rassembler ce qui restait de cet homme enterré si longtemps en Caroline du Nord. Crâne. Torse. Bras. Jambes.

Reconstitution du squelette selon l'ordre anatomique, puis inventaire des os. Danny les nommant l'un après l'autre tandis que je les reportais sur une feuille. À partir de maintenant, oubliée l'évaluation pratiquée l'autre jour chez Sugarman. C'était celle-ci, désormais, qui deviendrait la référence.

Aux analyses, ensuite. Même procédure qu'à l'entreprise de pompes funèbres. Pour aboutir aux mêmes résultats.

Ces restes étaient bien ceux d'un individu de sexe masculin et de race indéterminée, décédé à un âge situé entre dix-huit et vingt-cinq ans.

— Rien qui nous permette de considérer ce corps comme n'étant pas celui de l'Araignée Lowery, a déclaré Danny.

— Rien non plus qui nous permette de l'identifier en toute certitude.

— Il n'a plus ses dents.

— Les radios feront peut-être apparaître des fragments de racine pouvant être comparés aux alvéoles.

Je voulais parler des cavités contenant les dents et, surtout, de leur configuration. Mais Danny a secoué la tête.

— Le formulaire 603 est uniquement descriptif.

Les rapports dentaires établis à l'armée étaient censés contenir des diagrammes des dents, appelés aussi odontogrammes, des radios, des renseignements sur les soins apportés au patient, ainsi que la date, le lieu et le nom du praticien qui les avait administrés.

— Pas de radio ? me suis-je étonnée. Je croyais que tous les soldats passaient une visite dentaire au moment de leur incorporation.

— Oui, en principe. Au centre d'incorporation ou à défaut au camp d'entraînement, voire dans le pays où il est déployé — dans le cas présent, à la base de Bien Hua. Mais ce n'est pas toujours le cas.

— Tu veux dire que Lowery serait passé au travers des mailles du filet ?

— Possible. Mais il y a aussi le fait que les troupes déployées sur un nouveau lieu d'action emportaient souvent leurs dossiers avec elles. Pour accélérer le processus. Il était quand même plus commode que les dossiers médicaux et dentaires des hommes de la troupe arrivent en même temps qu'eux.

— Pigé. Et là encore, ce n'était pas toujours le cas.

— Non. Parfois les papiers arrivaient plus tard. Peut-être que les dossiers de Lowery sont arrivés au Vietnam après qu'il a été tué et rapatrié en Amérique.

— Donc, pas moyen de savoir si ce dossier contenait des radios ?

— Non, pas vraiment. Prends un soldat qui aurait eu dans son dossier des radios périapicales ou interproximales. Des radios agrafées à la chemise ou rangées dans une petite enveloppe et jointes au dossier sans y être attachées. Dans un cas comme dans l'autre, les clichés ont pu s'égarer ou se retrouver rangés ailleurs.

— Ou avoir été retirés sciemment ? ai-je suggéré, saisie d'un pressentiment sinistre.

Une drôle d'expression est passée dans le regard de Danny, trop brève pour que j'aie le temps de la décrypter. Il s'est contenté de demander :

— C'est-à-dire ?

— Je ne sais pas.

— Je suppose…

Il s'est interrompu et s'est mis à gratter délicatement la croûte recouvrant l'un des os du crâne. Ses gestes étaient assez similaires aux miens, chez Sugarman.

— Dommages dus au feu.

— Conforme à ce que dit le rapport du navigateur. Tout comme sont conformes les fractures du crâne et l'absence de mains et de pieds.

— Oui, concordance sur tous les points : profil biologique, traumas, date et lieu de récupération des restes. D'où l'identification faite en 1968 par les gars de Tan Son Nhut.

— Au moment de rapatrier ce type, un Johnson, un Dadko et un officier des services sanitaires à l'écriture illisible ont tous considéré qu'il s'agissait bien de l'Araignée Lowery.

— Weickmann.

— Qui ça ?

— L'officier des services sanitaires. Il s'appelait Weickmann.

— Tu as réussi à déchiffrer ses pattes de mouche ?

— Des années de pratique.

— Quoi qu'il en soit, les empreintes de mon noyé du Québec prouvent qu'ils se sont tous gourés.

— En 1968, ça débordait de partout à la morgue du Vietnam.

En effet.

Au début de la guerre, tous les Américains tués en Asie du Sud-Est étaient regroupés dans un lieu unique. Mais au printemps 1967, les pertes avaient subitement grimpé en flèche, et il n'avait plus été possible de s'en tenir au statu quo. Trop petite, la morgue de Tan Son Nhut n'était plus à même de remplir ses fonctions. Située en outre sur un lieu de la base aérienne débordant d'activité, elle présentait un risque sanitaire pour tous les gens qui se trouvaient là. Une seconde morgue avait donc été ouverte sur une autre base aérienne, à Da Nang. À partir de juin 1967, c'est là qu'étaient réceptionnés les restes récupérés dans la zone tactique du Corps I.

Mais avec l'offensive du Têt, le nombre de morts avait explosé jusque dans la biosphère. En février 1968, les deux morgues prises ensemble abritaient près de trois mille corps. Plus qu'à aucune autre période de la guerre. Résultat, il avait été décidé de construire un second bâtiment de vingt tables à Tan Son Nhut, dans un autre secteur de la base. Ce bâtiment était devenu opérationnel à partir du mois d'août 1968.

Or l'hélico de l'Araignée Lowery s'était écrasé à Long Binh en janvier de cette même année, peu après le Têt, huit mois avant l'ouverture de cette nouvelle morgue de Tan Son Nhut. Dans le chaos de la guerre, une erreur avait pu être commise.

Un peu après une heure, nous nous sommes accordé une pause repas. Mais pas au mess des officiers ou au golf de Mamala Bay. Les moments agréables, ce serait pour plus tard. Nous avions trop à faire aujourd'hui. Nous nous sommes contentés d'une pizza sur le pouce chez BX, un boui-boui qui mérite bien son nom.

De retour au CIL, j'ai appelé Katy. Dire qu'elle était malheureuse serait comme de dire que Nixon a eu des problèmes à cause de conversations enregistrées.

À deux heures et quart, retrouvailles de notre trio — Danny, le 2010-37 et moi-même — pour deux heures de grattage. Objectif : nettoyer les os de toutes leurs chairs et bouts de tissus desséchés. Travail épuisant s'il en est. Et particulièrement odorant.

L'adipocire est une substance ressemblant à de la cire et qui résulte de l'hydrolyse de la graisse au cours du processus de décomposition. Je commençais à en avoir ma claque quand un petit morceau de cette substance est tombé dans l'évier alors que je m'échinais à frotter un bout de mâchoire supérieure. J'ai observé les remous de l'eau et ses tourbillons autour du magma avant qu'elle s'évacue par le drain.

Retour à la partie de visage à présent exposée.

Il ne restait plus rien de la pommette ; quant à la suture zygomaxillaire, elle n'avait rien d'intéressant.

J'ai retourné le fragment.

La partie supérieure du palais était plutôt large ; les sutures entrecroisées à peine fusionnées.

J'ai sondé une alvéole orpheline de sa dent. Un autre morceau d'adipocire s'est détaché. Des yeux, j'en ai suivi le vol jusqu'à l'atterrissage au fond de l'évier.

Du gros morceau de crâne que j'avais tout à l'heure entre les mains, il ne restait pas plus de la moitié. Je m'apprêtais à ausculter le maxillaire supérieur quand une brillance a capté mon attention. Un jeu de lumière plutôt qu'une véritable sensation visuelle.

La main en cuiller, je me suis penchée vers ce gros morceau d'adipocire pour le pousser dans le creux de mon gant. Là, je l'ai tapoté. Il s'est coupé en deux.

Laissant apparaître un objet brillant.

Chapitre 11

— Quelque chose d'intéressant ? a demandé Danny en me voyant les yeux rivés sur ma paume.

J'ai tendu la main.

Il a frotté ses lunettes et rapproché le nez de ma trouvaille. Des secondes ont passé.

— Retourne, pour voir.

J'ai obtempéré. À l'aide de ma sonde.

— Tu as déjà vu ça ?

— Nan.

— Tu crois que c'est quelque chose d'important ?

— Tout est important.

— Quelle profondeur !

— On dirait du métal. Où c'était ?

— Englué dans une couche d'adipocire autour du basicranium, en dessous du palais.

— T'as l'œil.

— Merci.

— Ça paye d'aimer ce qui brille. Pas vrai, mam'zelle ? Voyons ça au microscope.

Examen à différentes grosseurs de point.

Un truc de forme irrégulière, d'environ cinq millimètres de long, trois de large et un millimètre d'épaisseur. Plus gros sur un côté et se terminant de l'autre par deux pointes effilées. En or, à première vue.

— On dirait un canard le bec ouvert.

La comparaison de Danny ne m'a pas convaincue.

J'ai fait pivoter ce bout de métal de quatre-vingt-dix degrés. Danny s'est rassis à l'œilleton.

— Maintenant, ça ressemble plutôt à un champignon qui aurait deux pédoncules pointus.

À mon tour de regarder.

— Ouais, un peu. Tu as une idée de ce que ça pourrait être ?

— Pas vraiment.

— Un fragment de plombage ? De couronne ?

— Mmm… (Danny, le visage tout plissé.)

— Quoi, mmm ?

— Trop mince et trop plat.

Il a jeté un coup d'œil à la pendule au mur. Je l'ai imité.

Six heures moins le quart. Le silence avait pris possession du labo sans que je m'en aperçoive. Nous étions les deux derniers dans la salle.

— L'heure d'arrêter ?

Question toute rhétorique puisque je connaissais déjà la réponse.

Danny a beau être marié depuis près de vingt ans, il continue de roucouler avec sa femme comme s'il l'avait rencontrée la veille. Leur façon de jouer les amoureux seuls au monde me tape parfois sur les nerfs. Le plus souvent, je les envie.

— Oui, c'est l'heure.

Réponse assortie d'un petit sourire gêné.

Impatience de satisfaire ses désirs sexuels ? Ou peut-être ses papilles, si j'en crois ce qu'il a ajouté :

— Steak haché façon Aggie.

Nous sommes revenus dans son bureau, le champignon-canard dûment enfermé dans un sachet qu'il a rangé sous clé dans un tiroir de sa table.

— Demain, on demandera à Craig de faire marcher ses méninges.

Craig Brooks, l'un des trois dentistes du CIL.

Sur ce, nous avons retiré nos blouses et vidé les lieux. Danny est parti pour Waipio, rejoindre son bœuf en sauce ; moi pour Lanikai Beach où m'attendait une Katy désespérée.

Elle était affalée dans un transat, près de la piscine. Je suis restée un moment à l'observer par la baie vitrée.

Pas de casque sur les oreilles, pas de téléphone en main, pas d'ordinateur devant elle ouvert à la page de son blogue pour clavarder avec d'autres internautes. D'ailleurs, pas d'ordinateur du tout. Pas un livre ou magazine sur les genoux. Elle fixait la mer, c'est tout. Habillée du même pantalon qu'hier, serré à la taille par un cordon.

En un mot, le fond du trou.

Face à cela, j'ai éprouvé un sentiment d'accablement et d'impuissance. Seul le temps viendrait à bout de la douleur de ma fille et, pour l'heure, il ne s'était même pas écoulé une semaine. J'ai ressenti de la tristesse aussi, pour la froideur avec laquelle elle avait été traitée. Comme si c'était une étrangère.

Quand même.

M'armant de courage, je me suis avancée vers elle.

— Comment va mon petit soldat ? (Terme affectueux que j'utilisais dans son enfance.)

— Prêt au combat, a-t-elle marmonné, fidèle à la tradition.

Je me suis laissée tomber dans la chaise longue à côté de la sienne.

— Tu es allée quelque part aujourd'hui ?

— Non.

— Qu'est-ce que tu as fait ?

— Rien.

— Tu as des envies spéciales pour le dîner ?

— Pas faim.

— Il faut que tu manges.

— Non.

Un point pour Katy.

— Je peux cuire quelque chose de bon. Danny a dévalisé l'épicerie.

— Ce que tu voudras.

— Ou je peux aller à Kailua chercher d'autres sushis.

— Maman, je vois bien que tu veux être gentille, mais la seule idée de manger me donne envie de vomir.

Il faut que tu manges. Mais ça, je l'ai seulement pensé très fort.

— Est-ce qu'un petit Groucho te remonterait le moral ?

Et d'imiter le célèbre comique tapotant son cigare, les sourcils levés jusqu'au milieu du front.

— Laisse-moi tranquille.

— Ça me rend malade de te voir dans cet état.

— Pas au point de rester à la maison avec moi.

Ça m'a fait l'effet d'une gifle. Ça a dû se voir, car Katy s'est couvert la bouche de la main. Maladroitement, comme si elle ne savait plus très bien où se trouvaient ses lèvres.

— Excuse-moi… C'est pas ce que je voulais dire.

— Je sais.

— C'est juste que… (Baissant les doigts.) Je ressens une telle rage à l'intérieur de moi, et je n'ai pas d'exutoire. (Se martelant le genou de son poing.) J'en veux à la terre entière. À ce con de Coop, pour être parti en Afghanistan ! À ces salauds de talibans, pour l'avoir descendu. Au ciel, pour permettre que de telles choses se produisent. Et à moi aussi, pour ne pas être capable de m'en foutre.

Elle a tourné vers moi un visage blême et tendu. Ses yeux étaient secs.

— Je sais bien que ça ne sert à rien de me fâcher et de m'apitoyer sur moi-même ; que c'est destructeur, bla bla bla. Et je fais vraiment des efforts pour me secouer. Vraiment. Mais en ce moment, la vie est plus que merdique.

— Je comprends.

— Ah bon ? Ça t'est déjà arrivé d'avoir quelqu'un effacé de ta vie tout d'un coup, sans préavis ? Quelqu'un qui comptait vraiment pour toi ?

Oui, Gabby, ma meilleure amie. Des policiers avec qui je travaillais et qui m'étaient proches : Eddie

Rinaldi, à Charlotte, ou Jean Bertrand, le coéquipier de Ryan. Mais là encore, je suis restée bouche cousue.

— Maman, je sais bien que, si tu es ici, c'est pour ton boulot et que tu n'es pour rien dans la mort de Coop. Mais tu es absente pendant toute la journée et, le soir, tu débarques, tout sourire et remplie de bonnes paroles. (Levant les deux mains au ciel.) Qu'est-ce que je peux dire ? Tu es à côté de moi, c'est toi qui prends les coups !

— J'en ai pris de pires.

Katy a répondu par un pauvre sourire, avant de se détourner et de se mettre à tournicoter la cordelette de son pantalon autour de son doigt.

Silence. Bruissement des palmes au-dessus de nos têtes et cris des mouettes au loin, au bord de l'eau.

C'était vrai que j'avais entraîné Katy à des milliers de kilomètres de chez elle et que je l'abandonnais dans un endroit inconnu. À vingt-quatre ans, ce n'était plus un bébé, d'accord, mais en ce moment elle avait besoin de moi.

Ce vieux dilemme de la vie de famille et du travail. Une fois de plus, j'en avais des nœuds à l'estomac. Comment trouver le bon équilibre entre les deux ?

Travailler un jour sur deux au CIL ? Le matin seulement ?

Impossible, j'étais ici aux frais du JPAC. Et, à Lumberton aussi, Platon Lowery bouillait d'impatience en attendant mes résultats.

Emmener Katy avec moi au CIL ?

Très mauvaise idée.

— Je pourrais peut-être…

— Non, maman. Tu dois travailler. Je n'aurais pas dû dire ça, je regrette.

— Ça aide, tu sais, d'avoir une occupation.

Je l'avais dit sur un ton très gentil. En espérant de tout mon cœur obtenir une réponse de Katy. En vain.

— Ouais, c'est ce qu'on dit.

D'autres idées se bousculaient déjà dans mon esprit. Mes cellules grises douées de sagesse leur ont fait barrage. *Donne-lui du temps. De l'espace.*

Je me suis levée. J'ai serré les épaules de Katy contre moi et suis montée dans ma chambre passer un short. Rien de tel qu'une promenade sur la plage.

Le soleil, bas à l'horizon, striait le ciel et l'océan de lignes roses et orangées. Le sable était chaud sous mes pieds, la brise plus douce qu'une plume sur ma peau.

De marcher au bord de l'eau m'a rappelé mon enfance. Nos étés sur l'île de Pawleys. Ma sœur, Harry. Grand-mère. Ma mère, Katherine Daessee Lee.

Daisy.

Cette conversation avec Katy a déclenché un tir nourri de la part de mes synapses. Dans mon cerveau, quantité d'images et d'émotions se mélangeaient pêle-mêle.

Les yeux de ma mère, verts comme les miens. Tantôt radieux, tantôt glacés, refusant tout contact.

Mon incompréhension d'enfant.

Quelle mère serait-elle aujourd'hui ?

La femme mondaine, se passionnant pour les potins de la société ? pour la dernière cure à la mode, le restaurant dans le vent, le bal de bienfaisance qui faisait la une des journaux ?

Ou la femme recluse, sanglotant derrière sa porte fermée à double tour, ou encore murée dans le silence, derrière ses volets clos ?

Comme je détestais ces périodes où ma mère s'enivrait de sorties. Comme je détestais ses temps de retraite dans une cellule qui sentait le lilas.

Et puis, peu à peu, ces portes fermées et ces regards distants étaient devenus notre quotidien.

Enfant, j'avais aimé ma mère à la folie. Adulte, j'avais fini par me poser la vraie question : m'avait-elle seulement aimée ?

Je ne sais pas.

J'avais persisté.

Les gens que ma mère avait aimés, c'était mon petit frère, Kevin, et mon père, Michael Terrence Brennan, morts tous deux l'année de mes huit ans. Le premier de leucémie, le second d'un accident de voiture en état d'ivresse. Double tragédie qui avait bouleversé ma vie.

Mais cette tragédie était-elle vraiment responsable de tout ? Le problème n'était-il pas plutôt que Daisy était folle ?

Même réponse : je ne sais pas.

Dans mes rapports avec ma fille, je tenais à connaître cette proximité dont j'avais été privée. Qu'importaient le comportement de Katy, son irrationalité, ses besoins irraisonnés. Je resterais toujours à ses côtés.

Mais comment m'y prendre pour l'aider ?

Les vagues ne m'ont pas apporté la révélation.

À mon retour, Katy avait déserté la véranda.

Elle est réapparue pendant que je rinçais le sable de mes pieds sous la douche de dehors.

— Tu as raison. C'est ridicule de pleurnicher.

Je l'ai laissé poursuivre.

— Demain, je ferai du parapente.

— Bonne idée.

Pas du tout, ai-je pensé par-devers moi. J'aurais préféré savoir ma fille les pieds posés sur terre, plutôt que se balançant tout là-haut dans le ciel.

— Ou alors je ferai un de ces tours en hélicoptère au-dessus d'un volcan.

— Mmm.

J'ai fermé le robinet.

— Tu sais, maman, je suis vraiment contente que tu m'aies emmenée à Hawaï. C'est superbe.

— Et moi je suis vraiment contente que tu sois venue.

— J'ai sorti une douzaine de crevettes du congélateur.

— On allume le BBQ ?

Question posée avec mon meilleur accent australien.

— Oui, chef.

Katie a levé la main. J'ai levé la mienne. Nos deux paumes ont claqué l'une contre l'autre.

Les douze crevettes sont devenues vingt-quatre.

Chapitre 12

Une plage éblouissante de blancheur et un Birdie pourchassant un chien énorme affublé d'un étrange harnais constitué de lignes s'élevant dans le ciel jusqu'à un parachute rouge vif.

Au bout de ce parachute, une Katy, tête en bas, ses longs cheveux blonds ondulant dans le vent. Dans la lumière du soleil, on voit briller des larmes sur ses joues.

Une mouette jette un cri.

Le chien s'arrête d'un coup.

Le parachute perd peu à peu sa forme arrondie, Katy se met à dériver à l'est.

Très vite. Beaucoup trop vite.

Le cri de la mouette se transforme en un ronflement puissant.

Réveillée en sursaut, j'ai soulevé une paupière.

Dans ma chambre plongée dans le noir, ma table de nuit est saisie de vibrations.

Tâtonnements à la recherche de mon BlackBerry.

Une strophe tirée d'*Aloha oe*, chantée par Don Ho.

— Comment va ma jolie rose de Maunawili ?

Une voix d'homme, mais pas celle du chanteur.

Nouvelle séquence de mon rêve ?

Non. J'avais les yeux ouverts. L'un des deux a réussi à faire le point sur le cadran du réveil.

— Tu sais l'heure qu'il est ici ?

Question souvent posée par les habitants d'Hawaï quand ils reçoivent un appel du continent.

— Sept heures ?

— Refais ton calcul, Ryan.

— Donne-moi un indice.

— Il y a un cinq dans la réponse.

Deux, même. Car les chiffres verts indiquaient 5:59.

— Oups. Désolé.

— Mmm.

— Ce qui veut dire que je te réveille.

— Il fallait que je me lève de toute façon pour répondre au téléphone.

— C'est une vieille blague, ça.

— Pour les répliques originales, rappelle plus tard.

— J'ai pensé que tu aimerais le savoir. Ta Florence détrempée a délivré un peu de son ADN.

— Ma Florence détrempée ?

— Florence Nightingale, l'infirmière. Le cadavre d'Hemmingford, ça te dit quelque chose ? Tes gars du labo ont fait un STR. Ou quelque chose comme ça.

— *Short. Tandem. Repeat.*

— *Sorry*. Trop. Rare.

— Ça va, Ryan. On fait des STR depuis les années 1990.

— Des clones aussi. N'empêche que personne ne comprend le principe.

— Ça se pratique couramment dans la plupart des instituts de médecine légale, qui ont des départements d'analyses de l'ADN.

Ryan est futé, génial même dans certains domaines. La science n'en fait pas partie. Au silence qui a suivi, j'ai compris que mon explication des lettres lui était passée au-dessus de la tête. Super ! Un petit cours de biologie 101 au lever du jour.

— Chaque molécule d'ADN est composée de deux longues chaînes de nucléotides réunies au milieu à la façon d'une échelle. Chaque nucléotide se compose de sucre, de phosphate et de l'une des quatre bases azotées suivantes : adénine, cytosine, guanine ou thymine. A, C, G ou T. Ce qui compte, c'est la façon dont ces bases se succèdent, les séquences qu'elles forment. Par exemple, un individu peut être CCTA sur une position donnée, et un autre CGTA. Avec le STR, ou séquence microsatellite, on analyse d'un seul coup une répétition continue de quatre ou cinq motifs.

— Pourquoi cette quantité ?

— Parce que si on en prend plus, des problèmes peuvent survenir lors de l'amplification. Plusieurs désordres d'ordre génétique sont justement liés à des répétitions de trinucléotides. La maladie de Huntington, par exemple. Les séquences plus longues sont davantage sujettes à dégradation. Et plus difficiles à amplifier par PCR que les courtes.

— En dix mots ou moins, comment fonctionne le STR ?

— Dix mots seulement ?

— D'accord pour vingt, mais pas plus.

— Tu commences par extraire l'ADN nucléaire de ton échantillon. Après, tu amplifies des régions polymorphes spécifiques…

— Halte au jargon ! Délit d'initié.

— Les régions du génome susceptibles de varier. Amplifier, tu sais ce que ça veut dire : tirer des copies. Ensuite, tu détermines le nombre de répétitions pour la séquence microsatellite en question.

Je simplifiais un peu beaucoup, c'est vrai. Mais Ryan avait l'air de comprendre. Il a demandé :

— Une fois que tu as obtenu l'empreinte génétique de ton suspect ou de ton inconnu — dans le cas présent le noyé d'Hemmingford —, tu la compares à celle d'un membre de sa famille ? C'est ça ?

— Ou mieux : tu la compares à un autre échantillon prélevé sur ton gars de son vivant. Récupéré sur une dent de lait qu'il aurait conservée, par exemple. La salive sur sa brosse à dents. Le mucus dans un de ses mouchoirs.

— Autrement dit : la prochaine étape pour nous, c'est de prendre Platon et de lui racler l'intérieur de la joue, ou bien de dégotter de la morve sortie du nez de l'Araignée.

— Quelle élégance !

— Je ne fais que répéter ce que tu as dit.

— Oui, mais avec un *élan**…

— Ça sous-entendait la même chose. Tu crois que papa Lowery voudra bien ouvrir le bec et faire *ahh* ?

— Je ne sais pas. En tout cas, je doute qu'il saute de joie en apprenant les résultats de l'enquête.

— Ça, c'est sûr.

Silence de plusieurs secondes. Juste le bourdonnement de l'air d'un bout de la ligne à l'autre. Puis Ryan a demandé des nouvelles de Katy.

— Elle est encore sonnée.

— Tu ne m'avais pas dit qu'elle avait un copain. Tu le savais, toi, qu'elle était folle de ce garçon ?

— Non.

La faute à mes absences ? à mon inattention ? Quoi qu'il en soit, mon ignorance prouvait bien le peu de proximité entre nous.

— Elle va remonter la pente, a dit Ryan.

— Oui. Et Lily, ça va ?

— Elle continue d'aller à ses réunions de groupe et chez son psy. Elle a meilleure mine, et je trouve qu'elle s'est un peu remplumée.

— Surtout, ne va pas le lui dire !

Petite tentative d'alléger la conversation. Qui est tombée à plat.

— Ses discours sont sensés, mais je ne sais pas… (Long soupir.) Parfois j'ai l'impression qu'elle se contente de faire ce que j'attends d'elle, dans sa tête. De dire les mots censés me faire plaisir.

Pas bon, ça. Surtout que Ryan a plutôt du flair.

— Avec sa mère, c'est l'eau et le feu. La patience, c'est pas son fort, à Lutetia, même si elle se donne du mal. Dès qu'elle dit un mot, Lily part au quart de tour.

Lutetia ne le supporte pas, c'est l'explosion des deux côtés. Et c'est moi qui ramasse les dégâts.

— Elles devraient peut-être mettre un peu d'espace entre elles.

— Tu as raison. Mais je ne peux pas prendre Lily chez moi. Au stade où elle en est de sa désintoxication, elle a besoin d'avoir quelqu'un à côté d'elle à toute heure du jour et de la nuit. Et moi, je suis absent la plus grande partie de la journée. Pour ne rien dire de la nuit. Comme tu le sais.

Pas qu'un peu !

Brusquement, ça m'a fait tilt.

Non. Mauvaise idée.

Excellente, au contraire.

— Viens donc à Hawaï.

La phrase m'est sortie de la bouche avant que les cellules de mon cerveau dotées d'un peu de bon sens n'aient eu le temps d'intervenir.

— Quoi ?

— Et emmène Lily avec toi. Katy est seule du matin au soir. Elles se tiendront compagnie. Elles ont presque le même âge.

Vingt-quatre ans et dix-neuf. Du pareil au même, vu du haut de mon grand âge.

— Tu es folle !

— Vous jouerez aux touristes pendant que je travaillerai. Et le soir, on fera la fête.

— Je ne peux pas.

— Tu as droit à combien d'années de vacances, en additionnant tes congés non utilisés, quatre-vingt-dix ans ? Ça te coûtera seulement le prix de deux billets d'avion. La maison est immense.

Je commençais déjà à douter de mon idée, mais continuais malgré tout à taper sur le clou.

— Le changement de climat, ça lui fera du bien, à Lily. Hawaï lui rappellera peut-être son enfance à Abacos.

— Selon l'accord passé avec le juge, elle n'a pas le droit de quitter la province.

— Je t'en prie ! Elle sera avec toi ! Un officier de police assermenté ! Tu connais sûrement un juge qui te donnera sa bénédiction.

Une pause très longue a suivi. Puis :

— Je te rappelle.

Pas de Danny à mon arrivée au CIL, mais un Dimitriadus qui a filé dans son bureau à ma vue sur un signe de tête glacial.

Aloha à toi aussi, soleil de ma vie !

Le temps de passer une blouse, et j'ai repris mon entretien avec le cas 2010-37 là où je l'avais laissé la veille.

Sous le robinet, un fragment de l'arrière du crâne a fini par accepter de montrer sa suture, c'est-à-dire la ligne ondulée à l'endroit où l'occiput rencontrait autrefois le pariétal gauche.

Ah ?

Gratouillis délicat avec la brosse à dents. Un détail est apparu.

Ça alors.

Comme pour le maxillaire ? J'ai couru à la table pour vérifier.

Ça alors.

Retour à l'évier.

Une cascade de sons débridés a retenti au loin : le rire de Danny, plus contagieux que la typhoïde. L'instant d'après, il s'avançait vers moi, flanqué d'un type immense tout en tendons, avec des oreilles d'éléphant et un corps de girafe. Craig Brooks, l'un des dentistes du CIL.

— Salut, Tempe. Content de te revoir.

— Contente aussi.

On s'est serré la pince.

— Paraît que tu as découvert une mine échappée du Vaisseau Fantôme, d'après Danny.

— Pas une mine, une mite ! s'est esclaffé Danny.

— Eh bien, regardons ça !

Craig est resté un long moment assis au microscope à bouger et à déplacer mon petit bidule en forme de champignon-canard, à régler et re-régler les deux lampes de l'appareil. Enfin, il s'est laissé retomber sur son dossier.

— Notre petit Danny a raison pour ce qui est du matériau. C'est bien de l'or.

— Un bout de plombage ou de couronne ? ai-je demandé.

— Non.

— Tu es sûr ?

— Des réparations dentaires qui ont fondu à la suite d'un incendie, j'en ai vu des masses. Ça n'a rien à voir avec ça. Ce morceau présente effectivement une certaine déformation due à la chaleur, mais uniquement le long du bord arrondi. Sa forme, très particulière, ne me fait pas du tout penser à un fragment de couronne ou de restauration.

— Comment ça ?

— D'abord, c'est bien trop mince. Ensuite, l'une des faces présente un relief lisse et légèrement bombé alors que l'autre est rugueuse et parfaitement plate.

— Qu'est-ce que c'est, alors ?

— Tu m'en demandes trop, Tempe… Mais je vais y réfléchir.

Craig parti, j'ai voulu montrer à Danny ma seconde découverte.

— Ça peut attendre dix minutes ? Je dois appeler quelqu'un avant neuf heures.

Retour à l'évier. Mon cellulaire a sonné.

Coup d'œil à l'écran. Le numéro affiché n'était pas celui de Ryan. Un appel local, mais pas en provenance de la maison de Lanikai Beach.

J'ai enfoncé le bouton de connexion.

Chapitre 13

— *Aloha*. (À Rome, autant parler romain, n'est-ce pas ?)

— *Aloha*. Le Dr Temperance Brennan, je vous prie.

Une voix qui suggérait des années de cigarettes sans filtre. Quant à savoir si c'était celle d'un homme ou d'une femme…

— C'est moi.

— Hadley Perry à l'appareil.

Génial, un prénom mixte. J'ai tiré une chaise près du cas 2010-37 et me suis assise.

— ME, a précisé la voix.

Ah, la fameuse Hadley Perry ! Je ne l'avais jamais rencontrée. Médecin examinateur en chef pour la ville et le comté d'Honolulu depuis plus de vingt ans, elle était célèbre pour ses pitreries dont la presse ne manquait pas de s'en faire l'écho.

Une fois, pour protester contre l'encombrement de la morgue, Perry avait exposé des corps roulés dans des couvertures dans le stationnement devant son bureau — les cadavres en question étant des poupées gonflables, bien évidemment. Une autre fois, elle avait établi des certificats de décès au nom de deux sénateurs de l'État, considérant leur refus d'augmenter le budget de ses services comme la preuve patente qu'ils étaient cliniquement morts, puisque leur cerveau ne répondait plus.

— J'espère que vous ne m'en voulez pas de vous appeler sur votre téléphone personnel.

— Bien sûr que non ! (N'en pensant pas moins, mais en même temps saisie de curiosité.)

— Je me suis laissé dire que vous étiez la meilleure anthropologue judiciaire du monde occidental.

Un petit carillon a résonné dans un coin de ma tête : méfie-toi, cocotte. Avec Danny, on se fait des coups pendables depuis plus de vingt ans. Or, il y avait maintenant cinq jours entiers que j'avais posé le pied sur son territoire, et je n'avais toujours pas subi de blague de sa part. Qu'est-ce que ce brigand m'avait encore concocté, comme plaisanterie stupide ?

— Comme vous le dites, madame. La meilleure du monde occidental, sans aucun doute !

Elle a laissé passer un temps avant de poursuivre :

— J'aurais besoin de votre aide pour un cas tordu.

— Concernant la bosse d'un bossu qui en fait serait un implant ?

— Pardon ?

— La poitrine d'un transsexuel ?

— Un homicide.

— Un gecko retrouvé garroté ? (J'étais lancée.)

— Je dirais plutôt un jeune homme, mais je ne suis pas complètement sûre. Peu de pièces ont été récupérées. (La femme avait pris un ton sinistre de circonstance. Rien à dire, elle jouait très bien son rôle.)

— Quoi, exactement ? L'aile ou la cuisse ?

Je rigolais de ma plaisanterie quand Danny est entré dans la pièce. Désignant l'appareil, je lui ai lancé tout bas :

— Bravo, mais raté !

— Quoi donc ?

— Hadley Perry. (Là encore, tout bas, mais avec un geste destiné à lui faire comprendre que sa blague était nulle.)

Il a vraiment eu l'air de tomber des nues.

— Un instant, je vous prie.

Cette phrase-là, je l'ai dite dans l'appareil. Et j'ai appliqué le combiné contre ma poitrine avant de poursuivre, à l'intention de Danny :

— J'ai une femme au bout du fil qui veut absolument me faire croire qu'elle est Hadley Perry.

— Si elle le dit, c'est qu'elle l'est.

— Je les connais, tes coups pendables.

— De quoi tu parles ?

— De la monnaie de ta pièce. Tu te venges. Pour la diapo que j'ai passée à l'AAFS. Je vois clair dans ton jeu.

Je voulais parler d'un photomontage que j'avais montré à une session de l'Académie américaine des sciences médico-légales au beau milieu d'autres diapos, et qui représentait un orang-outang affublé d'un short Speedo, avec des palmes aux pieds et le visage de Danny à la place de la tête.

— Oh, mais tu ne perds rien pour attendre ! La vengeance est un plat qui ne se mange pas froid, mais faisandé.

— Arrête, Danny. Ton coup a foiré.

— Quel coup ?

— Cette farce.

— Quelle farce ?

— De me faire téléphoner par quelqu'un qui se fait passer pour le ME.

— C'est pas moi. (Se plaquant la main contre la poitrine, les doigts écartés.) Perry me fout bien trop la trouille.

Quelque part au fin fond de mon ventre, j'ai senti naître un début d'incendie.

— Tu es sérieux ?

— Absolument.

Oh, oh…

— Vous êtes toujours là, docteur Perry ?

— Oui. (Ton laconique.)

— Je vous entends mal. Est-ce que je peux vous rappeler ?

Elle m'a donné son numéro.

J'ai raccroché. Et rappelé.

— *Aloha*, bureau du médecin examinateur d'Honolulu.

— Docteur Brennan. Je rappelle le docteur Perry. (Les joues en feu.)

— Un instant, s'il vous plaît.

Perry a pris la ligne immédiatement.

— Je suis désolée. J'entendais des phrases qui ne voulaient rien dire. Dieu sait ce que vous avez pu comprendre de votre côté. (Rire nerveux.) Avec ce téléphone, je perds tout le temps le réseau. (Seigneur, ce baratin !) En quoi puis-je vous être utile ?

Perry a répété ce qu'elle m'avait dit plus tôt : homicide, éléments corporels, individu jeune et de sexe masculin, besoin de mon aide.

— Vous n'avez personne pour se charger de ça ?

— Non.

J'ai attendu plus ample explication. En vain.

— Il y a des anthropologues certifiés au CIL.

Coup d'œil à un Danny qui était tout ouïe, bien évidemment, même s'il faisait semblant de se concentrer sur le 2010-37.

— Je fais souvent appel à eux pour me dépanner, croyez-le, docteur Brennan. Mais cette fois, c'est à vous que j'ai décidé de m'adresser.

— Je ne suis que de passage à Honolulu.

— Je sais.

Tiens donc ? Je me suis laissée retomber contre mon dossier.

— Docteur Perry, je suis ici pour résoudre un cas à la demande du CIL, je me suis engagée vis-à-vis d'eux.

— On finit tôt chez les militaires. Après, vous pouvez travailler avec moi.

Danny a pris un os long et s'est dirigé vers l'évier.

— Pourquoi moi ?

— Parce que vous êtes la meilleure. N'est-ce pas ce que vous m'avez dit vous-même ?

— Je plaisantais.

— Je vous le demande comme un service personnel.

Quelque part, très loin, j'ai perçu un son à peine audible. Comme un fantôme qui se serait adressé à moi depuis un monde parallèle.

Ou un noyé inconnu suppliant qu'on lui rende justice.

Re-coup d'œil à Danny, puis au 2010-37.

— Très bien, je passerai ce soir, après cinq heures et demie. Mais pour une heure, pas plus.

Fin de la conversation. J'ai regardé Danny. Il avait les épaules rigides, comme quelqu'un de fâché ou qui a peur.

— Tu as entendu ?

— Suffisamment.

— À voir ta tête, vous n'avez pas l'air de bien vous entendre, tous les deux.

— Je dirai seulement que Hadley Perry ne fait pas partie des gens que je compte inviter bientôt à dîner chez moi. Ce qui ne veut pas dire que tu ne doives pas l'aider.

— Tu peux être plus précis ?

— Je ne l'aime pas et elle me le rend bien. Je n'ai rien à dire de plus.

Danny est revenu vers la table et a ajouté son tibia nettoyé aux ossements déjà étalés.

Nous sommes restés un moment à contempler en silence le squelette plus ou moins propre de l'homme exhumé à Lumberton. Et Danny a demandé :

— Qu'est-ce que tu voulais me montrer ?

J'ai pris en main un fragment d'occiput.

— Regarde la suture. (J'ai suivi du doigt le tracé d'une ligne ondulée.) Ce n'est peut-être pas important, mais quand même.

— Oui, complexe et bourrée d'éléments accessoires.

Il voulait parler de petits îlots osseux parfaitement visibles, emprisonnés à l'intérieur de la suture.

Je lui ai passé ensuite le fragment de maxillaire d'où était tombé le machin en forme de champignon-canard. Il a commencé par le regarder de face.

— Un palais large… Une suture transversale rectiligne qui ne présente pas de renflement au-dessus de la ligne médiane… La suture zygomaxillaire fait des angles et non pas des courbes en S. (Il a fait pivoter le fragment, de façon à avoir l'orifice nasal face à lui.) Ce type devait avoir les pommettes saillantes.

Danny a tourné les yeux vers moi.

— Tu crois qu'il pourrait s'agir d'un Vietnamien ?

— Non, même si certaines caractéristiques laissent supposer une ascendance mongoloïde, c'est vrai. Mais d'autres sont plutôt en faveur du type caucasien : le pont du nez placé haut, l'ouverture nasale étroite, la forme du crâne sans rien de remarquable : ni longue et étroite, ni large et trapue.

— Un métis, alors ?

— Européen et Asiatique, ou Européen et Amérindien.

— Nous avions là-bas des soldats qui correspondaient à ce type, des Indiens d'Amérique, des Portoricains, des Mexicains. Il y avait des Philippins, aussi. Pas beaucoup, mais ils se battaient à nos côtés.

— Et le quatrième membre d'équipage ? Tu as découvert si son corps avait été retrouvé ?

— Pas encore.

— Comment s'appelait-il ?

— J'attends toujours la réponse.

Nous sommes retournés à notre activité de la veille : dégager les ossements de leur gangue de tissu moisi et de chairs carbonisées. Nous y avons passé le reste de la journée.

À cinq heures, un squelette entièrement nettoyé reposait sur la table.

Aucun de ces os n'avait rien révélé de nouveau.

Les bureaux du médecin examinateur de Honolulu se trouvent dans un bâtiment blanc aux lignes arrondies, situé sur Iwilei Road, à quelques pas du quartier chinois. À côté se dresse le plus grand immeuble de l'Armée du Salut que j'aie vu de ma vie.

À cinq heures et demie tapantes, je passais sous une voûte en voiture et je m'arrêtais dans un petit stationnement. Hadley Perry a répondu en personne à mon coup de sonnette.

Les quelques photos que j'avais pu voir d'elle dans le *Honolulu Advertiser* ne m'avaient pas préparée au spectacle qui s'est révélé à moi.

Celui d'une femme mince avec des seins disproportionnés et un penchant marqué pour le maquillage « pute de la haute », comme dit Katy. Des cheveux raidis de gel, hérissés en piques tout autour de la tête. Des piques noires pour la plupart, mais çà et là, il y en avait des rouge pompier.

— Hadley Perry.

Une poigne capable de tordre une barre en acier.

— Je vous remercie énormément d'être venue.

— Je ne suis pas certaine de pouvoir vous aider, ai-je dit tout en remuant les doigts pour vérifier qu'ils étaient bien entiers.

— Mais vous y mettrez tout votre cœur, pas vrai ? (Et Perry de me balancer dans le biceps un coup de poing vraiment douloureux.) Allons-y.

Mon Dieu. À qui avais-je affaire ?

Derrière la double porte, un couloir au carrelage rutilant. Je l'ai parcouru à sa suite, en me retenant de masser mon bras où le muscle palpitait toujours. Nous sommes passées devant une grande salle d'autopsie pourvue de cinq tables et avons pénétré dans une autre plus petite, assez semblable à ma salle n° 4 au LSJML, avec ses placards à portes vitrées, son comptoir sur un côté, son microscope de dissection et sa balance.

Un chariot en acier inoxydable supportait un tas recouvert d'un drap en plastique. En dessous, une forme, petite et crevassée, qui ne faisait pas penser à un corps humain.

L'une comme l'autre, nous avons passé des tabliers et enfilé des gants sans échanger un mot.

Perry a retiré le drap.

Et désigné la chose, tel un serveur montrant sa table à un client.

Chapitre 14

Spectacle atroce.

Cinq éléments informes provenant de Dieu sait où, et un morceau de jambe humaine d'environ quarante centimètres de long. La peau, vert céleri, était complètement ratatinée et les chairs grises et grumeleuses comme un rôti cuit à la cocotte.

Je me suis avancée pour mieux voir.

Sur la jambe, une population clairsemée de poils courts et foncés ; des os apparents, enfouis dans les chairs. Un bout de fémur en haut ; un morceau de tibia et de péroné en bas. Trois tiges axiales ébréchées à leur extrémité. Le tout — os, peau et muscles — déchiqueté et parcouru d'entailles et d'estafilades parallèles.

— C'est le genou droit ? a demandé Perry.

— Le gauche. Apporté par l'océan ?

— Ouais. Venez voir les radios.

Elle est allée se planter devant un négatoscope à deux rangées. Ayant allumé la lumière, elle a attrapé un cliché posé sur le rebord et l'a accroché devant la plaque lumineuse. Je l'ai rejointe.

Au milieu des chairs, une forme plus claire. Quelque chose qui n'était pas plus gros qu'un haricot et ressemblait à un mouton de dessins animés.

— Une dent de requin ?

— Ouais, a répondu Perry. Il y en a d'autres.

Et de tapoter deux autres clichés d'un ongle verni en bleu.

— Tué par un requin, à votre avis ?

Elle a fait un geste de la main. Peut-être bien que oui, peut-être bien que non.

— Il n'y a pas trace d'hémorragie dans les tissus.

Une fois mort, le cœur ne joue plus son rôle de pompe sanguine. Par conséquent, la présence de sang à l'endroit d'un trauma signifie généralement que la victime était vivante au moment où elle a reçu la blessure ; l'absence de sang, qu'elle était déjà morte.

— Est-ce que l'immersion en eau salée pourrait expliquer l'absence d'hémorragie ?

— Bien sûr.

— Donc, ce corps peut avoir été démembré par un animal prédateur *post mortem*.

— Ça s'est déjà vu.

Survol des autres clichés. Tous pris selon des angles différents. À l'instar du genou, trois autres gros morceaux de chair contenaient des bouts de squelette.

— Ça, c'est l'os pubien et une partie de l'ischion.

J'ai désigné une partie plate à l'avant du pelvis.

— Bon pour le sexe ?

— Pas ce soir.

Rire sarcastique.

Je me suis durcie, dans l'attente d'un nouveau coup au bras. Qui n'est pas venu.

— L'angle subpubien en forme de V, le corps du pubis et son aspect « gros bloc », et ce large ramus ischio-pubien enfin, tout ça me fait pencher en faveur d'un individu de sexe masculin.

— Tout à fait d'accord, a dit Perry.

— Ici, on a un morceau de crête iliaque. (J'ai désigné une section du bord supérieur arrondi de la moitié gauche d'un pelvis.) Regardez, on voit qu'il n'a pas complètement fusionné avec la plaque iliaque… En considérant qu'on a sous les yeux un homme, je dirais qu'il avait entre seize et vingt-quatre ans.

— Enfant de chienne !

— Ça, c'est le côté proximal d'un fragment de tige fémorale. En ligne avec la tête et le cou. Côté gauche, comme le genou et le bassin. (Passant à la radio suivante :) Et ça, ce sont des morceaux de pied et de cheville gauches… Là, des restes de tibia, côté distal, de talon et d'autres petits os du pied. Je dirais le naviculaire et les deuxième et troisième cunéiformes.

— Est-ce qu'ils pourraient vous indiquer la taille de cet individu ?

J'ai réfléchi.

— Je pourrais éventuellement faire une régression statistique à partir des mesures prises sur les éléments d'os de la jambe, mais la fourchette obtenue serait si large que ça ne servirait quasiment à rien.

— Vous pourriez quand même me dire si ce type était très grand ou très petit ?

— Oui. Mais d'après les attaches musculaires, je peux déjà vous dire qu'il était de constitution robuste.

— Des renseignements sur la race ?

— Impossible. La peau est assez pâle, mais ça peut être dû à un blanchissement *post mortem* de l'épiderme, ou à une pelade consécutive à un long séjour en eau salée.

En effet, la pigmentation ne concerne que la couche externe de la peau. Laissez tomber l'épiderme, et toute l'humanité a l'air d'être scandinave. Les gens peu habitués à voir des corps ayant baigné longtemps dans l'eau ont souvent tendance à l'oublier, d'où les erreurs d'interprétation.

Perry le savait forcément. Si je lui avais donné une réponse aussi détaillée, c'était par réflexe uniquement. Parce que j'étais concentrée.

Retour à la table pour examiner à tour de rôle chaque élément de l'effroyable assemblage.

— Où est-ce que vous avez récupéré tout ça ?

— Suivez-moi, je vais vous mettre au courant, a répondu Perry en se débarrassant de ses gants.

Pas un chat dans les couloirs. Juste un vieil Hawaïen muni d'un seau et d'un balai-serpillière, qui a baissé les yeux à notre passage. Perry l'a ignoré superbement.

Le bureau du ME en chef ressemblait à celui de Danny Tandler en pire. Toutes les surfaces horizontales — bureau, table basse, sièges, rebords de fenêtre, armoires à dossiers et plancher — étaient envahies de dossiers et de papiers. Livres, magazines et publications s'élevaient en piles chancelantes. Les mensuels, ouverts à une page, devaient avoir leur couverture complètement écrasée, sous le poids de tous les exemplaires posés dessus.

Devant la fenêtre, un store vénitien bon marché à lames métalliques. Aux murs, des photos d'un chien noir d'une taille impressionnante. Un labrador, probablement. Çà et là, une petite touche personnelle : un squelette suspendu à un fil ; deux conques servant de reposoir à toutes sortes d'élastiques et trombones ; plusieurs cendriers originaires de Las Vegas ; une fausse fougère en pot ; une série de personnages en plastique représentés dans le feu d'une action fort mystérieuse, à en croire les armes qu'ils brandissaient — plus qu'étranges.

Une unique chaise avait résisté à l'envahissement. Perry me l'a désignée.

J'y ai pris place.

Elle s'est laissée choir dans l'une de ces choses en fil de fer conçues par la NASA pour des missions vers Mars.

— Beau toutou.

En fait, ce cabot plus ou moins pelé avait l'air plutôt mauvais. Mais nous, les dames du Sud, savons montrer de l'intérêt envers les gens qui ne font pas nécessairement partie de notre cercle d'amis — le garagiste, la réceptionniste, la femme chez le nettoyeur, peu importe. Les filles de Dixie transpirent la chaleur humaine envers tout un chacun.

À l'évidence, ce type de sudation était inconnu du Dr Hadley Perry.

— Avant-hier, deux élèves du secondaire sont allés faire de la plongée sous-marine à Halona Cove, entre Blowhole et Hanauma Bay. Vous connaissez l'endroit ?

C'est là que Burt Lancaster et Deborah Kerr échangent leur fameux baiser, dans *Soudain l'été dernier*. Cette petite crique, surnommée depuis *From Here to Eternity*, en référence au titre original de ce film, est entourée de falaises battues par des vagues terrifiantes. Elle n'est accessible que par un chemin rocailleux et pentu délaissé des touristes, mais fort apprécié des adolescents du coin qui, tous, rêvent d'avoir dans leurs shorts plus de sable que Burt et Deborah réunis. J'ai fait oui de la tête.

— Ces deux jeunes ont repéré quelque chose dans un creux de rocher, à quatre mètres de profondeur peut-être. Ils l'ont remonté à la surface. Quand ils ont compris qu'il s'agissait d'un genou, ils ont composé le 911.

« La police m'a prévenue. J'ai dépêché là-bas des plongeurs. Quand je suis arrivée sur les lieux, la fille continuait à remonter des morceaux de corps. Son petit copain essayait sans succès de jouer les durs. »

Perry s'est mise à écailler le vernis d'un de ses ongles, puis, du dos de la main, a chassé du buvard ces vestiges de naufrage tape-à-l'œil.

— Les plongeurs ont fouillé la mer et les rochers pendant plus de deux heures. Vous avez vu la totalité de ce qu'ils ont rapporté.

— Parmi les personnes portées disparues, il y en a qui correspondent à notre profil ?

Perry a saisi une feuille d'imprimante et lu :

— Anthony Simolini, né le 14 décembre 1993. *Haole*.

— Ça veut dire « Blanc » ?

— Ouais, pardon. Cheveux bruns, yeux marron, un mètre quatre-vingts, quatre-vingt-quatre kilos. Le 2 février de cette année, vers dix heures du soir, Simolini est parti d'un restaurant bourré de monde sur Kamehameha Highway, à Pearl City, pour rentrer chez lui. Sauf qu'il n'y est jamais arrivé. Finissant du secondaire, athlète réputé. Pas du tout le genre à fuguer, d'après ses amis et sa famille.

« Jason Black, né le 22 août 1994. Cheveux blonds, yeux bleus, un mètre soixante-quatorze, soixante-douze kilos. »

— *Haole*. (Ce coup-ci, c'est moi qui l'ai dit.)

— Le 27 janvier de cette année, il est parti de chez lui fou de rage, après une scène avec ses parents. N'a plus été revu depuis. Drogue et problèmes à l'école. D'après ses amis, il parlait souvent de se tirer sur le continent.

« Ethan Motohiro, né le 10 mai 1993. Asiatique, cheveux noirs, yeux marron, un mètre soixante-quatre, cinquante-quatre kilos. En septembre dernier, il a annoncé qu'il partait faire le tour de l'île à vélo. Aperçu par un automobiliste sur Kalanianaole Highway à l'entrée de Makapu'u Point. Le 7, probablement. N'a pas été revu depuis. »

— Makapu'u Point, c'est près de Halona Cove, n'est-ce pas ?

— Ouais. Motohiro avait une petite amie, il était dans les premiers de sa classe et voulait entrer à l'université.

— Pas non plus le genre à fuguer. Et il est trop petit, je suppose. À mon avis, la victime était plutôt grande.

— Isaac Kahunaaiole, né le 22 juillet 1987. Hawaïen, cheveux noirs, yeux marron, un mètre quatre-vingt-dix, cent vingt-quatre kilos. Travaillait comme gardien de nuit au centre commercial d'Ala Moana, vivait chez ses parents avec quatre de ses cinq frères et sœurs. Le 22 décembre 2008, il est monté à bord d'un autobus pour se rendre à Ala Moana. Il n'y est jamais arrivé. Un boute-en-train, à en croire ses collègues ; aimé de tout le monde, et d'une bonne moralité dans son travail.

— Ce pourrait être lui. *A priori*, la taille correspond.

— Nous avons donc quatre garçons entre seize et vingt-deux ans. Je peux augmenter la fourchette d'âge. Ou le temps écoulé. Je ne suis remontée que sur deux ans.

— Je doute que la mort remonte à très longtemps, si j'en juge par la quantité de tissus mous.

Perry a reniflé. Un son pas joli-joli.

— Qu'un corps chute dans une cavité profonde, et toutes les lois de la décomposition volent en éclats. Si vous ajoutez à ça les requins… J'ai eu un suicidé une fois, un poète de Perth. Les gens l'ont vu sauter depuis la pointe de Makapu'u. En moins d'une heure, les hélicos étaient sur place. Les requins avaient déjà sonné l'ouverture de la soupe populaire. Les gars de l'hélico les ont vus dépecer le suicidé jusqu'à l'os. Un mois plus tard, je reçois un coup de fil d'un pêcheur : il avait retrouvé un bout de bras dans le ventre d'un requin.

— Celui du poète mort ?

— Ouais. Identifié grâce à sa montre au poignet. En plus du bras, il y avait sept épis de maïs, un réveille-matin, une bouteille de Cutty Sark et une patte arrière de chien.

Je me suis fait mentalement une petite note : me renseigner sur la digestion chez les requins.

— Merde, s'il s'agit d'un assassinat, ce petit a très bien pu être enterré d'abord pendant un moment, ou caché dans un congélateur, et ensuite être jeté à la mer.

— Vous vous êtes renseignée sur des bateaux ou des avions qui auraient disparu ?

— Il nous manque toujours un type qui était à bord de l'*Ehime Maru*.

L'*Ehime Maru*, un bateau de pêche japonais heurté en 2001, juste au sud d'Honolulu, par un sous-marin école ultrarapide de la base de Los Angeles, le *USS Greeneville*. En plus de l'équipage, trente-cinq étudiants sont partis par le fond.

Plus tard, quand la marine a remonté l'*Ehime Maru* d'un fond de deux mille pieds, la plupart des corps se trouvaient encore à bord. Les plongeurs ont récupéré presque tous les autres. Le ME d'Honolulu de l'époque a réussi à identifier tous les membres d'équipage sauf un.

— Peu probable.

Perry en a convenu.

Je l'ai regardée. Elle m'a regardée.

Nous est parvenu le tintement tout près de là d'un seau posé sur le sol et le floc d'une serpillière s'affalant par terre.

J'ai regardé ma montre ostensiblement.

Perry a ignoré le message, délibérément ou pas.

— Qu'est-ce qu'on fait, maintenant ? a-t-elle demandé.

— Appelez-moi quand vous aurez accompli tout ce qui est de votre ressort : photos, prélèvements, nettoyage des os, etc. Bref, quand tout sera prêt.

Je me suis levée.

Perry s'est levée.

D'une main, la droite, j'ai saisi ma serviette ; de l'autre, j'ai joué avec mes clés de voiture. Message clair et net : désolée pour la poignée de main, tous mes doigts sont pris.

Juste avant Kailua Beach, l'avenue Kalaheo fait brusquement un virage et franchit le Kaelepulu Stream par le pont de Lihiwai qui conduit sur l'autre rive, Kawailoa.

Ryan a appelé au moment où je m'engageais sur le pont.

— Platon Lowery est une vraie tête de mule, a-t-il râlé sans s'embarrasser des préambules.

— Ah bon ?

— Ce vieux bâtard refuse de fournir un échantillon d'ADN.

— Pourquoi ?

— Aucune idée.

— Il n'a pas donné de raison ?

— Il dit qu'il n'en a pas besoin.

Exact. Personnellement, Lowery n'en avait pas besoin.

Cherchant un moyen de contourner ce problème, j'ai relevé le pied de l'accélérateur sans même m'en rendre compte. Immédiatement, la voiture derrière moi a klaxonné. Et l'on parle de la douceur de vivre à Hawaï ?

— Tu n'as pas quelqu'un d'autre ? Je crois me souvenir que Platon a parlé d'un cousin.

— Pour le moment, on n'a retrouvé personne.

Re-klaxon. Coup d'œil au rétroviseur. Un crétin de 4 × 4 au ras de mon pare-chocs.

— Appelle le shérif du comté de Robeson. Il était présent lors de l'exhumation. Il s'appelle Beasley. Vois s'il n'aurait pas une idée.

— Je peux toujours essayer. (Ton peu convaincu.)

Je suis arrivée à la maison juste au moment où le soleil sombrait dans la mer.

L'humeur de Katy s'était nettement améliorée par rapport à la veille. Son appétit aussi. En fait, elle mourait de faim. Le Buzz's Steakhouse se trouvant à deux pas, nous nous y sommes précipitées.

Les dieux d'Hawaï étaient avec nous. Nous avons obtenu une table dehors, avec vue sur Kailua Beach. Poulet teriyaki pour Katy, mahi mahi pour moi.

Elle m'a raconté sa journée : tour d'hélicoptère le matin, bronzage l'après-midi, à Lanikai Beach.

— Des tonnes de crème solaire ?

— Oui, maman.

— Un chapeau ?

— Mm.

— Cancer de la peau. Rides. Etc.

Elle a levé les yeux au ciel.

— Bon. Recommence du début. Comment est-ce que tu es allée à l'héliport ?

— J'ai pris un autobus. Le Bus, comme ils disent ici. J'ai bien aimé. Direct depuis chez nous.

— Qu'est-ce que tu as vu ?

— Le centre d'Honolulu, le port et une tour à côté d'un marché.

— La tour d'Aloha, près du quai 9. L'un des tout premiers monuments construits dans l'État d'Hawaï.

— Ouais, le pilote en a parlé.

— Depuis les années 1920, ce phare sert de repère aux bateaux en mer et de signe de bienvenue aux visiteurs et aux immigrants.

— Il l'a dit aussi. En le comparant à la statue de la Liberté.

— Bonne analogie. La tour d'Aloha est pour Honolulu ce qu'est Miss Liberty pour New York. Pendant quarante ans, ça a été la plus haute tour d'Hawaï.

— Le pilote a également parlé des magasins et des restaurants.

— Le marché de la tour d'Aloha a ouvert en 1994, mais il y a bien d'autres bâtiments intéressants en dehors de celui-là. Le centre maritime d'Hawaï notamment, et le vaisseau historique *Falls of Clyde*. J'ai lu quelque part que le port d'Honolulu était le seul de tout le pays à regrouper en un même lieu un site touristique, des magasins, des restaurants et tout ce qui est nécessaire au bon fonctionnement d'un port de commerce.

— Pareil à Baltimore aussi, je crois bien. Je n'ai pas capté tout le laïus, je n'entendais pas bien dans les écouteurs. On a également survolé un truc qui s'appelle le Punchbowl.

Le cimetière commémoratif national du Pacifique, où reposent quantité de soldats américains. Mais cela, je l'ai gardé pour moi.

— Et on a vu un autre phare.

— À la pointe de Makapu'u ?

— Je crois bien. Et aussi le mont Olomana. Un nom facile à se rappeler.

— Ce n'est pas loin d'ici, sur la côte de l'île qui est sous le vent.

— Le pilote a dit que la piste qui montait au sommet était de toute beauté. Je pourrais peut-être faire du trekking. On a aussi survolé l'endroit où s'est déroulée une bataille pour l'unification des îles. Je n'ai pas saisi le nom du roi hawaïen, ni contre qui il se battait, mais je suppose qu'il a remporté la victoire.

— Nu'uanu Pali. Je te fais un petit cours d'histoire ?
— J'ai le choix ?
— En 1795, le roi Kamehameha I est parti de son île d'Hawaï à la tête d'une armée d'environ dix mille hommes, bien décidé à conquérir les îles de Maui et de Molokai. Cet objectif atteint, il est passé à Oahu. Là-bas, les défenseurs étaient menés par Kalanikupule. Kamehameha les a encerclés à Nu'uanu Pali et il en a fait jeter plus de quatre cents du haut de la falaise.
— Brutal.
— Mais efficace.
— Est-ce que la question fera partie du quiz ?
— Oui.
Pour finir, on a partagé une cocolatta maison : un dessert à base de glace à la cosse de vanille et à la noix de coco. Un régal, qui nous a remplies de bonheur. Surtout après y avoir ajouté le jus d'un citron vert sur les conseils de Fabio, le serveur.
Un Fabio aux cheveux décolorés, à la chemise déboutonnée, avec des coquillages autour du cou et ainsi de suite.
Sur le chemin du retour, on riait tellement qu'on en avait mal aux côtes.

Chapitre 15

Le mercredi, j'étais au CIL dès neuf heures du matin.

Danny était déjà dans son bureau, immergé dans des papiers. À mon entrée, il a pivoté dans son fauteuil.

— *Aloha.*

Un ton ravi. Moi, j'avais des marteaux-piqueurs dans le crâne depuis la seconde où j'avais ouvert les yeux. Et la traversée d'Honolulu n'avait pas arrangé les choses.

— Tu ressembles à un de ces horribles bonshommes sourire, ai-je bougonné en repoussant un paquet de journaux pour me faire une petite place sur le canapé défoncé.

— *I feel happy*, a-t-il ajouté en écartant bras et pied.

— *And pretty, and witty, and gay ?* ai-je demandé en poursuivant son imitation de *West Side Story*.

— Nous serions-nous levés du pied gauche ?

— J'ai le crâne en compote.

— Ces dames ont-elles passé une soirée agréable ?

— C'est Katy, les dix litres de tai mai, pas moi, ai-je répliqué en me frottant les tempes. Mais toi, d'où te vient une telle allégresse ?

— J'ai le détail du caca survenu à Long Binh. J'ai enfin reçu le REFNO de l'écrasement.

Les REFNO, abréviation pour « numéros de référence », sont les dossiers où sont consignés tous les renseignements se rapportant aux accidents militaires : noms des victimes aussi bien que des survivants, lieu du drame et sa date, type d'appareil impliqué, objets récupérés — bref tous les renseignements relatifs à un accident donné.

— L'écrasement de l'hélico dans lequel se trouvait l'Araignée Lowery ?

— Ouais.

— Et alors ?

— Le cinquième corps n'a été jamais récupéré.

— Tu veux parler du membre d'équipage porté disparu ?

— Oui, le mécanicien.

— Tu as son nom ?

Danny a eu un sourire si large que j'ai cru que sa tête allait se décoller du tronc et tomber au loin, comme dans les séquences animées des Monty Python. Mais peut-être que j'allais un peu loin.

D'un geste impatienté, je lui ai signifié de m'en dire davantage.

— Luis Alvarez !

Il a fallu un moment pour que ma douleur carabinée tire un sens de ce nom.

— Un Latino ?

— Il y a des chances.

— Fais-moi voir !

J'ai bondi sur mes pieds. Danny m'a tendu le fax.

— Les renseignements sur le disparu doivent suivre sous peu, à ce qu'ils disent.

L'information, parcimonieuse, était néanmoins significative.

Luis Alvarez, mécanicien, spécialiste de catégorie 2. Né le 28 février 1948.

— Il aurait eu vingt ans le mois d'après…

— Un mètre soixante-quatorze, soixante-dix-huit kilos. Originaire de Bakersfield, en Californie.

J'ai relevé les yeux.

— Il est enregistré comme étant mort au combat, son corps n'ayant pas été récupéré.

— En effet, voici comment j'explique les choses. Lowery sortait tout juste de prison. À la morgue de Tan Son

Nhut, les gars ont dû se dire que le mort sans insigne militaire, c'était forcément lui. D'autant que le profil correspondait, le lieu aussi. Tout était donc logique. Sauf qu'ils se sont plantés : en fait, le cadavre carbonisé, c'était Alvarez.

— Mais comment expliques-tu qu'ils aient pu identifier ce corps comme étant celui de l'Araignée alors qu'Alvarez n'avait toujours pas été retrouvé ?

— Tu es d'accord avec moi que le cas 2010-37 présente des caractéristiques raciales hybrides ? Compte tenu de l'état dans lequel il était, les gars, à Tan Son Nhut, ont pu ne pas remarquer ce que nous, ici, nous avons repéré. Peut-être que le type chargé d'analyser les ossements n'avait pas beaucoup d'expérience et n'a repéré que les traits du crâne et de la face prouvant clairement l'origine caucasienne. Quoi qu'il en soit, ils ont conclu qu'ils avaient affaire à un Blanc.

— D'où l'erreur d'identification.

— Je te parie ce que tu veux que le dossier d'Alvarez indique : Latino-Américain.

— Ouais, y a des chances.

— Docteur Brennan, je crois qu'on peut considérer cette identification comme étant achevée.

— Je le pense aussi, docteur Tandler.

Et Danny de lever la main en l'air.

— Hé, Cisco !

— Hé, Pancho !

Frappe et douleur de circonstance ont suivi.

J'ai cru que ma tête allait éclater.

— Il y a quand même un truc que je ne comprends pas, a repris Danny en faisant tournoyer son fauteuil de droite à gauche, c'est comment Alvarez a pu se retrouver enterré en Caroline du Nord et Lowery pris à son propre piège et noyé au Québec.

Je n'avais pas non plus d'explication à cela.

Des secondes ont passé.

Le tangage de Danny commençait à me flanquer le mal de mer. J'ai fixé son bureau. Ce qui m'a rappelé le machin en or enfermé sous clé dans son tiroir.

— Craig a une idée de l'endroit d'où peut provenir le truc en forme de canard-champignon ?

— Pas que je sache.

— Et maintenant, on fait quoi ?

— On attend le dossier Alvarez.

— Et après ?

— On fait une reconstruction du crâne à partir des morceaux qui restent.

Et c'est ce à quoi nous nous sommes attelés. Moi, en tout cas, parce que Danny, lui, a été happé par une réunion qui a duré presque toute la matinée.

Et donc, pour moi : assemblage et collage de fragments de crâne, l'esprit en ébullition. Si nous avions vu juste et qu'une erreur s'était effectivement produite en 1968, alors les Alvarez pourraient bientôt porter en terre leur défunt. Et Platon Lowery serait bien obligé d'accepter une réalité entièrement chamboulée.

Ainsi va la vie. Le malheur des uns fait le bonheur des autres.

Des images se bousculaient dans mon cerveau mal en point, réclamant mon attention : Platon dans ma voiture, feuilletant son album de photos ; Platon au cimetière, plissant les paupières à cause du soleil.

Que faire ? Comment pouvais-je lui annoncer, moi en qui il avait visiblement placé sa confiance, que la tombe sur laquelle il s'était recueilli tant d'années durant n'avait en fait jamais renfermé son fils ?

J'étais en train d'appliquer de la colle sur un gros morceau de front quand une pensée m'a littéralement aveuglée.

Mes mains se sont figées.

L'Araignée Lowery était originaire de Lumberton, en Caroline du Nord. Comté de Robeson.

Non, impossible.

J'ai revu le visage de Platon.

Ceux des gens dans son album.

Celui du garçon représenté sur le portrait caché sous le tapis de souris, dans le bureau de Jean Laurier.

Et malgré tout, possible ?

Je suis revenue dans le bureau de Danny pour relire le dossier de l'Araignée.

Partout, sur tous les formulaires, il y avait une croix dans la case « Blanc » dans la colonne de la race. Dans le dossier dentaire, il y avait « Cauc. », Caucasien, écrit à la main.

Et pourtant…

Il était déjà une heure moins vingt.

Petit tour à la cuisinette où je me suis tapé un yaourt et une barre de céréales. J'ai ouvert un Coke Diète. Que finalement je n'ai pas bu.

Je me suis remise à mon collage.

Et là, impossible de chasser cette pensée de mon esprit. Une vérité toute simple.

À savoir que les gens donnent bien souvent sur eux-mêmes des informations erronées quand ils remplissent des questionnaires : les hommes s'octroient volontiers un ou deux centimètres de plus, les femmes se retirent des kilos et quelques années.

Oui, ces petits mensonges sont monnaie courante.

Une heure et demie.

Pas trop tard.

J'ai composé un numéro sur mon BlackBerry. Indicatif régional : 910.

Douze sonneries, et la communication s'est coupée.

J'ai tapé d'autres chiffres, la sueur au front malgré la fraîcheur du labo.

— Entreprise funéraire Sugarman, a ronronné une voix sirupeuse.

— Silas Sugarman, s'il vous plaît. De la part de Temperance Brennan.

— Un instant, je vous prie.

La Danse des esprits bienheureux, tirée d'*Orphée et Eurydice* ? Cette musique censée apaiser n'a fait qu'aggraver mon énervement.

— Docteur Brennan, quel plaisir. Déjà rentrée d'Hawaï ?

— Non, je vous appelle d'Honolulu.
— Que puis-je pour vous ?
— J'ai besoin de renseignements personnels sur l'Araignée Lowery.
— Son père serait mieux à même de répondre à vos questions.
— Il ne répond pas au téléphone.
— Je vais voir ce que je peux faire. (Dit sur un ton plus que circonspect.) Dans les limites de ce que la morale autorise, naturellement.
— Naturellement. Est-ce que les Lowery sont des Américains autochtones ?
La pause a duré si longtemps que j'ai cru que Sugarman avait trouvé ma question insultante. Ou indiscrète.
— Vous voulez dire « Indiens » ?
— Oui, monsieur.
— Par les cloches de l'enfer, petite madame ! La plupart des habitants du comté de Robeson ont un Papou ou deux dans leur arbre généalogique. Ma propre arrière-grand-mère était indienne, paix à son âme.
— Et les Lowery, monsieur ?
— Bien sûr qu'ils ont du sang indien. Platon est moitié lumbee, sa femme aussi. Ils viennent de plus haut sur la route de Pembroke.
Les Lumbee… Une tribu amérindienne apparentée aux Cherokee et aux Sioux, qui tire son nom de la rivière Lumber. Depuis le XVIIIe siècle, elle est installée sur le territoire qui porte aujourd'hui le nom de comté de Robeson. C'est la plus grande tribu de Caroline du Nord, la plus nombreuse de toutes celles établies à l'est du Mississippi. Son taux de population la place au neuvième rang dans le pays.
C'est probablement aussi la plus défavorisée des nations amérindiennes.
En Caroline du Nord, les Lumbee ont été reconnus officiellement comme tribu en 1885. Trois ans plus tard, ils ont réclamé du gouvernement fédéral qu'il leur

reconnaisse également ce statut. À ce jour, ils n'ont obtenu qu'un succès limité.

En 1956, le Congrès a bien passé un décret reconnaissant les Lumbee comme des Indiens, mais sans leur accorder juridiquement le plein statut de tribu. Résultat, ils ne sont pas habilités à toucher de l'aide financière ni à participer aux programmes mis en place par le Bureau des affaires indiennes pour le compte des groupes officiellement reconnus.

Les quarante-sept mille personnes de ce groupe en ont plutôt marre.

Pigé. À présent, je n'avais plus qu'une envie : raccrocher.

— Ne pensez pas que je…

— Mais pas du tout. Merci infiniment.

J'étais remontée comme une toupie.

Et Danny qui était toujours à sa réunion.

Re-collage des fragments, encore et toujours.

À peine Danny s'est-il pointé à l'horizon que je l'ai harponné et tiré à l'intérieur de son bureau.

Après lui avoir exposé mes idées, il a fait comme moi un peu plus tôt : il a commencé par vérifier le dossier de l'Araignée.

— Des traits mongoloïdes. Si Alvarez était latino, ce qui est fort probable, Lowery, lui, avait du sang amérindien. Il y a des chances pour qu'on soit revenu à la case départ. Ton gars peut aussi bien être Lowery qu'Alvarez.

— Sauf que Lowery est mort au Québec, si l'on en croit les empreintes digitales.

— L'erreur vient peut-être du FBI, et pas de Tan Son Nhut.

— Peut-être.

Une minute de réflexion, puis :

— Et si le 2010-37 n'était ni l'un ni l'autre ?

— Comment ça ?

— Ni Alvarez ni Lowery.

Les sourcils de Danny sont remontés jusqu'à la racine de ses cheveux.

— Est-ce que dans le secteur où l'hélico s'est écrasé, il y a eu d'autres victimes non récupérées ?

— Je pourrais rechercher à partir des REFNO, en utilisant les coordonnées géographiques. Qu'est-ce que tu en penses ?

— Je suis éblouie par ton génie.

— Tu m'éblouis aussi.

— Moi ?

— Ton corps nu… Inoubliable !

Clin d'œil appuyé de Danny.

J'ai viré pivoine. Mais Danny était déjà passé à autre chose.

— À ton avis, je remonte un mois avant le jour où le 2010-37 a été récupéré ?

— Oui, ça devrait suffire, je pense. Si on se base sur l'état de décomposition du corps, tel que consigné par l'employé de la morgue.

— Ça risque de me prendre un bout de temps.

— Je vais poursuivre ma bataille avec la colle.

Danny avait parlé d'or : il était cinq heures moins le quart quand il est enfin revenu. Manifestement, en possession d'un renseignement intéressant.

— Tu as dégotté des choses ?

— Pas ce que je voulais, mais ça !

Et de brandir un papier. Que j'ai voulu prendre. Il a écarté le bras.

— Le 17 août 1968, un corps décomposé a été récupéré à moins de quatre cents mètres de l'endroit où l'hélico s'était écrasé en janvier. Les restes ont été analysés à Tan Son Nhut : un Blanc, de vingt-cinq à trente-cinq ans, et rapatrié sous le numéro 1968-979.

— Et après ?

— Il n'y a pas d'après.

— Il a été identifié ?

— Non.

— Où sont ses os ?

— Ici même.

Danny est allé trouver Chandail Rouge, toujours installé derrière son bureau. Chandail Rouge a disparu parmi ses étagères coulissantes.

Du temps a passé. Beaucoup.

Et Chandail Rouge est réapparu avec une boîte en carton qui n'était plus de prime jeunesse, à en juger par sa couleur et ses coins écornés et usés.

Danny s'en est emparé, a réintégré le labo grâce à son badge et s'est dirigé vers moi.

Ensemble, nous avons gagné la table désignée.

Les questions bourdonnaient dans ma tête.

Luis Alvarez était-il latino, comme son nom le laissait supposer ?

Le cas 2010-37 était-il Luis Alvarez ?

Alvarez n'était-il pas plutôt le 1968-979 ? Et si oui, pourquoi n'avait-il pas été identifié en août 1968 ?

Mais si Alvarez était bien le 1968-979, qui était alors le 2010-37 ?

Et ce soldat-là, sur la base de quoi avait-il été identifié comme étant l'Araignée Lowery et expédié en Caroline du Nord ?

Les Lowery ayant du sang indien, le cas 2010-37 ne pouvait-il pas être quand même l'Araignée ?

À l'évidence, le corps qui était arrivé de Long Binh et celui qui avait été repêché dans l'étang d'Hemmingford ne pouvaient pas être l'un et l'autre celui de l'Araignée Lowery.

Danny a soulevé le couvercle de la boîte contenant le cas 1968-979.

D'un même mouvement, nous nous sommes penchés.

Des secondes ont passé.

Nos regards se sont croisés.

Emplis d'un même ébahissement.

Chapitre 16

Un crâne niché dans un coin de la boîte, le reste des ossements réparti autour et au-dessus. Le tout, d'un jaune parsemé de taches marron tout à fait normales, puisque, en effet, l'os blanchit quand il demeure longtemps exposé à la lumière du jour, et qu'il noircit au contact du sol et de la végétation.

Notre ébahissement n'était donc pas dû à l'état de ces os. Il était dû à cette chose dont on apercevait un petit bout derrière le rabat en carton qui entourait la boîte à l'intérieur.

— Une plaque d'identification militaire ?

— On dirait bien, a répondu Danny.

— Ça ne devrait pas être là !

— Croyez-vous vraiment, madame ?

Sarcasme dont je n'étais pas la cible, bien évidemment.

Ayant dégagé le petit rectangle en métal, Danny s'est frotté les yeux et a nettoyé les verres de ses lunettes avant de l'élever à quelques centimètres de son nez.

— Tu arrives à lire le nom ?

Il a gratté un côté de la plaque avec son ongle.

— Non. (Manège identique sur l'autre face.) La couche est trop épaisse. Avec de l'eau, peut-être.

Il a emporté la plaque jusqu'à l'évier et l'a frottée à l'aide d'une brosse à poils durs. Puis il a recommencé son truc de nettoyer ses lunettes, mais en plissant les yeux, cette fois.

— D'habitude, quand les lettres à l'avant sont trop usées ou aplaties, j'arrive à les déchiffrer grâce aux creux à l'arrière, quand le plus gros de la terre est enlevé. Mais là, c'est plus dur que du ciment. Je vais passer la plaque aux ultrasons.

Comprendre : la mettre dans une de ces petites machines d'une puissance variant de 15 à 400 kilohertz, comme en utilisent les bijoutiers, opticiens, numismates et autres horlogers pour nettoyer leurs pièces, sans compter les réparateurs en matériel dentaire, médical, électronique ou automobile. Pour les utiliser, il ne faut pas avoir fait Polytechnique, uniquement se munir de détergent, et la concrétion tombe d'elle-même.

On a donc déposé la plaque dans le panier en inox de la machine de sorte qu'elle baigne entièrement dans une solution de vinaigre coupé d'eau ; on a refermé le couvercle et on a réglé le minuteur.

Nous étions là, à nous tourner les pouces pendant que les ultrasons agissaient, quand j'ai déclaré soudain :

— Qui est la dernière personne à avoir examiné ce cas ?

— Excellente question !

Danny est reparti poser la question à Chandail Rouge. En son absence, mon BlackBerry m'a signalé un message.

De Katy.

« Invasion ! »

De quoi ? De fourmis rouges ? De toute une armée ?

Réponse par texto : « Serai bientôt de retour. »

« Grouille ! »

« Quoi, encore ? »

« Ça m'ennuie, vraiment ! »

Génial. Un nouveau drame.

« Un problème ? »

« Pas croyable ! »

Qu'est-ce qui pouvait bien mettre Katy dans cet état de fureur ? Aucune idée.

« Pour les vacances, je peux mettre une croix dessus ! »

Réponse de ma part : « ??? »

Une minute pleine s'est écoulée. Rien d'autre. Que se passait-il ?

J'ai appelé Katy sur son cellulaire.

Messagerie.

Super. Elle avait coupé son téléphone ou refusait de répondre.

Danny est revenu juste au moment où je fourrais mon BlackBerry dans l'étui à ma ceinture. Il avait l'air embêté.

— C'est Dimitriadus. En 1998.

— Tu crois qu'il aurait pu ne pas voir la plaque ?

— Possible, elle était peut-être restée coincée très haut sous le rabat. Et elle a glissé de sa cachette plus tard, quand le carton s'est ramolli avec le temps.

Un ton pas très convaincu.

Il a sorti la plaque de la machine et est reparti vers l'évier, histoire de lui donner un dernier coup de brosse.

Des secondes ont passé. Une minute entière.

Il frottait toujours.

Il a retiré ses lunettes.

A plissé les paupières.

A remis ses lunettes.

A recommencé à frotter...

A réitéré l'opération.

Je lui aurais volontiers arraché la plaque des mains, énervée que j'étais par les messages de Katy.

Enfin, il a retiré définitivement ses verres. Ses yeux de myope n'étaient plus que deux fentes.

— Sainte merde !

Les blasphèmes, ce n'est pas vraiment son genre, à Danny.

— Quoi donc ?

Il a lu le nom à haute voix.

— Fais voir !

J'ai tendu la main. Il y a déposé la plaque.

Il avait raison : plus facile de déchiffrer le texte d'après les creux à l'arrière que d'après les bosses à l'avant.

En lisant à l'envers, j'ai décrypté : John Charles Lowery 477 38 5923 A pos. Bapt.

Il y a beaucoup de A + chez les baptistes ?

Question inepte, je l'avoue, mais c'est celle qui m'est venue à l'esprit en premier.

— Ces chiffres, c'est un numéro de sécurité sociale, n'est-ce pas ?

Hochement de tête de Danny, assorti d'une explication :

— C'est dans les années 1960 qu'on a commencé à utiliser ce mode d'inscription.

— Impossible que ce soit *notre* John Lowery.

J'avais beau en avoir la preuve sous les yeux, rien n'ébranlait ma certitude. En effet, quelle chance y avait-il pour que ces restes soient ceux de l'Araignée ?

— Vérifions, a proposé Danny.

On a filé dans son bureau.

Ouvert le dossier.

Ce numéro de sécurité sociale était bien celui de John Charles Lowery, originaire de Lumberton, en Caroline du Nord. Autrement dit : de l'Araignée.

De l'Araignée qui était mort au Québec.

Quarante ans après l'écrasement d'un hélicoptère à Long Binh.

Sainte Mère Marie ! Plus confus, tu meurs !

— Reconstitution anatomique ? a demandé Danny sans enthousiasme.

Il était six heures moins dix. Je devais filer à la maison m'occuper du problème évoqué par Katy. Et aussi, appeler Ryan pour voir s'il avait trouvé un parent de l'Araignée, autre que son père, sur qui prélever un échantillon d'ADN.

— On fait ça demain matin ?

— C'est un rendez-vous.

— D'accord, beau bonhomme. Mais tout habillé, ce coup-ci !

Et de lui retourner son clin d'œil de tout à l'heure.

J'ai appelé, exploré la maison.

Pas de Katy.

Ni dedans ni dehors, au bord de la piscine.

Pas davantage sur la véranda.

Et pas le moindre mot pour me dire où elle était.

J'ai filé à la plage. Pas de Katy là-bas non plus.

J'étais en train de passer un short quand une porte a claqué.

Un bruit de voix m'est parvenu du rez-de-chaussée. Celle d'un homme et d'une femme. Pas celle de ma fille.

Katy se serait-elle fait des amis ?

— Katy ?

— Elle est partie faire un tour à vélo, a répondu l'homme.

Merde !

Je comprenais maintenant ses textos.

Est-ce que je lui avais demandé son avis ?

Probablement pas, j'étais à moitié endormie. J'avais agi sans réfléchir.

Belle connerie, Brennan !

Est-ce que je lui avais laissé le temps de réfléchir ?

Je ne l'avais même pas pris moi-même.

Vraiment nul.

Le temps de mettre des sandales et j'ai filé en bas.

Ryan, en chemise décorée de bananes turquoise et de palmiers bleu lavande, et ample short abricot avec *Billabong* en travers des fesses. Plus des tongs, des lunettes Maui Jim, une casquette affichant *Hang Loose* et une barbe de deux jours. *Deux flics à Miami* rencontrant *Hawaï 5-0.*

Lily, un sac de courses dans chaque main. Mais surtout une minijupe et un haut couvrant au mieux soixante-dix centimètres de peau, des sandales à semelles compensées de quarante-cinq centimètres de haut, des lunettes Lolita et un rouge à lèvres marasquin.

Oh, boy.

— *Aloha, madame ! Comment ça va* ?*

Et Ryan de me serrer dans ses bras comme un ours sa proie.

— Ça va…

Quand j'ai enfin réussi à me libérer, j'ai demandé à Lily :

— Pas trop fatigant, le voyage ?

En guise de réponse, elle a haussé une épaule plus que nue.

— Ça ne te dérange pas qu'on débarque sans prévenir, j'espère, s'est inquiété Ryan.

— Comment as-tu découvert mon adresse ?

Grand sourire, accompagné d'une danse des sourcils. Traduire : un détective, ça détecte.

— Katy avait l'air un peu énervée.

— J'ai dû oublier de la prévenir de votre arrivée.

Réaction de Lily : un déhanchement agacé en levant au ciel des yeux aux cils englués de mascara, tandis que Ryan expliquait :

— Tout s'est décidé à la dernière minute. L'autorisation du juge, la réservation des billets, le taxi pour Dorval. Dans la précipitation, j'ai oublié de recharger mon cellulaire. Arrivé à l'aéroport, plus de batterie.

— Des choses qui arrivent, a laissé tomber Lily.

— Katy vous a montré vos chambres ?

— Oui. Je suis en bas, Lily en haut dans la chambre qui restait. Dis donc, c'est insensé, cet endroit !

— Je peux y aller ? l'a interrompu Lily sur un ton pas loin du pleurnichard.

Coup d'œil de Ryan dans ma direction. Pour que je ne tienne pas grief à sa fille.

De mon côté, coup d'œil à ma montre. Six heures et demie.

— Katy ne devrait plus tarder. (Seigneur, faites que ce soit vrai !) Disons qu'on se retrouve à sept heures et demie pour aller dîner. Ça vous va ?

— C'est moi qui paie ! a déclaré Ryan.

— Pas question.

— J'insiste.

— Attention, tu pourrais bien t'en mordre les doigts ! Katy risque de se concentrer sur la colonne de droite et de commander tous les plats les plus chers.

Avec un petit sourire, Ryan a tapoté sa poche arrière.
— C'est pour ça que Dieu nous a fait don des cartes de crédit.

Le choix du restaurant a engendré un vif échange entre Lily et Katy, la première voulant un steak, la seconde n'ayant que mépris pour la viande rouge. Katy insistait pour du poisson. Lily prétendait avoir largement dépassé sa dose de mercure. Katy a proposé un thaï. Trop épicé au goût de Lily, qui a suggéré un indien. Pas d'humeur à ça ! a décrété Katy.

Le compromis final ? Un japonais.

On ne peut pas dire que Katy et Lily aient fait preuve d'une grossièreté manifeste pendant le dîner, mais il est vrai que notre table aurait pu servir de bac à glaçons. Rentrées à Lanikai, elles ont immédiatement filé chacune dans leur chambre.

Avec Ryan, on a pris un verre sur la véranda. Big Wave Golden Ale pour lui, Perrier pour moi.

Il m'a présenté ses excuses pour l'insolence de sa fille. En fait, elle ne voulait pas venir, c'est lui qui avait insisté, et Lutetia de son côté n'avait rien fait pour arranger les choses. Il soupçonnait une amourette, un garçon rencontré dans son groupe de désintoxication, peut-être. Ou pire : un type que Lily connaissait d'avant, de l'époque où elle se droguait.

À mon tour, j'ai expliqué que Katy était encore sous le choc de la mort de Coop, qu'elle commençait à peine à remonter la pente.

Nous sommes tombés d'accord pour reconnaître que nos filles étaient championnes quand il s'agissait d'être désagréables, et que mon idée de thérapie par l'amitié ne promettait pas d'être très fructueuse.

J'ai mis Ryan au courant de ce que j'avais découvert au CIL : que le 2010-37 présentait des caractéristiques mongoloïdes et que l'Araignée Lowery était d'ascendance amérindienne ; qu'on avait retrouvé le nom du mécanicien mort dans le même écrasement que l'Araignée en

1968, un certain Luis Alvarez ; qu'un corps en état de décomposition avancée avait été retrouvé près de Long Binh huit mois après l'accident d'hélico et enregistré sous le numéro 1968-979 ; enfin que, dans la boîte de ce cas n° 1968-979, nous avions retrouvé la plaque d'identification de l'Araignée Lowery.

De son côté, Ryan m'a fait part des derniers événements dans l'affaire Lowery à Montréal et à Lumberton. S'adresser au shérif était une bonne idée, certes, mais, si Beasley avait manifesté son bon vouloir, ses renseignements n'avaient débouché, pour l'heure, sur rien d'intéressant.

Brusquement, un détail de ma conversation avec Platon m'est revenu en mémoire.

— Ryan, juste une idée. La mère de l'Araignée est morte d'une maladie des reins, il y a cinq ans. Peut-être que l'hôpital où elle a été soignée a conservé des échantillons dans son dossier, des lames de microscope ou autre chose ? Et aussi, l'Araignée avait un frère jumeau qui est mort deux ans avant elle.

— Une idée vaut mieux que pas d'idée du tout. J'appellerai Beasley dès demain matin pour lui demander de se renseigner.

Ensuite, Ryan a proposé d'emmener Katy et Lily à Pearl Harbor le lendemain. Je lui ai souhaité bonne chance.

À onze heures, nous nous sommes retirés dans nos chambres respectives.

De la mienne, à travers la cloison, j'ai entendu Lily parler dans son cellulaire.

Chapitre 17

À huit heures du matin, lorsque je suis descendue à la cuisine, ces délicieuses jeunes filles étaient toujours endormies. Ryan, lui, laçait déjà ses Nike pour aller courir sur la plage. Son programme : passer la journée à Pearl Harbor avec les filles, visiter le mémorial de l'*USS Arizona*, le cuirassé *USS Missouri* et le sous-marin *USS Bowfin*. Je lui ai souhaité bonne chance dans sa lutte contre la dure réalité du ressentiment féminin. Sur ce, je suis partie pour le CIL.

Comment la plaque d'identification de Lowery s'était-elle retrouvée dans la boîte contenant les restes du 1968-979 ? J'y ai réfléchi pendant tout le trajet. Sans trouver d'explication.

Au moment de m'engager sur la bretelle conduisant au JPAC, j'ai aperçu Dimitriadus collé à mon pare-chocs. Nous avons traversé le stationnement de concert. Sans échanger un mot. Comment un spécialiste de son rang, chargé d'identifier des ossements inconnus, avait-il pu ne pas remarquer cette plaque ? Incompréhensible. À dix pas de l'entrée, il a accéléré l'allure, s'est engouffré dans le bâtiment et a laissé retomber la porte pile au ras de mon nez.

Hier soir, c'était Lily qui affichait une froideur ; ce matin, Dimitriadus. Encore un peu, et je pourrais me considérer comme une paria.

Danny était dans son bureau.

— Dimitriadus se comporte avec moi comme si j'étais responsable de la mort de son petit chien.

— Entre et ferme la porte, a répondu Danny avec un sourire figé.

J'ai obtempéré, quelque peu ébahie.

— Il est en train de se faire virer.

— Dimitriadus ? *Jesus*. Ça fait quoi, douze ans qu'il est ici ? Et pour quelle raison ?

— Il y en a plusieurs. La plus récente, c'est qu'il a encore échoué à l'examen de l'ABFA.

Le Conseil américain d'anthropologie judiciaire, qui délivre les certifications.

— À cause de la plaque d'identification, aussi ?

— Non. Son renvoi avait été décidé avant que ce sujet ne vienne sur le tapis.

— Qu'est-ce qu'il va faire ?

Danny a écarté les mains en signe d'ignorance.

— Tu gardes l'info pour toi. Pour l'heure, on n'est que trois à le savoir : Dimitriadus, Merkel et moi.

J'ai acquiescé d'un hochement de la tête.

Une pause.

— La bonne nouvelle de la journée, c'est que la J-2 possède effectivement le dossier d'Alvarez.

La J-2, section des archives du Groupe unifié de recherches intensives sur les soldats prisonniers de guerre ou morts au combat. C'est là que sont regroupés les renseignements sur les militaires décédés. Certains d'entre eux remontent à la Première Guerre mondiale.

— Je m'apprêtais justement à aller le chercher. Allons-y ensemble. Jackson m'a demandé de tes nouvelles. Il va être ravi de te voir.

— Le caporal Jackson ? Celui qui a réussi à persuader tout le monde d'envelopper les combinés des téléphones dans des sachets étanches pendant une heure, le temps de passer les lignes téléphoniques au jet de vapeur ?

— Ouais. Il a été promu sergent.

— Il y a longtemps ?

— En fait, tout récemment.
— Je n'ai plus d'autorisation pour la J-2.
— Suivez-moi, petite squaw.
Petite squaw ?

Nous sommes repassés devant les bureaux du personnel du général et nous avons suivi le couloir jusqu'à une porte tout au bout du Bloc 45. Elle donnait sur une grande salle divisée en compartiments. Assis derrière les bureaux, des civils principalement — analystes et historiens. Au fond de cette salle, une autre porte donnant accès à une section interdite au public, remplie de rayonnages mobiles identiques à ceux du labo. À la différence près qu'ici, ce n'étaient pas des boîtes d'ossements qui reposaient sur les étagères, mais des centaines de boîtiers gris, tous identifiés par des numéros. Les fameux REFNO.

Derrière le comptoir, le sergent Dix Jackson, un Noir avec des bras gros comme des séquoias et une vilaine tache de vin sur le visage. Tache à laquelle personne ne se permet de faire allusion, inutile de le dire.

Nous sommes restés un moment à évoquer le bon vieux temps, et les blagues que nous nous étions faites autrefois. Dans cette course aux souvenirs, Jackson a remporté la palme en rappelant une histoire de cabine de chiottes, de sac en train de brûler et de seaux d'eau se déversant sur la tête du malheureux Danny.

Danny a joué le type vexé et a rempli la fiche de demande de dossier.

— Vous voulez ça pour quand, doc ? a demandé Jackson.
— Hier.
— Vous l'avez déjà.

Le registre signé, Danny a pris sous le bras le dossier du cas 1968-979, l'Alvarez récupéré près de Long Binh en 1968, et nous nous sommes dirigés vers la sortie.

— Eh, doc ?

Nous nous sommes retournés.

— Courez pas, doc. Y a pas d'exercice anti-incendie de prévu ce mois-ci !

De retour dans le bureau de Danny, nous avons libéré la table basse et le canapé. Fini la rigolade ! Nous étions trop impatients d'apprendre des choses sur ce mécanicien Alvarez.

Nous nous sommes assis. Danny a dénoué le cordon du dossier, en a écarté les rabats et extrait le contenu.

J'ai dégluti.

Les photos. C'est ce qui m'a toujours le plus attristée tout au long des années où j'ai travaillé comme consultante pour le CILHI. Celle du cadavre d'Alvarez était juste sur le dessus. Un vieux cliché en noir et blanc.

On y voyait un Latino en uniforme militaire. Des cheveux bruns, des yeux foncés et des cils si longs que c'en était du gaspillage sur un porteur du chromosome Y.

Deuxième photo. Neuf soldats en sueur, les cheveux collés au front. Tous en treillis, les manches roulées sur le bras. L'un d'eux avait un leurre de pêche accroché à la visière de sa casquette.

Alvarez écrit en bleu en travers de la poitrine du troisième gars à partir de la droite.

Un type ni grand ni petit. De tout le groupe, le seul à ne pas regarder le petit oiseau sortir, à avoir le visage presque complètement détourné.

Qu'est-ce qui pouvait bien avoir attiré son attention ? Un oiseau ? Un chien errant ? Un mouvement dans les taillis ?

Simple curiosité, perplexité ou crainte pour sa vie ?

— *¡ Ay, caramba !* s'est exclamé Danny, déjà plongé dans le dossier d'incorporation d'Alvarez. Le bonhomme était moitié mexicain, moitié américain.

— Ça correspond au profil de notre 2010-37. Il y a des dossiers médicaux ou dentaires ?

Danny les a mis de côté.

— Ouais. On les regardera tout à l'heure.

Il a parcouru une feuille de papier lignée, comme les écoliers en utilisent pour leurs devoirs.

— Une lettre du père de Luis Alvarez. Fernando. Tu comprends l'espagnol ?

J'ai fait signe que oui.

Danny me l'a tendue.

Une écriture soignée, presque féminine. Pas d'en-tête indiquant le nom du destinataire. La lettre était datée du 29 juillet 1969. La partie du texte en anglais se résumait à « Cher Monsieur ».

Lettre poignante dans sa simplicité.

Comme tant d'autres, qui m'avaient chaque fois profondément émue.

— Qu'est-ce qu'il dit ? a demandé Danny, le sachant déjà certainement.

— « Mon fils était un héros. Retrouvez-le. »

Sous cette lettre, des articles découpés dans des journaux en espagnol. L'un d'eux, illustré d'une photo prise le jour de la remise du diplôme de fin de scolarité. On y voyait un Alvarez tout jeune, souriant d'un air un peu renfrogné sous sa toque de diplômé.

Un second annonçait son départ pour le Vietnam ; un troisième qu'il était porté disparu.

Danny s'est emparé d'un télégramme. Texte connu, que je n'ai pas voulu lire : *Nous sommes au regret de vous informer…* L'annonce à Maria et Fernando Alvarez que leur fils n'était pas revenu du combat.

Venaient ensuite les témoignages de gens ayant vu tomber l'hélico : un garde de la prison de Long Binh qui s'en retournait dans sa caserne ; un automobiliste se rendant à Saigon ; un mécanicien de la piste d'atterrissage ; une carte des lieux, tracée à main levée par un soldat.

Le dossier contenait également le rapport de l'accident transcrit sur un formulaire DD standard, et les documents non classés secret défense étudiés par les analystes pour déterminer ce qui était arrivé à Alvarez.

Quand nous sommes enfin passés aux dossiers médicaux et dentaires de Luis Alvarez, il s'était écoulé une heure entière depuis que nous avions les papiers en main.

Mais là, déception.

Rien dans les rapports *ante mortem* qui relie de façon catégorique et définitive le mécanicien porté disparu aux ossements enregistrés sous le numéro 2010-37. Ou bien Alvarez avait joui d'une santé excellente, ou bien, comme Lowery, ses dossiers étaient incomplets.

— Maria Alvarez est décédée en 1987, ai-je lu à haute voix. Et il n'y a pas d'autre parent du côté maternel pour fournir un échantillon d'ADN.

— De toute façon, nous n'obtiendrions jamais l'autorisation de faire pratiquer un séquençage, a dit Danny.

— Non, probablement pas.

— Rien qui exclut la possibilité que le type exhumé à Lumberton soit Alvarez.

— C'est vrai. Mais le 1968-979 pourrait aussi bien être Alvarez.

J'ai réfléchi un moment.

— Tu crois que ça vaudrait le coup de réinterroger les témoins ? Quelqu'un a peut-être vu quelque chose qui n'a pas été consigné.

Danny a relu les témoignages.

— Le mécanicien de la base d'hélicos s'appelait Harlan Kramer Harlan. Originaire d'Abilene, au Texas. Soldat de métier. S'il est toujours dans l'armée, on devrait pouvoir le retrouver facilement.

Danny s'est fait une note.

— On se remet au boulot ?

J'ai hoché la tête, et on est passés au labo.

Le 1968-979 avait un squelette en très bon état, mis à part quelques os érodés, brisés ou grignotés par des prédateurs. Laissant Danny établir le dossier de mise à jour d'examen anthropologique, j'ai étalé mon gabarit de silhouette humaine.

Crâne. Mâchoire. Bras. Jambes. Sternum. Clavicules. Côtes. Vertèbres. Manquaient seulement les rotules et de petits éléments des mains et des pieds.

Qu'importe. Le cas 1968-979 ne pouvait pas être l'Araignée Lowery ni Luis Alvarez. Je le savais déjà, et Danny aussi.

— Un géant, ce bonhomme !

— Ouais. Or Lowery et Alvarez mesuraient tous les deux un mètre soixante-quinze.

— Comment expliques-tu qu'il ait eu sur lui la plaque d'identité de Lowery ?

— Mystère.

— Nous avons des dents, a repris Danny en examinant la mandibule. Les deux molaires et la deuxième prémolaire de droite, et les deux molaires de gauche.

Il a fait tourner le crâne pour mieux voir le maxillaire.

— Deux molaires à droite, deux à gauche et aussi la deuxième prémolaire. Dix dents en tout. Je fais faire des radios.

Une légère vibration contre ma hanche m'a rappelé l'existence de mon BlackBerry.

— J'ai Katy en ligne.

— Prends-la pendant que je fais l'inventaire des os.

— Salut, *sweetie*.

— Je me tire d'ici. Par le premier vol sur lequel je trouve une place.

Super.

— Lily est raide folle.

— Où es-tu ?

Sentant venir une conversation tendue, je me suis écartée de quelques pas.

— À Pearl Harbor.

— Quel est le problème ?

— Je ne sais même plus par où commencer. D'abord, il y a eu le trajet jusqu'en ville. Mademoiselle la cinglée a absolument dû monter à l'avant, pour ne pas être malade. Et qui s'est retrouvée coincée à l'arrière ? Bibi ! Après, on arrive au parc et là, une queue d'au moins un million de gens. Et qui se prélasse sur un banc parce qu'elle a mal à ses petits pieds ? Je te laisse deviner ! Elle n'a qu'à pas porter des talons de strip-teaseuse. Ensuite…

— Katy.

— … faut absolument qu'on ingurgite de la ptomaïne dans un boui-boui dégueulasse, parce que cette pôvre Lily ne supporte pas…

— Katy !

— Quoi ? (Jeté avec brutalité.)

— Elle passe par une période difficile.

— Et pas moi ?

— Lily est vraiment aussi infernale que ça ?

— Abominable ! On était censées passer du temps ensemble, toi et moi, je te rappelle !

— Je croyais que tu serais contente d'avoir de la compagnie.

— *Oh, yeah.* La salope est si *cool* que j'en vomis de jalousie !

— C'est de ma faute. J'aurais dû te demander ton avis avant de leur proposer de venir.

— Tu crois ?

Danny est passé devant moi, portant le crâne et la mâchoire dans les mains. Pour aller en faire faire des radios, probablement.

— Où est Ryan ?

— En train de payer l'addition.

— Je l'appelle.

Silence fulminant de rage en guise de réponse.

Après un repas rapide, nous nous sommes attelés au profil biologique du 1968-979.

Sexe : masculin.

Race : blanche.

Âge : entre vingt-sept et trente-cinq ans.

Taille : un mètre quatre-vingt-cinq et demi, plus ou moins cinq centimètres.

Seuls marqueurs pour ce squelette : des traces probables d'anciennes fractures au ramus mandibulaire droit, à la clavicule droite et à l'omoplate droite.

Pour les dents, une unique caractéristique : un résidu de matériau dentaire sur la première molaire en haut à gauche.

À trois heures, les radios confirmaient l'obturation dentaire ainsi que les traumas à la mâchoire et à l'épaule.

Danny était en communication avec la section J-2 quand mon BlackBerry a sonné à nouveau.

Hadley Perry.

Impasse sur les préliminaires.

— Les plongeurs ont trouvé un autre gros morceau de jambe.

— Où ça ?

— À Halona Cove. Accroché à un récif de corail par environ six mètres de fond.

Cinq heures et demie à ma montre. Au CIL, la journée avait été rude et, à la maison, la soirée promettait d'être aussi détendue que la veille.

— Les restes de mardi ont été nettoyés ?

— Brossés et brillants.

— Vous avez contacté un spécialiste en requins ?

— J'ai appelé un type que je connais au Bureau national de la pêche maritime, à Oahu. Il était en voyage, mais le Dr Dorcas Gearhart doit passer me voir demain à neuf heures.

— J'arrive. Mais…

— Je sais. Vous ne pourrez pas rester longtemps.

Chapitre 18

Ce soir-là, décision a été prise de dîner à la maison. Prise par Ryan et moi, en tout cas, car Lily et Katy n'ont pour ainsi dire pas desserré le bec pendant la discussion.

Ryan avait acheté des filets de bœuf et des tranches de thon. Il les a grillés à la perfection. Curieusement, toutes les objections diététiques s'étaient évanouies, et nos deux filles ont englouti sans se faire prier ces produits issus de la générosité de la terre et de la mer, ainsi que les pommes de terre et la salade d'épinards qui les accompagnaient.

Dire que la conversation a été tendue, ce serait comme de dire que la réélection d'Ahmadinejad en Iran a été un tantinet controversée. Lily a déclaré qu'elle adorait la musique du groupe Cake. Prétentieux, a rétorqué Katy. Elle, elle aimait le blues classique, Etta James, Billie Holiday, T-Bone Walker. Le genre de merde qui plongeait Lily dans le sommeil. Comme parfum, la fille de Ryan portait *Sung*, d'Alfred Sung. Odeur bien trop sirupeuse au goût de Katy qui a chanté les louanges de *L'eau d'Issey*. Ce parfum faisait éternuer Lily. iPhone contre BlackBerry ; PC contre Mac.

Vous voyez le tableau.

Avec Ryan, nous avons dû batailler pour que la conversation demeure dans les limites de la courtoisie. Deux choses étaient claires : non seulement nos filles respectives professaient des opinions et des goûts aux antipodes l'une de l'autre, mais elles exprimaient aussi leur mépris avec un raffinement difficile à départager.

Programme du lendemain : visite du Punchbowl Crater, a proposé Ryan. Ou bien de la plantation Dole, a-t-il ajouté, peut-être inspiré par l'ananas en tranches servi au dessert.

Katy a déclaré qu'elle préférait passer la journée à la plage de Waikiki ; Lily qu'elle voulait aller à Ala Moana. Katy a lâché qu'il fallait être fêlé pour traverser cette connerie de Pacifique dans le seul but de faire du lèche-vitrines. Lily a trouvé stupide l'idée de se dorer la pilule sur un sable qui vous collait aux fesses. Bref, la guerre était ouverte.

Par bonheur, au moment de louer ma Cobalt, j'avais pris le soin de souscrire une assurance supplémentaire au nom de Katy. De sorte qu'un compromis a pu être atteint après moult discussions : Katy déposerait Lily au centre commercial en route pour Waikiki où elle passerait l'après-midi. Puis elle reviendrait la chercher à une heure et à un lieu convenus au préalable.

La table débarrassée, les amazones ont battu retraite dans leurs quartiers respectifs tandis que Ryan et moi sortions nous promener sur la plage. Je l'ai mis au courant des deux cas sur lesquels je travaillais au CIL et du troisième que j'effectuais pour le compte du ME d'Honolulu.

— Hadley Perry ?

— Tu la connais ?

— Oui.

Ça m'a étonnée, mais je n'ai pas cherché à en savoir davantage. J'ai dit seulement :

— Perry fait venir un expert en requins demain matin.

— Ça va te changer.

— De quoi ?

— Des os, des insectes.

— De la physique quantique.

— De ça aussi… (Pause.) Le shérif Beasley m'a rappelé.

— Et alors ?
— Tu sais que tu m'impressionnes parfois.
— Seulement parfois ?
— Disons : à certains moments plus qu'à d'autres.
— Beasley ?
— Tu t'es pointée juste à temps.
J'ai attendu la suite. Comme rien ne venait, je lui ai demandé s'il prenait un malin plaisir à jouer avec mes nerfs.
— Je prends très certainement plaisir à jouer avec tes…
— Qu'a dit Beasley ?
— Il a parlé du Centre médical régional du Sud-Est. Normalement, les prélèvements y sont gardés cinq ans.
— Et l'hôpital a des échantillons d'Harriet Lowery ? (J'en criais presque.)
— *Oui, madame**. Datant de son dernier séjour là-bas. Au moment où je te parle, ils sont déjà en route pour l'AFDIL (le laboratoire d'identification ADN des forces armées). Peut-être même qu'ils y sont déjà. Je crois qu'un petit échantillon a également été envoyé à nos copains de Montréal.
— Ça parle au diable.
— Ça parle au diable.
Ce sable frais sous nos pieds, ces vagues qui martelaient le rivage… Quelle merveille d'être sur la plage, d'avoir du sel sur les lèvres, de sentir le vent dans ses cheveux.
Et d'être avec Ryan ?
Bon, d'accord : et d'être avec Ryan.
Il ne m'a pas pris la main, je n'ai pas pris la sienne. Mais quand même. Nous étions tous les deux conscients de ce bonheur. Un bonheur aussi gros qu'un éléphant qui aurait marché à côté de nous de son pas pesant.
— Ça m'amuserait assez d'entendre ce qu'il a à dire.
— Qui a quoi à dire ?
Perdue dans mes réflexions sur le pachyderme, je n'avais pas compris à quoi Ryan faisait allusion.

— Le gars des requins.
— Pourquoi ?
— Qui sait ? Je pourrais en avoir besoin un jour. Professionnellement parlant.
— Au Québec ?
— Les requins sont d'une ruse diabolique.
L'intérêt subit de Ryan pour les requins était-il sincère ? N'était-il pas plutôt suscité par cette bizarre et néanmoins charmante Dr Hadley Perry ?
Peu importe.
— Eh bien, tu n'as qu'à venir avec moi.

Le Dr Dorcas Gearhart était déjà dans le hall lorsque nous sommes arrivés chez le ME. Erreur de Ryan : le spécialiste en requins n'était pas un monsieur, mais une dame avec une toison grisonnante et crépue retenue par des barrettes en plastique rose et des lunettes à monture métallique en équilibre sur le bout de son nez. Je lui ai donné d'emblée un mètre cinquante-deux et un peu moins de soixante balais. Son accoutrement, chaussures et cardigan, aurait suscité des commentaires délirants de la part de Katy et de Lily. Par association, je me suis demandé de quoi les filles avaient bien pu parler pendant leur trajet en voiture.
Nous avons échangé *alohas* et poignées de main et attendu de concert l'arrivée de Perry. Ryan en a profité pour demander à la scientifique comment elle s'était retrouvée dans le poisson.
Me fiant à son apparence, je m'attendais à une réponse et à une attitude de grand-mère. J'en ai été pour mes frais.
— *Fuck*, une malchance ! s'est esclaffée Gearhart avec un rire sorti du plus profond de son large périmètre. Ou une chance ? Je voulais faire ma médecine, j'ai été recalée. Un prof avec qui je couchais m'a conseillé la biologie marine. C'était toujours mieux que de me marier et de pondre des enfants.
— Et les requins, pourquoi ? a insisté Ryan sans lui laisser le temps de souffler.

— Parce que je me suis fait virer du cours sur les dauphins à cause de ma grande gueule.

L'apparition de Perry a clos l'interrogatoire. Aujourd'hui ses piques de hérisson étaient colorées en vert sapin et ses paupières tartinées de vert chartreuse.

Nouvel échange de bonjours et de présentations, agrémenté de mon côté de coups d'œil à Ryan et à Perry, en toute discrétion, sans découvrir chez aucun d'eux le moindre indice d'éventuelles amours passées.

Perry a dit seulement qu'elle avait fait sortir les restes de la chambre froide et on est partis à la queue leu leu vers la salle où j'avais déjà officié le mardi d'avant.

Un sachet en plastique noir était posé sur un chariot en acier inoxydable. Petit, le sac.

Sous le regard de Ryan, Perry, Gearhart et moi-même avons enfilé des gants.

Perry a ouvert le sac et en a extrait un magma d'os et de tissus qu'elle a déposé à même le chariot.

Une odeur de sel et de chair pourrissante a envahi la salle.

J'ai pris dans mes mains la masse détrempée pour mieux l'inspecter.

Un simple regard m'a suffi : un morceau de mollet humain. On distinguait un bout du péroné, cet os étroit, situé sur le côté de la jambe. Le tibia, lui, était en meilleur état. On en apercevait l'extrémité distale, côté cheville, parmi une masse de tendons et de muscles en décomposition.

Sur ces deux os qui se terminaient l'un et l'autre en piques déchiquetées, on pouvait noter des traces de découpes, des entailles plus profondes et de longues stries cannelées.

J'ai relevé les yeux. Pour en croiser six emplis d'attente.

— C'est un segment de la partie inférieure d'une jambe humaine. Au même stade de décomposition que les restes examinés mardi.

— Blessures causées par des requins, n'est-ce pas ? a demandé Perry.

Gearhart m'a poussée du coude assez brutalement pour s'approcher du chariot. J'ai fait un pas sur le côté.

— Ouais, ouais. Un requin.

— Vous pouvez me dire l'espèce ? a demandé le ME.

— Vous avez une loupe ?

Perry lui en a tendu une.

Nous nous sommes tous regroupés autour de la spécialiste. Sa petite taille jouait en notre faveur.

— Regardez ici, à l'intérieur de cette cannelure. (Et de placer la loupe juste au-dessus de l'endroit.) Vous voyez comme les striures sont fines et séparées par des espaces réguliers ? Ça veut dire qu'il avait des dents striées, comme les couteaux à lame dentelée. Je dirais qu'il s'agit d'un *Galeocerdo Cuvier* ou d'un *Carcharodon Carcharias*.

Absence totale de réaction chez les béotiens que nous étions, ce qui était en soi une question. Gearhart a donc traduit :

— Un requin tigre ou un grand requin blanc.

Automatiquement, la musique des *Dents de la mer* m'a empli les oreilles.

— Les grands requins blancs étant assez rares dans les eaux hawaïennes, je parierais plutôt sur un requin tigre. Et compte tenu de l'espacement des stries, je dirais que celui-là devait faire dans les trois mètres, trois mètres cinquante de long.

— *Jesus*, s'est exclamé Ryan.

— Oh, c'est rien ! J'en ai vu un de près, une fois, qui faisait pas loin de sept mètres. Une femelle, et elle pesait sûrement ses neuf cents kilos !

J'ai espéré qu'elle exagérait.

— Est-ce que ces requins tigres méritent vraiment la sale réputation qu'Hollywood leur a faite ? a voulu savoir Ryan.

— Ooooh oui ! Pour ce qui est d'attaquer l'homme, ils viennent juste après les grands requins blancs. Et ils ne sont pas tatillons sur le menu. Ils avalent tout ce qui leur tombe sous la dent, ces salauds, hommes, oiseaux de mer, tortues, tuyaux de plomb. En règle générale, ils ne sont pas très rapides, mais s'ils flairent quelque chose de bon à proximité, ils peuvent se grouiller. T'en repères un, tu te bouges le cul sans demander ton reste !

— Quand est-ce qu'on peut en apercevoir ? ai-je demandé.

— Ils sortent surtout le soir…

Ouais. La scène des mâchoires qui s'ouvrent.

— … raison pour laquelle les requins tigres tombent si souvent sur des êtres humains. En fait, ils aiment nager en eau peu profonde, parmi des récifs. Dans les lagunes et les ports, des coins comme ça. En quête de nourriture. C'est au crépuscule que le plus souvent…

— Pouvez-vous dire si sa proie était encore vivante, quand ce requin s'est rempli la panse ? est intervenue Perry, peu intéressée par le petit cours bio et nature.

Gearhart a promené sa loupe au-dessus des restes.

— Les marques de dents sont plutôt aléatoires, ce qui porte à croire que la jambe avait encore ses chairs quand l'animal s'en est nourri. Le requin tigre a pour habitude de mordre et de secouer, puis de trancher les chairs de ses dents dentelées. Ses muscles de mâchoire sont d'une puissance incroyable. Capables de pénétrer les chairs jusqu'à l'os. Ou de briser la carapace d'une tortue.

Je commençais à regretter que Katy n'ait pas préféré passer la journée au centre commercial avec Lily.

— Autrement dit, vous ne pouvez pas déterminer si le requin a tué ce jeune vivant ou s'il s'est repu de son cadavre ? a insisté Perry.

— Non.

Les laissant débattre du sujet, j'ai examiné la jambe.

— Pouvez-vous dire si ce jeune a été tué à Halona Cove ou si c'est là seulement que le requin l'a régurgité ?

— Non.

J'ai fait tourner entre mes mains ce fragment d'être humain.

— Comprenez-moi, doc, a insisté Perry un peu sèchement. S'il y a danger pour la sécurité, je vais devoir envisager de fermer la plage. Est-ce que je dois la fermer ?

— À mon avis, non. Pas sur la base d'un cas isolé.

Du bout du doigt, j'ai repoussé les chairs recouvrant la partie distale du tibia.

Mon cœur s'est mis à battre au rythme de la ritournelle qui résonnait dans ma tête.

— Ce qui veut dire ? a demandé Perry.

— Si vous avez plus d'un mort, vous avez peut-être affaire à un tueur en série.

— Un tueur en série ?

— Un opportuniste. Un requin qui a pris goût à la chair humaine.

J'ai relevé les yeux et croisé le regard de Ryan. Les sourcils froncés, il a cherché à décrypter mon expression. J'ai lâché :

— Mauvaise nouvelle.

Chapitre 19

— On a deux victimes.

— Qu'est-ce que vous voulez dire ? a demandé Perry en se penchant sur le chariot.

— Regardez, ai-je dit en désignant une petite saillie triangulaire tout en bas du tibia. C'est la malléole médiale, le petit os qui ressort sur le côté interne de la cheville. Qui permet au talon de s'articuler avec le pied et d'assurer la stabilité.

— Et alors ?

— Voici sa bonne position anatomique, ai-je ajouté en bougeant le membre.

Perry a observé la parcelle de mollet puis s'est exclamée :

— *Sonofabitch.*

— Quoi ?

Réaction en chœur de Ryan et Gearhart.

— Ce morceau provient d'une jambe gauche, ai-je expliqué. Or, les éléments récupérés mardi provenaient eux aussi d'une jambe gauche, et ils comptaient déjà un fragment de malléole médiale.

— Un doublon, a fait Perry d'un air ébahi.

— Les êtres humains n'ont qu'une seule jambe gauche. Nous avons donc deux individus, a déclaré Gearhart qui avait tout compris.

Par bonheur, Ryan nous a épargné une de ses plaisanteries douteuses.

— Deux individus dévorés par un requin dans une seule et même baie, ça change complètement la donne.

Perry a prononcé ces mots d'une voix aiguë qui n'était pas la sienne.

— Vous croyez ?

— Alors, je la ferme, cette plage ? a demandé Perry en se tournant face à Gearhart.

— À vous de voir, doc.

— Est-ce que ce bâtard de poisson est foutu de tuer encore ?

Gearhart a exprimé son ignorance en levant en même temps ses sourcils et ses mains.

— Votre avis personnel ? a insisté Perry.

La spécialiste ès requins s'est dandinée d'un pied sur l'autre. S'est mordu la lèvre. A soupiré.

— S'il est en quête de nourriture consistante et que les animaux morts ne le satisfont plus, il peut recommencer.

Perry s'est serré la taille dans ses bras. N'a pas trouvé la posture à son goût. A laissé retomber ses mains. S'est tournée vers moi. A désigné le chariot du menton.

— Ce deuxième mort, qu'est-ce que vous pouvez m'en dire ?

— Qu'il est plus petit que le premier. C'est tout. Je n'ai pas assez de matériau.

Perry est allée vers un téléphone mural et a enfoncé des touches.

Des secondes ont passé.

— Désolée d'interrompre la partie de poker. (Ton sec.)

Là où j'étais, la réponse m'est parvenue sous forme de grésillement. Coupé net par Perry.

— Les restes d'Halona Cove. Et que ça saute !

Un boum brutal : le combiné qu'elle avait raccroché.

Moins d'une minute plus tard, un jeune homme sans un poil sur le caillou entrait en poussant un chariot devant lui.

— Autre chose, docteur Perry ? a-t-il demandé en évitant le regard de son chef.

— Restez à proximité.

Le chauve s'est enfui.

Sur le chariot, les éléments suivants : les parties proximales et distales d'un fémur gauche ; un fragment proximal de péroné gauche ; deux fragments de tibia gauche, proximal et distal, y compris la malléole abîmée ; un fragment de bassin comprenant une partie de la plaque pelvienne gauche jusqu'à l'os pubien ; le talon, le naviculaire et les troisième et deuxième cunéiformes d'un pied gauche.

Sur l'étagère du bas de la civière, deux grandes enveloppes en papier kraft.

— Contre-examen ! a ordonné Perry. Pour vérifier qu'il s'agit bien de deux jambes gauches.

J'ai obtempéré.

Pas d'erreur.

Perry a blêmi sous son maquillage criard.

Pas difficile d'imaginer la bataille qui se jouait en elle. La crise économique avait durement frappé Hawaï. Les vols aériens étaient en baisse, les touristes absents. La fermeture d'une plage pour cause d'attaque de requin signifiait l'annulation d'une foule de réservations hôtelières. Et s'il y avait mort d'homme et que les continentaux décidaient de se rabattre sur Shenandoah ou Disney World, les conséquences économiques seraient pires encore. Tout ça à cause de la fermeture d'une malheureuse plage.

Faire le bon choix et perdre du fric, ou faire le mauvais choix et perdre des vies, en plus du fric ?

Et il fallait se décider rapidement.

Mon idée sur la question ? La flamboyante ME d'Honolulu allait s'attirer les foudres des gens, une fois de plus.

J'étais en train de retourner le gros morceau de jambe appartenant à ces nouveaux éléments quand j'ai repéré une irrégularité au centre de la tige axiale. Environ cinq centimètres au-dessus de la malléole abîmée. Un petit trou rond au bord surélevé, bien visible dès qu'on écartait les chairs. D'un rond trop parfait pour être naturel.

— Un détail qui pourrait aider.

J'ai posé le doigt à côté. Perry s'est emparée de la loupe.

— Sacré diable. Une broche chirurgicale, à votre avis ?

J'ai fait oui de la tête.

— Son emplacement est signifiant. Dommage qu'on n'ait pas le calcanéum.

— Oui, dommage.

— Est-ce que quelqu'un aurait la bonté d'éclairer la lanterne des ignorants que nous sommes ? a lancé Ryan.

J'ai laissé mon doigt là où il était. Perry lui a passé la loupe.

— Ce petit trou minuscule ?

— Oui, ce petit trou minuscule.

Ryan a donné la loupe à Gearhart. J'ai demandé :

— Vous connaissez tous les tractions ?

Gearhart a répondu par un hochement de tête, Ryan en levant une épaule, signe de son ignorance. J'ai donc expliqué, à son intention :

— C'est une méthode utilisée en orthopédie pour soigner des fractures ou corriger des anomalies, qui consiste à placer le membre en position rectiligne et à en écarter les parties cassées pour les repositionner correctement. La traction exercée sur les os permet aux muscles de se relâcher, ce qui réduit la pression subie par les extrémités brisées.

Ryan a fait claquer ses doigts.

— Le vieux truc de la jambe levée en l'air ? Comme dans *Catch-22* où le gars a un plâtre qui lui va des pieds à la tête, ne fait plus un mouvement, ne dit jamais un mot et…

Je lui ai décoché un regard menaçant.

Il a pris un air innocent.

— Mon neveu a été mis sous traction quand il s'est éclaté la jambe, a dit Gearhart sans relever les yeux de la plaie qu'elle examinait avec la loupe. Lui, c'est dans le fémur qu'on la lui avait placée, sa broche.

— Une fois une goupille en métal insérée dans le trou, on la relie à tout un appareillage de fils, de poulies et de poids destiné à fournir la force de traction nécessaire. Une force qui varie de douze à vingt kilos.

— Combien de temps cette goupille doit-elle rester en place ? s'est enquis Ryan de sa voix la plus homme du monde.

— Des semaines, voire des mois. Celle-ci a été retirée il y a déjà des années.

Gearhart a remonté ses lunettes sur son nez.

— À quoi vous pensez, doc ?

— À une fracture instable de l'axe du tibia où on aurait attaché la partie distale du tibia au calcanéum.

— Calcanéum que nous n'avons pas, a fait remarquer Perry.

— Cassé comment, le tibia ? a demandé Gearhart.

— Impossible de le dire avec un fragment aussi petit… Accident de ski, de moto, de voiture…

— Explosion de la navette spatiale ! a lâché Perry et elle s'est mise à arpenter la salle.

— C'est quand même un indice potentiellement valable, ai-je rétorqué. Le fait que la victime ait probablement subi un traitement de ce type sous-entend qu'elle a été hospitalisée quelque part. La police ou vos propres enquêteurs peuvent rechercher dans les archives des hôpitaux le nom des patients à qui on a posé une goupille sur la partie distale du tibia.

Perry a figé sur place.

— Le temps écoulé depuis que ce traitement a été administré ?

— On n'en voit plus que cette cicatrice aujourd'hui. À l'endroit de la goupille, l'os s'est reconstitué. C'est donc un accident. Je commencerais par une hospitalisation datant de cinq ans et je remonterais dans le temps. Mais ça irait peut-être plus vite si vous vous basiez sur votre liste des personnes disparues et de voir s'il y a des correspondances avec les hôpitaux du coin. Ou d'interroger les familles des disparus. Certains ont peut-être eu la jambe cassée.

Comme Perry hochait la tête d'un air pincé, j'ai enchaîné :

— Vous avez des résultats concernant la première victime ?

— Non, mais la liste des disparus s'est allongée. En janvier dernier, un collégien est passé par-dessus bord d'un de ces grands voiliers ; on en est encore aux vérifications. Et l'été passé, un vendeur de savonnettes a disparu d'un hôtel de Waikiki en laissant toutes ses affaires dans sa chambre. Ça peut être un suicide, une noyade accidentelle, une disparition montée de toutes pièces.

— Quel âge ?

— Trente-deux ans.

— Trop vieux, j'ai l'impression.

Perry a agité les mains, signe qu'elle était énervée.

— Pas facile de garder les flics concentrés, avec les milliers de touristes qui déferlent sur les îles chaque année. Il vaudrait peut-être mieux passer par les hôpitaux. Ou prier pour qu'un dieu bienveillant nous livre une correspondance ADN sur un plateau.

Sur ces mots, Perry a attrapé un scalpel sur le comptoir et a positionné la jambe de sorte que le côté extérieur de la cheville se retrouve en haut. Ce côté portait encore des chairs.

Sous nos regards attentifs, la lame a caressé le muscle. S'est arrêtée brusquement.

Perry a lâché son instrument et tendu la main.

— La loupe !

Gearhart s'est avancée. Perry la lui a arrachée.

Quelques secondes d'observation, et Perry est allée prendre une éponge près de l'évier. L'ayant humectée, elle est revenue à la civière. Là, délicatement, elle a tamponné les tissus jusqu'à les débarrasser de toute trace d'épiderme.

— Y a peut-être un tat'.

Coup d'œil interrogateur de Gearhart dans ma direction. Je lui ai traduit tout bas :

— Tatouage.

Sa bouche a formé un O.

Le nettoyage s'est prolongé, et Perry a jeté le bras en arrière, nous faisant signe d'approcher.

Notre trio s'est propulsé comme un seul homme, à la façon des étudiants qui se regroupent autour du mandarin.

Ce que Perry examinait à la loupe, c'était une tache plus claire à peine visible dans l'amas des chairs entourant la malléole. J'avais remarqué cette décoloration lorsque je les avais écartées, mais je n'y avais pas prêté attention, perturbée que j'étais par la découverte que nous avions en fait deux victimes.

— Sacré diable, a lâché Ryan.

Perry a photographié le tatouage, puis a entrepris de l'exciser au scalpel, par petites découpes tout autour du dessin. Ayant déposé le morceau de peau directement sur la table en acier, elle l'a aplati de ses deux mains.

— Coupez la lumière.

Ryan s'en est chargé. La salle s'est retrouvée plongée dans le noir.

Bruit d'un tiroir qu'on ouvre et qu'on referme. Puis un clic.

Un faisceau de lumière bleue a illuminé le tatouage.

Sous les rayons UV, le dessin est apparu beaucoup plus nettement. Des volutes rouges et noires à l'intérieur d'une forme évoquant une faucille et prolongées des deux côtés par un trait en filigrane.

— C'est une représentation traditionnelle de dent de requin, a déclaré Gearhart depuis un endroit situé sur ma gauche.

— Vous êtes sûre ? a demandé Perry. On n'a pas grand-chose, ici.

— Absolument. Je collectionne les images de requins. Peintures. Gravures. Tatouages. J'ai vu des douzaines de variations sur ce thème.

Perry s'est raclé la gorge. Gearhart a poursuivi :

— Ça doit être un morceau de *tapuvae*, une bande de cheville. Les seules choses un peu curieuses dans ce dessin, ce sont ces trois boucles.

Gearhart désignait deux C inversés séparés par un U, qui s'élevaient à partir des traits en filigrane.

Toute une minute s'est écoulée. La lumière est revenue.

Perry a recueilli le spécimen découpé et l'a laissé tomber dans une fiole de formol, sans s'inquiéter de savoir si nous souhaitions l'examiner plus longtemps. Ces chairs flottant dans le liquide transparent avaient quelque chose de fantomatique.

— Eh bien, amateurs de sports, nous v'là parés ! (Au feutre indélébile, elle a inscrit le numéro du cas sur le couvercle de la fiole.) On dirait bien que Monsieur le Requin s'est payé un tatouage en plus d'une jambe gauche.

Côté compassion, on repassera.

— La police s'occupera des hôpitaux et des salons de tatouage pendant que j'interrogerai les familles des disparus.

— Vous pourriez agrandir l'image à l'ordinateur ? Histoire d'obtenir plus de détails sur ce tatouage.

Proposition émanant de moi, à laquelle Ryan a cru bon d'ajouter son grain de sel :

— Ou le photographier aux infrarouges. Ou encore en HD.

— Ça ira comme ça ! Pour une victime pas plus grosse qu'un rôti de porc, cette matinée de travail n'aura pas été trop nulle en fin de compte.

Sur ce, elle a actionné du pied l'ouverture de la poubelle à déchets biologiques et y a jeté ses gants.

— *Mahalo*, docteur Gearhart. Je vous refilerai un jeu de photos. Si vous voulez bien m'y inscrire vos pensées…

— Sans problème.

Et de se tourner vers moi :

— Vous prolongez le rendez-vous avec le premier petit ?

— Oui, je…

Mais déjà je ne l'intéressais plus.

— Quant à vous, champion, venez avec moi ! Je vous offre une brioche pendant que je réfléchis à l'idée de fermer ou non cette plage.

Comme le trio franchissait la porte, deux yeux bleus de Viking se sont posés sur moi.

— Attention aux requins, champion !

La phrase, dite sur un ton sec, m'a échappé ; j'en ai été la première étonnée. Ma réaction a amusé Ryan, et le sourire qui a joué dans ses yeux n'a fait qu'accroître mon énervement. Est-ce que vraiment je me sentais menacée par Hadley Perry ?

Le réexamen des os à présent nettoyés n'a rien apporté de nouveau.

Une demi-heure plus tard, je quittais les lieux en compagnie de Ryan. Sans avoir pris la peine de scruter ses traits ni ceux de Perry, pour savoir s'il existait entre eux une relation dont j'ignorais tout.

On était déjà sur la route d'Iwilei quand mon BlackBerry a grésillé.

Danny.

— Tu comptes venir, aujourd'hui ?

— Je quitte seulement le bureau du ME.

— La délicieuse Perry était en forme ?

À quoi bon répondre ? Je suis donc restée muette.

— J'ai des renseignements sur le 1968-979.

— Bons ou mauvais ?

— Oui.

À côté de moi, Ryan était tout ouïe.

— J'ai laissé ma voiture à Katy. Le détective Ryan a la gentillesse de me servir de chauffeur.

Danny savait que Ryan habitait avec nous à Lanikai, je lui avais demandé si cela était possible. Au courant des liens qui nous unissaient, il a entonné une strophe de *Let's Get It On*. Dommage qu'il n'ait pas la voix de Marvin Gaye.

— Les filles ont limé leurs griffes de chat ? a-t-il voulu savoir, car je lui avais rapporté leur dispute.

Mais je préférais ne pas en discuter en ce moment.

— Est-ce que tu crois que Ryan pourrait passer le portail ?

— *Monsieur le détective** a des projets pour la journée ?

— Pourquoi ?

— Je vais lui servir de parrain. Si ça l'amuse de traîner ses bottes dans le coin… On pourra toujours lui presser le cerveau pour en faire jaillir des idées. Des idées neuves, je veux dire.

— Ne quitte pas.

L'appareil plaqué contre ma poitrine, j'ai demandé à Ryan si ça l'intéressait de visiter le CIL. À ma surprise, il a accueilli la proposition avec enthousiasme.

Une chance.

L'échange d'idées devait se révéler tout à fait positif.

Chapitre 20

Pendant la nuit une idée était venue à Danny et, ce matin, il était allé fouiller à la section J-2.

— Recherches concentriques, a-t-il expliqué, et il s'est affalé contre son dossier avec un grand sourire, les doigts croisés sur la poitrine.

— Vous alors, les civils ! a-t-il ajouté, comme Ryan et moi restions à le regarder sans comprendre.

Et de hocher la tête d'un air dégoûté.

— Civil toi-même ! ai-je rétorqué.

— Bon. Pour faire simple : tout d'abord, j'ai repéré sur une carte d'état-major les coordonnées exactes de l'endroit où l'hélico de Lowery s'est écrasé. Jusque-là, vous suivez ?

Nous avons fait signe que oui.

— Après, j'ai demandé à un analyste de la J-2 de voir combien de soldats avaient été portés disparus dans un rayon de quinze kilomètres autour de ce lieu, sur terre, dans les airs ou sur l'eau. Ensuite, je lui ai demandé de réduire ses recherches à la période allant du 23 janvier 1967 au 17 août 1968.

— C'est-à-dire d'un an avant le jour de l'accident jusqu'au jour où le 1968-979 a été retrouvé, ai-je précisé à l'intention de Ryan.

— Bingo, s'est exclamé Danny, et il a désigné des chemises empilées sur le canapé. Vous avez ici tous les KIA/BNR.

Ryan m'a lancé un coup d'œil. J'ai traduit :

— Morts au combat, corps non retrouvés. Et il y en a combien en tout ?

— Dix-huit. J'ai demandé qu'on me sorte leurs dossiers.

— Au téléphone, tu as dit que tu avais de nouveaux renseignements sur le 1968-979.

— En 1968, quand sont arrivés à la morgue de Tan Son Nhut les restes décomposés de l'individu qui porte aujourd'hui le numéro 1968-979, on a retrouvé au fond du sac ayant servi à son transport une plaque d'identification au nom de John Lowery. Or Lowery avait déjà été identifié des mois auparavant et réexpédié au pays.

— Vous voulez parler du corps carbonisé enterré en Caroline du Nord ? a demandé Ryan.

— Oui. Sauf que maintenant, il a été exhumé et réenregistré sous le numéro 2010-37.

— Comme, dans l'esprit des militaires, ces restes décomposés, ceux du 1968-979 je veux dire, ne pouvaient en aucun cas être ceux de Lowery, et comme ils ne correspondaient à aucun autre soldat tué au combat dans ce secteur, ils sont restés à Tan Son Nhut jusqu'en 1973 en tant que restes non identifiés, puis ils ont été transférés au CIL-THAI. En 1976, ils sont arrivés ici, à Hawaï. Depuis lors, ils prennent la poussière sur nos étagères.

Danny avait un vague sourire au coin des lèvres.

— Tu vas nous dire le reste ?

— En fait, il y a eu un bref intermède. Comme qui dirait un congé sabbatique. À Tan Son Nhut, des échantillons de ses cheveux et de ses tissus avaient été conservés sous scellés. Ces échantillons ont fait l'objet d'un test d'ADN en 2001, en raison de similitudes avec un autre dossier alors à l'étude.

— Test nucléaire ou mitochondrial ? ai-je demandé, puisque ce sont là les deux types d'analyses communément pratiqués dans le séquençage du génome humain.

— Un bon vieux séquençage nucléaire, m'a répondu Danny, et son sourire s'est accentué. Nous avons donc déjà le profil du 1968-937 dans notre fichier. Il ne nous reste plus qu'à retrouver un membre de sa famille pour pouvoir effectuer la comparaison.

J'ai regardé la pile de dossiers. Quarante ans s'étaient écoulés. Se pouvait-il que des gens conservent encore l'espoir de retrouver leur disparu ? N'avaient-ils pas tous choisi depuis longtemps d'oublier le passé ?

— Qu'est-ce qu'on attend pour s'y mettre ?

Aidé de nos conseils, Ryan est bientôt devenu expert en lecture de dossiers, et c'est lui qui a repéré le candidat parfait, deux heures après la coupure du lunch.

Alexander Emanuel Lapasa. Xander pour ses intimes.

La chemise la moins volumineuse de tout le paquet.

Pourquoi ? Parce que ce monsieur n'avait pas passé un seul jour au service de l'armée.

En dehors de ce point de détail, tout collait.

Alexander Emanuel Lapasa. Sexe : masculin. Âge : vingt-neuf ans. Race : blanche. Taille : 1,85 m. Poids : 98 kg.

Porté disparu par sa mère en mars 1968, deux mois après qu'elle avait cessé de recevoir des lettres de lui en provenance du Vietnam.

Ryan a passé sa photo à Danny. Qui me l'a passée ensuite.

Portrait en buste d'un type jeune et grand, les mains sur les hanches, les coudes à l'équerre. Il avait des cheveux sombres et bouclés, des oreilles en feuille de chou, un sourire d'un kilomètre et des dents blanches bien alignées.

Une chemise rayée, déboutonnée au col, et un sac à l'épaule.

— On dirait qu'il domine le monde, a réagi Ryan.

— Ou qu'il le fera bientôt, a renchéri Danny.

Je lui ai rendu la photo. Il l'a étudiée un moment, puis :

— Il ressemble à Joseph Perrino.

— Qui ça ? (Ryan et moi, en chœur.)

— L'acteur. On le voit de temps en temps dans *Les Sopranos*. Laissez faire.

— Je ne savais pas qu'il y avait des civils au Vietnam, dans les années 1960, a dit Ryan.

— Si. Certains étaient d'ailleurs recrutés par l'armée. Dans le service postal, par exemple. Sans compter les missionnaires, les journalistes. Si vous lisez les noms gravés sur les plaques dans l'entrée, vous verrez qu'il y a un certain nombre de civils.

— On sait pour quelle raison Lapasa se trouvait au Vietnam ? ai-je demandé.

Ryan a feuilleté quelques pages du dossier.

— Selon sa mère, Theresa-Sophia Lapasa, je cite : « Xander poursuivait des objectifs commerciaux. » Ça vous paraît normal ?

— Oh oui ! s'est exclamé Danny. Je ne vous dis pas le nombre d'opportunistes qu'il y avait au Vietnam ! Des gars prêts à tout, partis là-bas pour y être déjà solidement implantés quand surviendrait le boom de l'après-guerre. La paix finirait bien par revenir, n'est-ce pas ? Il y en avait des tas qui tenaient des bars et des restaurants à Saigon.

— Il venait d'où, ce Lapasa ? ai-je demandé sans bien savoir pourquoi, car le lieu de résidence de ce Xander n'avait guère d'importance.

Mais j'imagine que c'était ma manière à moi d'apporter ma petite pierre au travail commun.

Ryan a tourné plusieurs pages. Lu tout bas des passages. Feuilleté encore une page ou deux. Puis il a ânonné :

— *Ke aloha nô !*

Danny nous a refait son sourire de tout à l'heure. J'ai réussi à contenir mon envie de lever les yeux au ciel.

— Un gars d'ici, a dit Ryan, revenant à sa langue natale. Honolulu, Hawaï.

— Tu as une adresse ?

— Avenue Kahala, a dit Ryan en précisant le numéro.

— Ding ding !

Et pour rendre ma réplique plus compréhensible, j'ai fait le geste de faire tomber des pièces dans un tiroir-caisse. Ou quelque chose dans le genre.

Ryan m'a regardée d'un air ahuri.

— C'est l'un des quartiers les plus huppés d'Honolulu.

Le sourire de Danny s'est effacé lentement. Il a baissé les yeux, a dévié le regard vers la gauche comme s'il fouillait sa mémoire. En silence, il a inscrit quelques mots dans un calepin.

— On a ses dossiers médicaux *ante mortem* ?

Ryan m'a passé le dossier.

— Ça, c'est ton rayon.

Sous le regard attentif de mes compagnons, j'ai parcouru tout un tas de papiers.

Une quantité de lettres adressées par la mère de Lapasa au commandement de l'armée. Deux ou trois photos supplémentaires. Des témoignages de gens ayant aperçu Lapasa avant sa disparition ou ayant passé du temps avec lui. Le dernier, en date du 2 janvier 1968, était signé d'un certain Joseph Prudhomme, de l'Agence pour le soutien des opérations civiles et le développement révolutionnaire, qui avait passé le réveillon du Nouvel An à l'hôtel Rex de Saigon avec Lapasa. Celui-ci lui avait annoncé son intention de se rendre à Bien Hoa et Long Binh dans le courant du mois de janvier. Ce devait être la raison pour laquelle Lapasa s'était retrouvé dans la recherche concentrique effectuée par Danny.

Enfin, il y avait une chemise cartonnée avec des diagrammes, des rapports et une petite enveloppe marron. À l'intérieur : les petits carrés noirs que je cherchais.

— J'ai les dossiers dentaires et des radios… Dernière visite chez le dentiste le 12 avril 1965.

Je suis revenue en arrière et j'ai réexaminé minutieusement toutes les pièces du dossier.

— Dans une lettre datée du 16 novembre 1972, Theresa-Sophia Lapasa dit qu'elle peut fournir les dossiers médicaux de son fils. Pourquoi ne l'a-t-elle pas fait ? ai-je demandé en relevant les yeux sur Danny.

— Parce que ça donnait trop de vérité à sa mort ?
Je l'ai regardé d'un air dubitatif.
— Si, si. C'est une forme de déni. Parfois les familles n'ont pas la force d'admettre que leur cher disparu est décédé pour de bon.
— Pourtant, Theresa-Sophia n'était pas du genre à se cacher la tête dans le sable, si j'en crois ses lettres. En 2000, elle donnait son accord pour fournir un échantillon d'ADN.
— Elle l'a fait ?
Nouvelle recherche parmi les papiers. Aucun rapport de laboratoire.
Le silence est tombé. Nous pensions tous à la même chose : Theresa-Sophia Lapasa serait-elle décédée avant de savoir ce qui était arrivé à son fils ?
C'est Ryan qui a parlé le premier.
— N'étant pas militaire, comment Lapasa a-t-il pu monter à bord de cet hélico ?
— Ils embarquaient des civils à longueur de temps, a répondu Danny.
— Et votre CIL-1968 je ne sais plus quoi ? a demandé Ryan.
— Le 1968-979 ?
— Oui. Il a été retrouvé sept mois plus tard, à quatre cents mètres du site de l'écrasement, dans un état de décomposition ne permettant plus ni de l'identifier visuellement ni de relever ses empreintes, et portant la plaque d'identification mais pas d'insignes. Je ne me trompe pas ?
— À la morgue de Tan Son Nhut, ils ont supposé que le cadavre avait été dépouillé.
— Comme le 2010-37, ai-je précisé.
— Apparemment, c'était fréquent dans ce secteur, a renchéri Danny.
— Mais pourquoi lui avoir laissé sa plaque d'identification ? a demandé Ryan. Pour des détrousseurs, ç'aurait dû être une prise de choix.
Bien vu, Ryan.

— Allez savoir ? a dit Danny.

— Quand même, je ne comprends pas, a insisté Ryan. L'Araignée Lowery était militaire. Est-ce que Tan Son Nhut n'était pas aussi une base aérienne ?

Danny a croisé les bras.

— Version longue ou version courte ?

— Courte.

— Au début, les soldats étaient transférés d'une base à l'autre à longueur de temps. D'abord, ils arrivaient là-bas par avion. En plus, dans les premières années de l'intervention américaine, lorsque le taux de mortalité parmi nos rangs était encore très bas, c'était l'armée qui s'occupait des questions mortuaires. À Tan Son Nhut, la morgue ne comptait que deux salles. On n'effectuait sur place que les préparatifs préliminaires. Le reste était confié à un service de pompes funèbres civil, engagé temporairement et installé sur la base aérienne de Clark, aux Philippines.

À l'évidence, ce n'était pas la première fois que Danny récitait ce discours.

— À partir de 1963, la morgue de Tan Son Nhut a eu elle aussi son entrepreneur de pompes funèbres, un civil engagé par la US Air Force, assisté d'un officier subalterne chargé d'enregistrer les décès et d'un ou deux employés recrutés parmi la population locale. Plus tard, quand le nombre des victimes a augmenté, la morgue a été agrandie et on a engagé un embaumeur, et d'autres personnes ont été affectées à l'enregistrement des décès.

« En 1966, l'armée de l'air a transféré la responsabilité des tâches funéraires au commandement général des armées. Les procédures ont changé. Autrefois, dans les guerres précédentes, on organisait sur place des cimetières provisoires où on enterrait les corps jusqu'à la fin des hostilités. La paix signée, les restes étaient exhumés et restitués aux familles, ou bien ensevelis à nouveau dans des cimetières américains à l'étranger, avec l'accord des familles. Les procédures d'embaumement étaient pratiquées au cimetière.

« Au Vietnam, quand l'armée s'est retrouvée à devoir assumer toutes ces tâches, la pratique du retour au pays s'est instaurée petit à petit, jusqu'à devenir systématique. On a pris l'habitude d'effectuer les procédures funéraires sur les sites mêmes de regroupement, d'abord à la morgue de Tan Son Nhut puis, plus tard, à celle de Da Nang également. Une fois identifiés et embaumés, les restes étaient réexpédiés dans la mère patrie. Ces procédures avaient lieu dans les jours qui suivaient le décès, et non pas des mois plus tard, ou des années, comme au temps des enterrements provisoires. »

— C'était rapide !

— La plupart du temps, les hommes tombés au front étaient évacués du champ de bataille par hélicoptère dans les heures suivantes et transportés sur le site de regroupement le plus proche. En un jour de temps, les restes se retrouvaient à l'une ou l'autre des deux morgues que nous avions là-bas.

— Sous ce climat, il fallait faire vite, je suppose.

— Exactement. Par une telle chaleur et avec un tel taux d'humidité, pendant la mousson surtout, la peau muait, les cadavres gonflaient, doublaient de volume. Sur le champ de bataille, le corps n'avait pas le temps de toucher terre que les insectes et les prédateurs avaient déjà rappliqué. Dieu merci, les sites de regroupement et les morgues étaient réfrigérés.

— Ça ne l'a pas vraiment aidé, votre 1968-979, a fait remarquer Ryan.

À quoi j'ai rétorqué :

— Une grande partie du Vietnam n'est que jungle dès que tu t'éloignes de la côte, et les morts n'étaient pas toujours retrouvés immédiatement.

— Et il faut tenir compte de l'époque, a ajouté Danny. Les nouveaux bâtiments de la morgue de Tan Son Nhut n'ont ouvert qu'en août 1968, le mois où le 1968-979 a été retrouvé.

— À propos, est-ce que tu as les radios de ses dents ?

— Tu veux les voir ?

Danny s'est emparé d'une petite enveloppe marron posée sur son sous-main. Je me levais pour venir regarder les radios qu'elle contenait quand mon téléphone a sonné.

Le temps que je réponde, le cellulaire de Ryan s'est mis à gazouiller la chansonnette de la série *Sesame Street*.

Chapitre 21

— Salut, *sweetie* !

Tout en parlant à Katy, j'ai suivi Danny dans le labo jusqu'au négatoscope accroché sur le mur de gauche.

— Tu peux garder tes *sweeties* pour toi ! a-t-elle répliqué. Après le coup que tu viens de me faire !

Exaspération à la puissance cent millions.

— Ces vacances devaient être amusantes. Surf et plongée sous-marine, tu te rappelles ? Je me retrouve à faire le foutu taxi !

En arrière-fond, des bruits de circulation et des braillements sortant d'une radio. Un air qui ressemblait vaguement à un blues.

— Où es-tu ?

— En bagnole, en route vers la maison ! Après m'être gelé les pieds à poireauter si longtemps que j'ai cru être admissible à ma retraite.

Cinq heures moins vingt à ma montre. À l'évidence, il y avait de l'eau dans le gaz entre les filles.

— Où est Lily ?

— J'en sais rien et je m'en fous !

De ce que j'entendais Ryan dire dans mon dos, il était en train de discuter du même sujet que moi, mais avec Lily.

— Vous ne vous êtes pas retrouvées ?

— Oh que si ! Après avoir crevé de chaleur pendant presque une heure dans la voiture.

Comment pouvait-on à la fois se geler les pieds et mourir de chaleur ? Mieux valait ne pas poser la question.

— L'air conditionné est cassé ?

— Là n'est pas la question !

Une bribe du discours de Ryan m'est parvenue.

— Katy, coupe un peu la musique, tu veux bien ?

Le volume sonore a baissé d'un microdécibel.

— Tu as déposé Lily au centre commercial ?

— Tu as une idée du temps que j'ai attendu ? Je suis arrivée à l'heure dite, même un peu avant. Pas de Lily. J'ai fait le tour des boutiques en me disant que j'avais peut-être mal compris. Pas de Lily. J'ai attendu encore. Une heure plus tard, la petite salope se pointe, riant aux éclats, pas un mot d'excuse ni rien. Et accompagnée, tu te rends compte, d'un crétin qui se prend pour 50 Cents.

— Et tu t'es tirée en la laissant là-bas ?

J'ai croisé le regard de Ryan. Des braillements identiques sortaient de son téléphone à lui.

— En ce qui me concerne, Miss Diva des Îles peut passer le reste de sa vie à trimballer son petit cul de nègre d'une boutique à l'autre !

— Katy !

— Oh, par-doooon ! Lily est une droguée qui joue les prima donna, mais tout le monde la dorlote. Tu veux que je te dise ce qui lui manque ? Une bonne fessée.

— Tu as fini ?

Silence.

— Voici ce que tu vas faire.

Silence encore plus pesant.

— Tu m'écoutes ?

— Comme si je pouvais faire autrement !

Je réagis mal aux psychodrames. À mon sens, c'est une perte de temps et d'énergie. J'ai donc poursuivi sur un ton qui l'a rappelé à ma fille, au cas où elle l'aurait oublié.

— Tu vas faire demi-tour et retourner immédiatement à Ala Moana !

— Avec cette circulation, ça va me prendre des heures.

— Il fallait y penser plus tôt.

— Tu es toujours au CIL, n'est-ce pas ?

— Oui.

— C'est à côté, tu ne peux pas passer la prendre ?

— Je pourrais, en effet. (Pause lourde de sens.) Fais demi-tour, trouve Lily et ramène-la à Lanikai !

Ryan, de son côté, donnait des instructions symétriques à sa fille.

— Elle voudra pas…

— Si, elle t'attendra ! (Ton sec.) À cinq heures et demie, nous serons de retour, avec Ryan, et nous aurons tous ensemble une petite conversation.

J'ai coupé la communication et regardé Ryan. Il s'est contenté de hocher la tête.

Pendant les coups de fil, Danny avait disposé en parallèle les radios des dents du 1968-979 et de Xander Lapasa.

Un simple coup d'œil m'a suffi.

Sur les deux séries, une petite tache blanche sur la première molaire en haut à gauche. Sur la radio *post mortem* la tache était tronquée, mais ce qu'on en voyait avait bel et bien la même forme que sur la radio prise du vivant de Xander.

— On dirait l'Illinois, ai-je dit.

— Un Illinois d'où aurait disparu tout ce qui se trouve au sud de Springfield, a rigolé Danny. Qu'est-ce que tu dis de ça ?

Il a pointé son stylo sur l'arrondi de la mâchoire.

Près de la jonction des parties verticale et horizontale, une ligne opaque traversait le ramus mandibulaire droit.

Danny a tendu la hanche en avant, dans ma direction. Je l'ai heurtée de la mienne.

Bébête, je sais. Mais ça nous amuse.

— De quoi vous parlez ? a demandé Ryan.

Je le lui ai expliqué.

— En examinant le 1968-979, nous avons repéré des traces d'anciennes fractures. Une à l'épaule, l'autre à la mâchoire. Ça, par exemple… (désignant une ligne déchiquetée), c'est une trace de fracture guérie.

— Intéressant, a réagi Ryan. Et les dents ?

— Il y a effectivement concordance là aussi. Il faudra demander l'avis d'un dentiste, naturellement, mais il ne fait aucun doute que le 1968-979 est bel et bien Alexander Lapasa.

Super. Ça en faisait un de moins !

Toutefois, des questions demeuraient.

Lapasa avait-il pris l'hélico qui s'était écrasé près de Long Binh ? Et si oui, pour quelle raison ?

L'Araignée Lowery était-il lui aussi à bord de ce coucou ?

Pourquoi Lapasa portait-il sur lui la plaque d'identification de Lowery ?

Pourquoi cette plaque avait-elle été enfermée dans la boîte contenant les ossements du 1968-979 au lieu d'être remise aux organismes compétents ?

Si Lowery avait péri dans l'accident d'hélico, comment pouvait-il être mort au Québec ?

En revanche, s'il était bien mort au Québec comme le laissaient supposer ses empreintes, qui était donc l'homme que j'avais exhumé en Caroline du Nord, enregistré sous le numéro 2010-37 ? Luis Alvarez ? Mais dans ce cas, qui était responsable de cette erreur d'identification ?

En dehors du boulot, mes opinions et celles de Ryan divergent sur presque tout. Ce qui ne nous empêche en rien de faire comme les atomes dans l'espace, c'est-à-dire d'interagir l'un sur l'autre, d'être attirés l'un vers l'autre — pour ne pas dire catapultés — par nos champs positifs et négatifs. Enfin… Jusqu'à la réapparition de Lutetia.

Le feu qui brûlait entre nous autrefois avec tant de puissance couvait-il toujours, souterrainement ? Cela expliquait-il mon ton sec dans le bureau du médecin examinateur, ce matin ?

Peut-être. Mais ce n'était pas le moment d'examiner ce problème. Avec nos filles dans les parages, pas question.

D'ailleurs, évoquer cela ce soir était parfaitement inutile, car, pour une fois, il n'y avait aucune divergence d'opinion entre Ryan et moi : Katy et Lily étaient bel et bien deux emmerdeuses patentées.

Sur le chemin du retour, nous avons fait une halte pour acheter des sushis, plat sur lequel les deux parties en guerre étaient curieusement tombées d'accord la veille. Nous avons également opté, après en avoir longuement débattu, pour un changement de stratégie radical : puisque la politique de séparation se révélait désastreuse, nous allions mettre en œuvre une politique de rapprochement forcé.

Exposée aux forces belligérantes, cette décision a soulevé un tollé.

A suivi un dîner absorbé dans un silence glacial. De là, nous sommes passés au salon pour regarder le film *Hawaii*, nos filles assises à l'opposé l'une de l'autre. Un peu comme dans les mariages : le fiancé à gauche, la fiancée à droite.

Katy aimait Julie Andrews, que Lily trouvait nulle. En revanche, celle-ci adorait Max von Sydow qui n'était, aux yeux de ma fille, rien de plus qu'une tapette.

Ryan a juré avoir aperçu Bette Midler faisant de la figuration parmi les passagers d'un bateau.

En 1966 ? J'avais des doutes. Une Bette Midler toute jeune, alors !

À onze heures, chacun avait réintégré ses quartiers.

La faute aux pankos à la sauce ahi ? à la salade de crabe et de mangue ? Toujours est-il que j'ai fait cette nuit-là l'un des rêves les plus étranges de ma vie.

À l'âge de dix ans, Katy a séjourné dans un camp équestre où elle montait une jument appelée Cherry Star. Robe châtain tachetée d'un blanc éclatant, bas des pattes tout blanc.

Dans mon rêve, donc, je chevauchais Cherry Star le long d'une plage de sable blanc. Je montais sans selle et sentais rouler ses muscles sous moi. Le soleil me chauffait le dos.

Aussi loin que portait mon regard, la mer était claire et paisible. Par endroits des nappes de varech ondulaient à fleur d'eau.

Le sable soulevé par les sabots de Cherry Star lancée au galop venait s'écraser sur mon visage comme des flocons de neige en hiver.

Et, soudain, à l'horizon est apparu un point noir minuscule. Qui a grossi de plus en plus jusqu'à devenir une silhouette.

Silhouette en laquelle j'ai reconnu Katy.

Je lui ai fait un signe de la main. Elle n'y a pas répondu.

Une Katy à cheval. Montant Cherry Star.

Impossible, puisque c'était moi.

Ahurie, j'ai baissé les yeux.

Et découvert qu'en fait j'étais en train de marcher.

J'ai relevé la tête.

Cherry Star fonçait sur moi. Sa robe étincelante grandissait de plus en plus, s'éclaircissait jusqu'à devenir alezane, jusqu'à se muer en or. Et le soleil qui se reflétait sur le métal précieux faisait étinceler la jument de mille feux.

Je me suis couvert les yeux de la main, aveuglée.

Dans ce halo de lumière éclatée, Cherry Star s'est métamorphosée en diamant. A pris la forme d'une demi-lune. D'un champignon à l'envers, au pédoncule dédoublé.

Et voilà que Cherry Star s'est retrouvée pile devant moi. Sans cavalier, les rênes traînant dans le sable.

Elle va se prendre les pieds dans les courroies de cuir et se briser une dent ! Je me suis précipitée.

Mais impossible de saisir les brides.

Je sentais l'odeur du cheval en sueur, j'entendais l'air entrer et sortir de ses naseaux quand, soudain, Cherry Star, la tête rejetée en arrière et la bouche grande ouverte, a poussé un cri terrible et muet.

J'ai vu ses dents, ses lèvres ambrées retroussées et la salive scintillant au-delà.

Le cœur battant à tout rompre, j'ai voulu m'enfuir.

À chaque pas, je m'enfonçais davantage dans le sable.

Le rêve s'est modifié.

À présent, je marchais dans l'eau.

À l'aide de mes deux bras je parvenais à me retourner face au rivage.

Dieu, que la terre ferme était loin !

Tout autour de moi, des mètres de varech.

Des blocs d'algues vert et noir qui fusionnaient lentement sous mes yeux, se refermaient sur moi en un cercle sombre. Quelque chose a frotté mon pied. J'ai baissé les yeux et entrevu un museau. Des yeux dissimulés sous une membrane. Sensation de froid glacé ! Impression de revenir des millions d'années en arrière. Un requin !

Il a ouvert ses mâchoires, révélant des dents plus aiguisées que des rasoirs.

Je me suis réveillée, moite de transpiration. J'avais de petits croissants gravés au creux des mains : la trace de mes ongles.

Le ciel était gris. Une brise chargée d'humidité entrait par la fenêtre.

Sept heures moins le quart.

Pas un bruit dans la maison.

J'ai roulé sur le côté. Ai remonté l'édredon jusque sous mon menton.

Ai voulu me rendormir. Impossible.

J'ai tenté de me relaxer, j'ai recouru à toutes les méthodes que je connaissais. Mon esprit demeurait fixé sur le rêve.

Mes fantaisies nocturnes sont loin d'être des puzzles qu'une longue analyse freudienne permettrait seule de résoudre.

Monter sans selle ? Tout le monde sait quelle interprétation donner à cela.

Katy ? D'accord, je m'inquiétais pour elle.

La jument à la robe dorée ? Le varech ? Le requin ?

À huit heures, j'ai abandonné la partie et suis descendue à la cuisine.

Ryan avait déjà mis en marche la machine à espresso. Super, parce que cet engin me fichait une trouille bleue.

— Perry a fait fermer la plage, a dit Ryan en désignant le *Honolulu Advertiser* ouvert sur la table à la section des nouvelles locales. Il faut reconnaître que c'est toute une femme. Et très jolie !

Seulement du point de vue d'un pénis. Mais je ne l'ai pas dit.

D'après l'article, baignade interdite dans la baie de Halona jusqu'à nouvel ordre. Aucune explication donnée.

Tout en sirotant nos cafés et en grignotant des toasts, nous avons établi le plan de bataille pour la journée.

D'abord, visiter le cratère Punchbowl. Ça ne ferait peut-être pas bondir de joie les filles, mais tant pis. C'était l'idée de Ryan et elle était bonne. Personnellement, je connaissais déjà l'endroit.

Le Punchbowl est un cône en tuf, vestige d'un volcan éteint, situé pile au centre d'Honolulu. Le cratère s'est formé lorsque de la lave brûlante a jailli des récifs de corail fissurés qui prolongent la chaîne de Koolau.

De la lave brûlante ?

Rassurez-vous. Cette éruption a eu lieu voilà plus de cent mille ans.

Punchbowl se dit *Puowaina* en hawaïen. Il existe plusieurs explications à ce nom. La plupart des gens le traduisent comme « Colline du sacrifice ». Et il est vrai que les indigènes d'Hawaï offraient à leurs dieux des sacrifices humains à cet endroit. Selon la légende, c'était là aussi que l'on exécutait ceux qui transgressaient les tabous. Bien des années plus tard, Kamehameha le Grand ordonna de hisser des canons jusqu'au bord de ce cratère afin de saluer par des tirs l'arrivée des personnages distingués. Cela, pour damer le pion aux autres célébrations importantes.

Dans les années 1930, la garde nationale d'Hawaï utilisait ce lieu comme pas de tir pour les exercices à la carabine. Vers la fin de la Seconde Guerre mondiale, des tunnels furent creusés tout autour du cratère et des batteries mises en place en vue de protéger les ports d'Honolulu et de Pearl Harbour.

À la fin des années 1940, le Congrès, placé devant l'obligation de rapatrier les soldats tombés au front pendant la Seconde Guerre mondiale et enterrés provisoirement sur l'île de Guam, passa un décret selon lequel ce lieu serait désormais un cimetière national. Les premiers soldats qui y avaient été ensevelis furent rejoints par huit cents autres inconnus tombés au champ d'honneur pendant la guerre de Corée. Vers le milieu des années 1980, on y adjoignit les victimes du Vietnam. Et c'est là, au Punchbowl, que fut enterré le fameux correspondant de guerre Ernie Pyle. De même qu'Ellison Onizuka, le premier astronaute d'origine hawaïenne qui perdit la vie à bord de *Challenger*.

Après le Punchbowl, nous irions nous baigner au nord de l'île et manger les fameuses glaces pilées hawaïennes.

De retour à la maison, Lily et Katy, rassasiées par des heures de camaraderie, passeraient la soirée ensemble, pendant que les grands s'offriraient une sortie en ville. Nous en avions besoin.

En fin de compte, la journée ne s'est pas trop mal passée, même si notre petit clan n'a donné à personne l'impression d'être constitué des meilleurs amis du monde. Quant à la soirée, elle a été pour les deux adultes l'occasion d'une découverte déterminante.

Chapitre 22

C'est Ryan qui a choisi le restaurant. Son critère ? Pas trop loin de Waikiki. S'il y en avait d'autres, ils me sont demeurés inconnus.

Et c'est ainsi que nous avons abouti au Ha'aha'a Seafood and Steakhouse. Le barreau du bas sur l'échelle des restaurants hawaïens.

Premières craintes à la vue de la table. Elle était placée dans un coin sombre, à dix centimètres d'un groupe musical dont le répertoire local devait remonter à 1965.

Deuxième angoisse à la lecture du menu. De ses neuf pages, six étaient consacrées aux boissons, et celles-ci, pour la plupart, portaient des noms issus de mauvais calembours du genre : Daiquiri qui-qui.

Ryan a commandé une bière Kona et un mahi mahi sauté. Moi, une pina colada sans alcool et un cilantro de crevettes.

Boisson acceptable. Il faudrait se donner du mal pour rater le mélange jus d'ananas et crème de noix de coco.

En attendant les plats, nous avons bavardé. Plus exactement : hurlé. Pour arriver à nous entendre par-dessus ces mélopées inoubliables que sont « Coquilles de nacre » et « Ma sirène de Waikiki ».

Ryan m'a présenté ses excuses pour l'attitude de Lily. J'ai fait de même concernant Katy. Il a proposé de prendre des chambres à l'hôtel. J'ai dit que ce n'était pas nécessaire.

Au-dessus de nos têtes, une boule façon disco tournoyait et projetait sur la salle des éclats de lumière. *Groovy*.

— Pas vraiment le chemin le plus court pour atteindre le cœur d'une fille.

Phrase ponctuée par la subite coloration du visage de Ryan en vert saphir. Altération qui a perduré jusqu'à ce que le spot responsable de la chose veuille bien trouver une autre cible.

— Ça dépend de la fille. Pourquoi as-tu choisi cet endroit ?

— Pour son nom. Ça veut bien dire : « Viande et poisson remarquables », non ?

— Je crois que *ha'ahea* signifie « remarquable ».

Au Punchbowl, j'avais repéré ce mot sur une pierre tombale.

— La traduction de *ha'aha'a* serait plutôt « modeste ».

— Oh.

Le groupe avait accéléré le tempo et maintenant le chanteur braillait : « Comment pourrait-elle me répondre yacki hacki wicki wacki woo. »

Les sourcils de Ryan, toujours teints au néon, sont remontés haut sur son front.

Nous avons poireauté quarante minutes avant que la commande arrive, servie par un jeune homme différent de celui qui avait apporté les boissons. Rico, d'après son badge. Il avait un tigre en train de bondir tatoué sur le biceps et un dessin représentant plus ou moins un verre de Martini incrusté dans l'une de ses dents de devant. Il tenait nos assiettes les mains protégées par une serviette.

— Attention. C'est chaud, ces affaires-là !

À en juger par le gras dans lequel était congelée ma crevette, c'était peu probable.

— Ce sera tout ?

Ryan a commandé une autre bière.

— Bonne soirée, j'espère que vous appréciez le spectacle.

De notre côté, des oui-oui polis.

— C'est de la musique *hapa haole*, a encore expliqué Rico.

— Je me disais bien, aussi, que ça ne ressemblait pas à du gospel, a lâché Ryan.

Il a eu droit à un regard assassin de Rico. Et de ma part également, avant que je n'embraye avec mon plus charmant sourire à l'adresse du serveur :

— Vraiment ? Et qu'est-ce que c'est exactement, la musique *hapa haole* ?

Rico a gratté le tigre sur son bras.

— Parfois, c'est de la musique traditionnelle, vous savez, un rythme à quatre temps, mais avec des paroles en anglais, ce qui fait que la chanson est moitié américaine et moitié hawaïenne. Parfois, les paroles sont en hawaïen, mais avec un rythme super rapide. C'est ça le *hapa haole*… Non, a-t-il ajouté au bout d'un moment. Il y a des chansons en hawaïen qui ne sont pas du tout *hapa haole*. Les mots sont bien en hawaïen, mais ce n'est pas la musique d'ici.

Clair comme de l'eau de source !

Concernant la cuisine, les apparences étaient tout sauf trompeuses. Et c'est bien un bout de pneu déguisé en crevette que je me suis retrouvée à mastiquer au son de l'inévitable *Tiny Bubbles*.

— Tu savais que Don Ho avait servi dans l'armée de l'air ? a demandé Ryan entre deux bouchées de son poisson calciné.

— Oui.

— Et qu'il a eu dix enfants ?

— Impressionnant.

— Comme moi.

— En effet.

Il a tendu la main par-dessus la table pour me caresser le bas du visage. Mon pouls s'est accéléré ; j'ai senti le feu naître sous ses doigts.

— Tu as déjà eu l'idée de remettre ça ?

— De remettre ça quoi ? ai-je demandé sur un ton tendu.

— La vie ensemble.
— Mm…
Et Lutetia ? Et Hadley Perry ? Il s'en est fallu d'un cheveu que je ne lui pose la question. Mais mieux valait ne pas m'aventurer dans des sables mouvants.
— Dis-m'en plus sur Ho.
Ryan s'est laissé retomber sur son siège.
— Il a commencé à chanter chez Honey's, un bar à Kaneohe qui appartenait à sa mère.
— Honey, ai-je supposé.
— Oui, mon carré de sucre ?
Ryan et ses surnoms bébêtes : petit chou, pois de senteur. J'avais beau l'engueuler chaque fois, en secret j'aimais bien qu'il m'appelle comme ça. Une autre femme y avait-elle droit aujourd'hui ? Le ton qu'il avait pris m'a transpercé le cœur à la façon d'un tisonnier chauffé à blanc.
— Chez Honey's, les marines de la base d'à côté constituaient le gros du public, continuait Ryan sans se douter des émotions qu'il avait déclenchées en moi. Mais dans les années 1960, le bar a déménagé à Waikiki.
— Je croyais qu'il s'était produit dans un bar appelé le Duke.
Pas l'ombre d'une émotion n'a transparu dans ma voix.
— Pas tout de suite. Plus tard, quand il était déjà célèbre.
— Le reste, tout le monde connaît.
— Salut, Ho.
J'ai reposé ma fourchette : pour les crustacés, ce serait tout.
— Il vit toujours ?
— Non, il est mort voilà deux ou trois ans.
À ce moment-là une série d'événements n'ayant rien à voir les uns avec les autres se sont produits dans le grand continuum d'espace-temps qui constitue la réalité telle que nous la percevons.
Juste au moment où Rico déposait un sous-verre sur la table, une particule de lumière émise par la fameuse boule

tournoyante a fait briller sa dent. J'ai baissé les yeux sur le sous-verre. Y était dessiné un totem d'un autre temps représentant un homme d'aspect plutôt louche.

Illico mon rêve de la nuit m'est revenu à l'esprit. Le cheval tacheté de blanc qui s'était transmué en or. Les dents du cheval.

D'autres images encore.

Un fragment de maxillaire.

Des miettes d'adipocire tournoyant dans le fond de l'évier.

L'éclat de métal doré bizarroïde se terminant en deux pointes effilées.

Un canard, le bec ouvert.

Un champignon avec une tige pointue.

Rico.

J'ai attrapé le poignet de Ryan.

— Oh mon Dieu ! Je sais ce que c'est !

— Mon bras ?

J'ai desserré les doigts.

— Le petit truc en or qu'on a trouvé avec Danny. Que j'ai trouvé ! (J'étais excitée comme une puce.) On pensait que c'était un fragment de restauration dentaire. Moi, en tout cas. Parce que Danny avait des doutes, lui, et que le dentiste n'y croyait pas non plus. Il avait raison, Craig Brooks. Enfin, à la fois raison et tort. Parce que ça se rapporte bel et bien aux dents, mais ce n'est pas une restaur…

Ryan a posé sa fourchette et levé les deux mains.

— Reprends ton souffle.

J'ai obéi.

— C'est bon. Maintenant. Lentement. En anglais ou en français. Mais compréhensible.

L'orchestre s'était lancé dans une interprétation d'*Hawaii Calls* beaucoup trop nasillarde.

Je suis revenue à mon sujet.

— Je te parie ce kiosque à musique que le truc qu'on a trouvé sur le 2010-37 est en fait un bout brisé d'incrustation dentaire.

— Quel kiosque à musique ?

— Regarde ! (J'ai retourné le sous-verre face à lui.) C'est quoi, ça ?

— Un lapin Play-Boy.

— Aujourd'hui, c'est dépassé, tous ces trucs Play-Boy, mais dans les années 1960, c'était très populaire. Tu as remarqué la dent du serveur ?

— Elle branle du manche ?

J'ai levé les yeux au ciel. Du gaspillage, dans une obscurité pareille.

— Je suis tombée sur un cas, en Caroline du Nord, où la victime a pu être identifiée grâce à sa couronne en or qui avait un lapin Play-Boy gravé dessus.

— Est-ce qu'il avait aussi un tatouage qui disait : « Chez Joe. Bon appétit ! » sur son…

— C'était une couronne creuse. Posée dans un but uniquement décoratif. J'ai fait des recherches. Et tu sais quoi ? On peut se faire graver n'importe quoi sur des couronnes dentaires : des croix, des verres de Martini, des étoiles, des demi-lunes…

— Ou ce lapin si populaire.

— Oui. Tu peux aussi te faire poser une étincelle : c'est-à-dire une couronne en résine, qui ressemble à une dent normale, mais décorée d'un dessin en or.

— Et ces petites merveilles restent pour toujours ?

— C'est au choix du client. Il existe des étincelles rugueuses sur leur face arrière qu'on incruste dans la dent, et d'autres, lisses, qu'on glisse par-dessus la dent et qu'on peut enfiler ou retirer à volonté.

— Pour se rendre dans des soirées un peu spéciales, a dit Ryan sur un ton lourd de mépris.

— Chacun ses goûts.

— Ce n'est pas parce que J. Edgar Hoover aimait les festons en plumes de marabout que mon placard à moi doit crouler sous les talons aiguilles bordés de plumes.

À quoi bon relever ?

— Mon type exhumé en Caroline du Nord était un Latino immigré. Il est mort en 1969. À cette époque, ces fausses couronnes en or étaient très en vogue chez les Hispaniques. J'ai même lu quelque part que cette coutume remontait à l'époque précolombienne.

— Les Mayas avaient pour habitude de découper le cœur des gens. Ça ne veut pas dire que l'on doive remettre cette pratique au goût du jour.

— C'étaient les Aztèques.

Ryan a voulu en rajouter. Je l'ai interrompu.

— Dans l'hélico qui s'est écrasé, il y avait quatre membres d'équipage en plus de l'Araignée Lowery. Trois d'entre eux ont été récupérés et immédiatement identifiés. Le quatrième, le mécanicien, n'a jamais été retrouvé.

— Je sens déjà qu'il était Latino.

— Mexico-Américain. Luis Alvarez.

— S'il avait eu une couronne en or, elle aurait été mentionnée dans ses dossiers dentaires *ante mortem*, non ?

— Il n'y a pas de rapport médical ou dentaire dans le dossier qu'on possède sur lui. Et même s'il s'était fait poser une étincelle après sa dernière visite de contrôle, ce ne serait pas non plus inscrit dans le rapport.

— Ou encore, il aurait pu se la faire retirer quand il a été incorporé.

— Exactement.

Rico est apparu à notre table.

Ryan a demandé l'addition.

Rico a sorti son carnet et s'est plongé dans de difficiles opérations de calcul. Raté. Impossible d'apercevoir sa dent, tant il serrait les lèvres sous l'effort.

Enfin il a plaqué bruyamment un papier sur la table.

Rite habituel : nos deux mains se sont tendues à la fois tandis qu'une âpre discussion s'engageait entre Ryan et moi.

Victoire pour moi : j'ai tendu ma Visa à Rico.

Il s'est éclipsé sur un petit sourire ironique à l'adresse de Ryan.

— Et l'Araignée Lowery ?

— Quoi, Lowery ?

— Est-ce qu'il aurait pu se faire poser un de ces machins en or plus tard ? Au Vietnam, par exemple ?

— C'est possible.

— Ou avant d'y aller, mais ne jamais le porter en présence de papa-maman ?

— Possible aussi.

— Est-ce qu'il aurait pu en parler à quelqu'un ? a poursuivi Ryan. Un copain, un cousin ?

Lowery avait un frère jumeau, aujourd'hui décédé, m'avait dit Platon dans ma voiture, pendant que nous feuilletions ensemble l'album de photos.

— D'après son père, il était très proche de son cousin. Ils jouaient dans la même équipe de baseball à l'école.

— Et ce cousin vit toujours à Lumberton ?

— Je ne sais pas.

— Ça vaudrait peut-être le coup de lui passer un coup de fil. Histoire de ne rien laisser dans l'ombre. Tu connais la chanson.

C'est vrai.

L'orchestre a attaqué *If I Had a Hammer*, le chanteur se donnant un mal de chien pour imiter Trini Lopez. En vain.

— Mais l'Araignée Lowery est mort au Québec, ai-je dit.

— Sauf si le FBI s'est planté avec les empreintes. La première chose à faire, à mon avis, c'est de déterminer si ton truc en or en forme de canard-champignon est bien un fragment d'étincelle. Et voir à partir de là.

Vrai encore.

Rico est revenu avec ma carte de crédit. Signature et pourboire. Un gros, dans l'espoir d'avoir droit à un sourire.

Pas de chance. Nous n'avons eu droit qu'à un *Mahalo* marmonné plus ou moins clairement.

— Est-ce que le dossier d'Alvarez contient des photos ? a voulu savoir Ryan.

— Plusieurs.

— Des photos sur lesquelles il sourit ?

J'ai revu en esprit les trois clichés noir et blanc : le portrait en buste d'un jeune gars en uniforme ; la photocopie grenue de l'image de la remise des diplômes ; les neuf soldats en sueur souriant à l'appareil, sauf celui qui se retournait.

J'ai regardé Ryan. Cette photo-là, je bouillais d'impatience de la revoir !

Chapitre 23

Dimanche. Aube froide et pluvieuse. Quand j'ai vu ça, j'ai replongé illico dans le sommeil. Apparemment, le reste des habitants de la maison a réagi de la même façon. Si tant est qu'à cette heure l'un d'eux ait soulevé une paupière.

À neuf heures et demie des cliquetis étouffés m'ont tirée du lit. Le temps d'enfiler un short et un t-shirt, et je suis descendue à la cuisine.

Ryan faisait griller du bacon et du pain. Une odeur à se lécher les babines.

J'ai réveillé ces demoiselles et nous avons partagé un autre repas dans une atmosphère tendue. Pendant ce temps-là, la pluie s'était calmée. Le soleil commençait à grignoter les nuages.

Après, occupations séparées : pour Ryan et Lily, sortie en mer à regarder les poissons depuis un bateau à fond transparent ; pour Katy et moi-même, plongée sous-marine et lecture sur le sable.

J'avais emporté mon BlackBerry dans l'intention de téléphoner de la plage. Ne pouvant pas appeler Danny, qui n'est pas du matin, je me suis rabattue sur Platon Lowery. Je mourais d'envie de parler avec lui.

Pas plus de réponse que l'autre jour.

Même chose avec Silas Sugarman.

Frustrée, je suis restée à contempler l'écran du téléphone, c'est-à-dire Birdie juché sur la cage de Charlie.

En général, cette photo me met de bonne humeur. Pas aujourd'hui.

À en croire les chiffres minuscules en haut à droite, il était dix-huit heures trente sur la côte Est.

Qui appeler à Lumberton, un dimanche soir ? J'ai fouillé mon cerveau en quête d'inspiration.

Ah oui. Et pourquoi pas ? Il m'avait déjà rendu service.

J'ai obtenu son numéro grâce à Google.

— Shérif du comté de Robeson.

Une voix sèche. Sans une once d'accent de Dixie. Plutôt celui de New York.

— Le shérif Beasley, s'il vous plaît.

— Pas là.

— Pouvez-vous me transférer ?

— Pas possible.

— Je suis le Dr Temperance Brennan. Pouvez-vous lui transmettre mon numéro, alors, et lui demander de me rappeler ? C'est vraiment urgent.

— Quel est l'objet de votre plainte ?

— Ce n'est pas une plainte. J'ai besoin d'une information concernant les restes que j'ai exhumés le 11 mai dernier, en sa présence.

— Le shérif est incroyablement occupé.

— Moi aussi.

Cette femme commençait à m'énerver.

— Votre numéro ?

Je le lui ai donné.

Pause. Une mouette a crié. Pourvu qu'à l'autre bout du fil elle ne l'ait pas entendue.

— Je lui transmettrai votre appel.

— J'y compte bien !

Ma phrase s'est perdue dans les limbes des communications coupées.

Katy a soulevé la tête. Je lui ai fait un petit signe de la main. Elle a repris sa lecture.

Dix minutes plus tard le téléphone sonnait.

— Shérif Beasley.

Une voix haut perchée et un peu filandreuse évoquant Barney Fife.

— Merci de me rappeler. Excusez-moi de m'imposer un dimanche soir.

— Je ne faisais que regarder les Braves se prendre une raclée.

— C'est à propos de l'individu enterré sous le nom de John Charles Lowery au cimetière des Jardins de la Foi.

— L'Araignée suscite vraiment un intérêt plus puissant qu'un nid de frelons ! L'autre jour, c'était le détective canadien et maintenant c'est vous.

— Je voulais vous demander : vous le connaissiez, monsieur ? Je veux dire, personnellement ?

— On se rencontrait de temps en temps.

— Qu'est-ce que vous pourriez me dire à son sujet ?

— Il était trois classes en dessous de moi à l'école. Après, je suis entré dans les forces de l'ordre.

Oui, la voix de Fife, exactement.

— Au début de ma carrière, j'ai dû m'occuper de lui une ou deux fois à cause de ses simagrées.

— Ses simagrées ?

— En fait, c'était pas un mauvais garçon, l'Araignée. Le mauvais, c'était plutôt son cousin. Un drôle d'exalté, lui, alors.

Il avait des voyelles qui n'en finissaient pas.

— Et il s'appelait ?

— Reggie Cumbo. Une liste de délits plus longue que le bras.

— Comment ça ?

— Un vrai petit con.

Je n'ai pas réagi. Comme la plupart des gens, Beasley s'est senti obligé de combler le silence.

— En règle générale, ivresse et désordre sur la voie publique.

— Qu'est-ce qu'il est devenu ?

— S'est tiré de chez lui le jour de la remise des diplômes. Sans le chapeau, il ne pouvait pas défiler.

— Vous voulez dire qu'il n'a pas fini l'école ?

— Je me rappelle qu'il y a eu des disputes à ce sujet.

— Et il est où, ce Reggie, maintenant ?

— Aucune idée. Maire de Milwaukee, si ça se trouve. Ou mort, plus probablement. En tout cas, je n'ai plus jamais entendu parler de lui.

À l'eau, donc, mon idée d'interroger le cousin sur la dentition de l'Araignée. À tout hasard j'ai demandé :

— Est-ce que vous pourriez me dire si l'Araignée Lowery portait un motif en or sur les dents ?

— Une couronne, vous voulez dire ?

Je lui ai expliqué brièvement en quoi consistaient les étincelles.

— Est-ce qu'il aurait pu s'en faire poser une à l'armée, que vous auriez vue en photo ? Sur des photos envoyées du Vietnam, je veux dire. Que Platon ou Harriet vous auraient montrées. Ou qu'ils auraient fait paraître dans un journal. Ou ils auraient évoqué ce détail dans un forum de discussion sur Internet ?

Mais tout cela n'était que suppositions, je le savais bien.

— Nan. En quoi les dents de l'Araignée sont-elles si importantes pour vous ? Je croyais que tout était réglé grâce à l'ADN d'Harriet.

— Cette étincelle pourrait permettre d'identifier le corps que j'ai exhumé, si on prend pour un fait établi qu'il ne s'agit pas de l'Araignée. En plus, les lamelles d'Harriet conservées à l'hôpital ont déjà cinq ans d'âge. J'essaie de trouver des solutions de rechange au cas où ces échantillons ne seraient pas exploitables.

— Je ne sais que vous dire, madame. L'Araignée était… un peu différent, mais je le vois mal faisant quelque chose d'aussi bête que de se faire poser des motifs en or sur les dents.

— Que vous rappelez-vous à son sujet ?

Beasley a laissé échapper un soupir.

— Je me rappelle qu'à l'école secondaire il avait proposé d'offrir un rein à sa mère. Harriet souffrait des reins depuis sa naissance. Je suppose que c'est de ça qu'elle est morte. J'avais trouvé ça drôlement généreux de sa part, je dois dire. Mais il n'était pas compatible. Quelque chose dans le sang qui ne collait pas, je crois. Son frère, Tom, a proposé son rein aussi. Des années plus tard, mais ça n'a pas marché non plus. Personnellement, je ne suis pas sûr que j'aurais fait ça à leur place.

— L'Araignée ?

Beasley a laissé passer un temps. Puis :

— Je me rappelle qu'en science naturelle il a fait un devoir sur les araignées. Vous savez, ces grandes planches qu'il faut composer, il en avait bien fait quinze ou vingt, remplies d'images, de diagrammes, de petits cartons couverts de notes. Il avait aussi des quantités de bocaux avec des araignées à l'intérieur, tous bien rangés et étiquetés comme il faut. Ça lui a valu le premier prix. Ça a même été exposé à la bibliothèque. Les planches, on les ressort encore de temps en temps, mais pas les araignées, qui sont mortes depuis longtemps, naturellement.

— Autre chose ?

— Je me rappelle son départ pour la guerre et son retour dans un cercueil. C'est tout. Désolé.

Comme rien d'autre ne me venait à l'esprit, j'ai remercié Beasley et raccroché.

Danny a téléphoné pendant que je scrutais les fonds sous-marins avec Katy dans l'espoir d'apercevoir des papillons, des soles et autres poissons trompettes particulièrement repoussants.

Je m'en suis aperçu en voyant mon BlackBerry clignoter, alors que je sortais ma serviette de mon sac pour me sécher.

Message en deux mots : « Appelle-moi. »

Ce que j'ai fait.

— Qu'est-ce qui se passe ?

— J'ai fait des recherches sur la famille Lapasa et je me suis dit que ça t'intéresserait de savoir. Les parents de Xander, Alexander et Theresa-Sophia, sont morts tous les deux.

Bruissement de papiers qu'on feuillette.

— Xander, Alexander Emanuel, était l'aîné de six enfants, quatre garçons et deux filles. L'une des sœurs, Mamie Waite, divorcée, une fille, habite à Maui ; l'autre, Hesta Grogan, vit au Nevada ; veuve avec deux fils.

« L'un des frères, Marvin, est mort jeune, dans les années 1970. Il était retardé mentalement. Les deux autres, Nicholas et Kenneth, vivent toujours dans la région d'Honolulu. Mariés tous les deux. Kenneth une fois, Nicholas quatre. À eux deux, ils ont un total de onze enfants et dix-huit petits-enfants. »

Soustraction rapide : Si Xander Lapasa avait vingt-neuf ans en 1968, il était donc né en 1939.

Danny a probablement lu dans mes pensées, car il a dit :

— Les cinq enfants toujours en vie ont tous dans les soixante ans.

Ces renseignements étaient un peu éloignés du sujet, mais bon. Si Danny était d'humeur à me faire part de ses découvertes sur les antécédents familiaux de Xander, pourquoi pas ? À tout hasard, je lui ai demandé ce qu'il savait du papa.

— Alex Lapasa a débarqué à Oahu en 1956 et a pris un emploi dans une station-service, à l'est d'Honolulu. Deux ans après, le propriétaire meurt. Délit de fuite. Il a laissé un testament rédigé de sa main selon lequel il léguait son garage à Lapasa.

— Ça tombait drôlement à pic, non ?

— La police n'a rien trouvé de suspect pouvant relier Lapasa à l'accident. Le défunt n'avait pas de famille pour exiger que justice soit faite. Et puis, qui sait comment l'enquête a été menée ?

Pas de commentaire de ma part.

— Neuf mois plus tard, la station-service était réduite à néant au cours d'un ouragan. Lapasa n'avait plus un sou vaillant. N'étant pas habité par une passion dévorante pour la vente d'essence, il s'est tourné vers l'immobilier. C'était le baby-boom. Il a su prévoir qu'une foule de gens allait avoir besoin de logements bon marché. Il s'est recyclé dans les maisons individuelles. Il en a d'abord construit une, l'a vendue, en a construit deux autres.

« En 1959, quand Hawaï est devenu un État à part entière, le bâtiment était en plein essor. Lapasa a hypothéqué tous ses biens. Il a prospéré et gagné des millions. Entre les années 1960 et 1990, il s'est diversifié. Aujourd'hui son empire a plus de tentacules qu'une anémone de mer. »

— Un malin, cet Alex.

— C'est le cas de le dire.

Danny a eu comme une brève hésitation.

— Quoi ? ai-je demandé.

— Lapasa a toujours… suscité la controverse, dirons-nous. Pour les uns, il a eu de l'intuition ; pour les autres, simplement de la chance. Mais tout le monde s'accorde à dire qu'il était impitoyable en affaires.

— Il est mort quand ?

— En 2002.

— Qui est à la tête de l'entreprise, aujourd'hui ?

— Son deuxième fils, Nicholas.

Un gong a résonné dans ma tête. Ce nom, je l'avais lu souvent dans l'*Honolulu Advertiser*, accompagné parfois du sobriquet le Rusé ou le Fuyant. Ouais, comme Nixon.

— Le fameux Nickie Lapasa ?

— Le fameux Nickie Lapasa.

Je me suis vaguement rappelé un reportage sur la mort du père, alors que je me trouvais à Honolulu à la demande du CIL. Enterrement cinq étoiles, un cirque comme on en voit peu.

— Cet Alex Lapasa, est-ce qu'il ne faisait pas l'objet d'une enquête pour violations au règlement du RICO, au moment de sa mort ?

Le RICO, une loi votée au Congrès en 1970, à l'encontre des organisations recourant au racket et à la corruption.

— Si. Et pas pour la première fois. Mais les liens avec la mafia n'ont jamais été prouvés.

J'ai demandé encore, après un instant de réflexion :

— Et le Kenny Lapasa qui est membre du conseil municipal d'Honolulu ? Il est de la famille, lui aussi ?

— C'est le quatrième fils.

Un Xander disparu, un Marvin décédé, un Nickie et un Kenny bien vivants et prospérant allègrement. Voilà pour les frères. Qu'en était-il des sœurs ?

— Mamie et Hesta s'intéressent aux affaires de la famille ?

— Pas le genre de la maison ! a ricané Danny.

— Qu'est-ce que tu veux dire ?

— Interdit aux filles.

— Pourtant, c'est bien Theresa-Sophia qui correspondait avec l'armée sur la disparition de Xander.

— Le vieux devait considérer que ce n'était pas digne de lui d'écrire des lettres.

— À ton avis, pourquoi Xander est allé au Vietnam ?

— On parlait de trafic de drogue à propos du père. Peut-être qu'il a envoyé son fils là-bas en repérage. Pour avoir déjà une bonne connaissance du marché quand la guerre serait finie. Où trouver de la drogue, comment s'en procurer, comment la transporter.

— Tu as parlé à quelqu'un de la famille ?

— À Nickie le Rusé. Aussi dur d'arriver à lui que d'avoir Obama au bout du fil.

— Comment il a réagi ?

— Au début, il n'y a pas cru. Je lui ai dit que l'identification dentaire, encore officieuse, ne laissait planer aucun doute. Je lui ai demandé si Xander s'était cassé quelque chose. Il a répondu qu'il s'était éclaté la mâchoire et la clavicule dans un accident de voiture, l'été qui avait suivi sa deuxième année au secondaire. Je lui ai décrit les traces de fractures que nous avions repérées sur les radios et sur les os.

— Ça l'a convaincu ?

— Pas complètement. Pour le rassurer, j'ai dit qu'on pouvait effectuer une comparaison d'ADN, pour peu que lui-même, son frère ou l'une de ses sœurs veuille bien nous fournir un échantillon. Il a grimpé aux rideaux. Pas question qu'un gars du gouvernement lui enfonce une sonde dans le corps, à lui ou à quiconque de sa famille. Je lui ai expliqué que c'était complètement indolore et que ça ne prenait pas plus de dix secondes. Le temps de frotter l'intérieur de sa joue avec un bâtonnet. Il s'est énervé encore plus. Je te fais grâce de son discours. Finalement, il m'a raccroché au nez.

— Il a peut-être des raisons de s'inquiéter, si les affaires d'Alex Lapasa étaient aussi ténébreuses qu'on le dit. C'est fréquent chez les criminels, de vouloir protéger leur ADN.

— Possible. Mais Nickie n'a jamais été relié à quoi que ce soit d'illégal. Bref, il m'a rappelé une heure plus tard, furieux, pour dégueuler sur notre incompétence, notre stupidité et notre manque de sérieux professionnel. Il a menacé de téléphoner à son représentant au Congrès, à son sénateur, à l'ACLU, au chef du cabinet, au président, à CNN, à Jesse Jackson, à Rush Limbaugh, et même à Nelson Mandela.

— Pas à Nelson Mandela, quand même.

— D'accord, pas lui.

— Pourquoi tant de fureur ?

— Parce qu'on avait laissé son frère végéter plus de quarante ans sur nos étagères.

Il n'avait pas tort.

— Je lui ai proposé une fois de plus de pratiquer un test comparatif. J'ai dit qu'en 2001 l'ADN de son frère avait été séquencé avec succès. Il a exigé qu'on détruise ces preuves. Pas question que sa famille figure dans une saloperie de base de données du gouvernement !

— Il a dit autre chose ?

— Que des têtes tomberaient.

— D'abord Platon Lowery, maintenant Nickie Lapasa. Curieux, non ?

— Oh, j'ai vu plus étrange.

Autant changer de sujet. J'ai fait part à Danny de ma théorie sur le petit éclat d'or en forme de canard-champignon retrouvé parmi les restes du 2010-37 enterré à Lumberton. Puis de ma conversation avec le shérif.

— Beasley n'avait jamais entendu parler de ces étincelles dentaires ?

— Non.

— Si des gens en portaient dans sa juridiction, il en aurait forcément vu, ne serait-ce qu'une fois ?

— Cette mode pour les étincelles a très bien pu ne jamais atteindre le comté de Robeson… (Pause.) Je trouve qu'on devrait essayer de localiser Reggie Cumbo. Ça ne donnera peut-être rien, mais qui sait ?

— Le cousin de l'Araignée ?

— Oui.

— En tout cas, ce type que tu as exhumé à Lumberton, c'est sûrement Luis Alvarez, a déclaré Danny. Il n'a toujours pas été retrouvé, il a le même profil biologique que Lowery et il y a correspondance avec les restes que nous avons. Alvarez était moitié mexicain, moitié américain. Et ces gens-là adorent les étincelles.

— De nos jours. Mais dans les années 1960 ?

— Je n'en sais rien, mais je serais tenté de dire oui.

Une pause qui a duré le temps d'un battement de cœur, et Danny a enchaîné :

— Il faudrait aussi vérifier les photos du dossier Alvarez.

— Absolument.

— On fait ça demain matin ?

Un nouveau rendez-vous a été pris entre Danny et moi.

Chapitre 24

Dimanche soir, bataille de sonneries de cellulaires. Moment rigolo mais pénible aussi, quand les choix musicaux des uns ou des autres ont servi de socle à des dissertations psychologiques.

Pour l'heure, Lily utilisait *Super Freak* de Rick James ; Katy, *Minnie the Moocher* de Cab Calloway ; Ryan continuait de s'en tenir à Big Bird et à ses copains. Quant à moi, je venais de prendre *Happy Days*, en indécrottable optimiste que je suis.

Ce soir encore, dîner grillé au barbecue. Pendant que nous débarrassions, Cab Calloway a signalé à Katy l'arrivée d'un appel.

Elle s'est éloignée, pour s'en revenir quelques minutes plus tard, l'air pensif, mais un semblant de sourire aux lèvres.

Une seule question de ma part a suffi pour qu'elle déballe toute l'histoire.

La personne qui venait de l'appeler, c'était Jed, le frère aîné de Coop. Se confondant en excuses pour la dureté manifestée à Katy. Le fait est qu'à l'annonce de la mort de Coop, sa famille avait été submergée d'appels. Appels qui ne provenaient pas seulement de journalistes ou d'inconnus bien intentionnés, mais aussi d'individus un peu fêlés, farouchement opposés à la guerre. Face à ce flot ininterrompu, l'oncle Abner s'était assigné la tâche de protéger l'intimité des siens. Sa stratégie : faire systématiquement barrage à toute personne qu'il ne connaissait pas personnellement.

Jed voulait également remettre à Katy quelque chose que son frère aurait aimé qu'elle conserve en souvenir de lui. Par-delà sa surprise, Katy était profondément émue. Pour la première fois depuis l'assassinat de son ami, elle m'a paru un peu apaisée.

L'appel suivant a été pour Ryan. À en juger par le ton de sa voix, son prélude musical, aussi joyeux soit-il, lui apportait des nouvelles affligeantes.

Il ne m'en a fait part qu'en fin de soirée, lorsque nous nous sommes retrouvés seuls dans la cuisine : Lutetia avait décidé de retourner en Nouvelle-Écosse. *Ciao. Adíos.* Lily allait donc se retrouver sous la seule tutelle de son père.

Réaction mitigée de ma part. Certes le départ de Lutetia risquait de déstabiliser Lily et de compliquer sacrément la vie de Ryan ; d'un autre côté, je n'étais pas fâchée d'offrir mes adieux à son ex. Métaphoriquement parlant, bien évidemment. Nous ne nous étions jamais parlé.

Le premier appel qui m'était destiné émanait d'Hadley Perry. Pour me dire trois choses : premièrement, que le maire et le conseil municipal la maudissaient et pire encore pour avoir fermé Halona Cove ; deuxièmement, que la recherche auprès des familles des personnes disparues n'avait rien donné ; troisièmement, que deux détectives de la police d'Honolulu, Hung et Lô, s'attaqueraient aux hôpitaux dès le lendemain matin.

Informations que j'ai aussitôt transmises à Ryan — à voix basse cette fois encore, mais dehors dans la véranda.

À l'énoncé du troisièmement, les coins de sa bouche se sont contractés. Visiblement, il en tirait la même conclusion que moi, l'instant d'avant. J'ai agi comme Perry avec moi : en apportant les précisions nécessaires pour tuer dans l'œuf tout commentaire ironique. Hung

Lo étant le sobriquet souvent employé pour qualifier quelqu'un qui n'a qu'un seul testicule.

— Hung est d'origine chinoise, Lô vietnamien. Petit chapeau sur le *o*. Ils font équipe depuis neuf ans et ils en ont assez des remarques sur leurs noms.

— Je croyais que tu étais venue à Honolulu pour t'occuper d'un gars mort dans les années 1960, a dit Katy.

J'ai sursauté, Ryan aussi. Ni lui ni moi n'avions entendu la porte coulisser. J'ai répondu :

— Oui, mais pas d'un seul. De plusieurs. En plus, le ME d'ici veut mon avis sur un cas qui s'est produit récemment. Je ne t'en ai pas parlé, je ne pensais pas que ça t'intéresserait.

Sous-entendu : vu ce par quoi tu passes en ce moment.

— Mais oui, ça m'intéresse.

Le regard de Katy a brièvement dévié sur Ryan.

Qui s'est levé.

— Si ces dames veulent bien m'excuser… Je n'ai pas vérifié mes courriels depuis des jours.

Explication peu convaincante, mais Ryan avait compris que Katy se sentait exclue.

Elle s'est installée dans le fauteuil qu'il venait de libérer. Je lui ai parlé d'Hadley Perry, des morceaux de corps retrouvés, des marques de dents, de la goupille chirurgicale et du fragment de tatouage.

— Vivre chaque semaine comme si c'était la semaine du requin.

— Hein ?

— Tracy Jordan ? *30 Rock* ?

Ça ne me disait rien du tout.

— La série télé de NBC, où le héros, joué par Tracy Morgan, n'arrête pas de parler des films qui passent sur Discovery… et de se foutre des phrases toutes faites sur la motivation. Tu ne te souviens pas ? OK, laisse tomber. De toute façon, je n'aurais pas dû dire ça. Ce n'est pas bien de blaguer sur la mort.

Je lui ai tapoté la main.

— Ce n'est rien.

Nous sommes restées un moment en silence à écouter le bruit du vent dans les palmiers et le clapotis des vagues sur le sable. Et Katy a repris :

— Je passe beaucoup de temps à écrire sur mon blogue.

— À quel sujet ?

— La stupidité de la guerre.

— Ça, ce n'est pas du temps perdu.

— Ce que je viens de dire maintenant… Je vais écrire sur ça aussi… Sur les choses dures qu'on dit parfois en oubliant que la mort est toujours une tragédie pour quelqu'un.

— Ça m'intéresserait beaucoup de lire tes pensées sur le sujet.

— Bien obligée, t'es ma mère !

Avant même que j'aie pu ouvrir la bouche pour lui répondre, elle s'était levée, m'avait caressé la joue et avait filé à l'intérieur.

Deuxième coup de fil : cette fois-ci, de Tim Larabee, le médecin examinateur de Charlotte. Pour m'annoncer qu'un corps décomposé avait été découvert dans une décharge du comté de Cabarrus, et qu'il se trouvait sur les lieux depuis minuit. Il s'agissait probablement d'une femme au foyer qui avait disparu l'automne d'avant. Un examen anthropologique serait sans doute nécessaire. Mais rien ne pressait. À mon retour.

Une chance !

Dix heures et demie.

Je venais de finir mon Stephen King et j'entamais un roman de Grisham, Ryan regardait CNN, Katy était dans sa chambre en train de rédiger son blogue, de twitter ou de faire autre chose, quand le téléphone de Lily a sonné.

Le temps de lire le nom affiché à l'écran, et elle a foncé au premier.

J'ai jeté un petit coup d'œil à Ryan : il avait les mâchoires contractées, les épaules tendues. Il devait se dire que l'appel venait de Lutetia et il se préparait à affronter une crise de larmes.

Une demi-heure plus tard, retour au salon d'une Lily paisible et presque souriante, qui s'est laissée tomber sur le canapé sans dire un mot.

J'ai lancé un regard à Ryan. Il a levé des sourcils interrogateurs. Je lui ai désigné sa fille de la tête.

Il n'a pas souri, mais ce n'était pas loin.

J'ai accentué mon mouvement. Il a fini par comprendre.

— C'était ta mère ?

Un ton de voix pathétique, tellement il se voulait détaché.

— Non.

J'ai fait semblant d'être absorbée dans ma lecture.

Quelques secondes se sont écoulées. Une minute entière.

— Il a vraiment des cheveux incroyables, Anderson Cooper ! a dit Lily en gardant les yeux rivés sur la télé. Mais paraît qu'il est tout petit !

Lundi, Ryan a bien voulu emmener Lily sur la côte nord voir la baie de la Tortue où ont été tournées des scènes de *Sans Sarah, rien ne va.* L'occasion pour lui de passer un peu de temps en tête à tête avec sa fille.

Katy est restée à la maison pour travailler sur son blogue.

En ville, des kilomètres de bouchon. Il était presque huit heures du matin quand je suis arrivée à Hickam.

Danny est entré dans le stationnement du JPAC deux voitures avant moi. Il a attendu que je me gare et sorte de la Cobalt.

— *Aloha.*

— *Aloha.*

— Une bagnole comme ça, un rêve !

Histoire de me titiller.

— Très drôle.

— À ta place j'appellerais Avis pour voir s'ils n'ont pas mieux.

— Pour les deux ou trois jours qui me restent, pas la peine. Je dois rentrer en Caroline du Nord. J'ai un cas qui m'attend.

— Tu viens à peine d'arriver.

— Dix jours déjà que je suis ici.

— Et l'affaire sur laquelle tu travailles pour Perry ?

— Les affaires, tu veux dire.

Tout en marchant vers son bureau, je lui ai parlé de la seconde victime du requin, du trou laissé par la vis et du morceau de tatouage à la cheville.

— Je fais confiance à Perry pour tirer quelque chose de tout ça, a-t-il dit.

— Sûrement. Pour ma part, je ne vois pas ce que je peux faire de plus avec des restes aussi succincts.

— Et ici, ton travail est achevé.

— Achevé, enfin presque. Il faut encore qu'on regarde les photos de Luis Alvarez… Dis donc… Tu te laisses pousser la barbe ou quoi ?

La mâchoire de Danny s'ornait aujourd'hui de ce gazon de poils ras qui semble faire fureur parmi la gent masculine, ces derniers temps. On se demande bien pourquoi.

— Juste pour voir ce que ça donne. Tu en penses quoi ?

Et de lever le menton en le tournant à droite et à gauche pour me faire admirer le résultat.

— Aux hommes de régler les problèmes des hommes.

Il a laissé retomber son menton.

Nous nous trouvions dans le couloir menant à l'aile occupée par le CIL, quand soudain est apparu dans le vestibule, de l'autre côté de la porte vitrée, un Gus Dimitriadus portant, serré contre sa poitrine, un grand carton d'où sortait à un bout un palmier en pot, et à l'autre un trophée quelconque.

L'air buté. Manifestement sous le coup d'un sentiment violent.

Danny lui a tenu la porte ouverte.

Dimitriadus a relevé la tête. De renfrognée, son expression est devenue véritablement menaçante.

— Tu veux de l'aide ? a proposé Danny.

— Ton aide a déjà été amplement suffisante.

— Ne prend pas cette décision comme une attaque pers…

— Et je dois la prendre comment ?

Quel idiot, ai-je pensé par-devers moi.

Pour le regretter aussitôt. Après tout, ce gars-là venait de se faire virer d'un boulot censé assurer sa carrière. J'ai voulu être gentille.

— Vous avez d'autres affaires ? On va vous donner un coup de main.

— Je n'en doute pas un instant ! m'a coupée Dimitriadus.

J'ai planté mes yeux dans les siens.

J'y ai lu une haine pure et simple à mon endroit.

Nous nous sommes écartés sans ajouter un mot.

Au moment de franchir la porte, Dimitriadus s'est débrouillé pour m'enfoncer son coude dans la poitrine. En y mettant toute sa force.

Surprise par la brutalité du coup, j'ai trébuché en arrière.

— Crétin ! a lancé Danny à sa suite. (Puis à moi :) Ça va ?

— Pas de problème.

— Il l'a fait exprès, ce con !

— Il est furieux. Et, de nous deux, j'étais la cible la plus facile à atteindre.

— Ce n'est pas une raison.

— Il vient de perdre son boulot.

— S'il recommence, c'est autre chose qu'il va perdre !

Danny, vengeur des dames heurtées en pleine poitrine !

Je me suis installée dans son bureau avec le dossier Alvarez pendant qu'il allait nous chercher des cafés.

Les vieilles photos en noir et blanc étaient bien comme dans mon souvenir.

Passage rapide sur le portrait en buste du deuxième classe Luis Alvarez. En uniforme et sérieux comme un pape. Sans intérêt pour nous.

La photo des neuf soldats en tenue de camouflage, les manches roulées sur les avant-bras. Examen attentif de celui qui avait *Alvarez* écrit en travers de la poitrine.

L'excitation s'est emparée de moi.

Il avait le visage tourné loin de l'objectif, comme si quelque chose l'avait distrait juste au moment où l'obturateur se fermait. Il ne souriait pas, mais il avait les lèvres écartées. Étonnement, curiosité, peur peut-être ?

Résultat : une vue parfaite sur ses dents de devant.

Danny est revenu alors que je cherchais une loupe dans son fouillis.

— Ça marche ?

Il a déposé deux cafés brûlants sur son bureau.

— Peut-être. Tu as une loupe à main ?

— On n'a qu'à utiliser celle du Luxos.

Nous avons filé au labo.

Danny a allumé la loupe ronde à lampe fluo, montée sur la table. J'ai positionné la photo et bougé le levier de l'appareil jusqu'à ce que la bouche d'Alvarez se trouve juste en dessous de l'objectif. Et nous nous sommes tous les deux penchés en avant, la tête de Danny si proche de la mienne que nos oreilles se frôlaient.

Victoire ! Sur l'incisive droite, une ombre en forme de lapin. Et un minuscule éclat de lumière à hauteur du nœud papillon.

— *Hee-haw !*

— *Hee-haw !*

Échange de coups de hanche, à la façon des footballeurs qui, après le touché, se congratulent d'un coup de poitrine.

— Nos mordus de l'informatique vont nous agrandir ça de telle sorte que l'étincelle sur la dent ait la taille correspondant au petit fragment que tu as retrouvé. Ensuite, il n'y aura plus qu'à faire une superposition. Avec les concordances que nous avons déjà, les circonstances de l'accident, le profil biologique et les dents, l'identification ne devrait pas poser de problème.

— Surtout que tu as de quoi faire pratiquer un séquençage de son ADN mitochondrial, si jamais tu retrouves un de ses parents dans la lignée maternelle.

— C'est vrai.

À travers la cloison en verre isolant le laboratoire du reste du monde j'ai aperçu Dimitriadus dans l'entrée, un énième carton dans les bras. Lourd, celui-là. Des livres, probablement.

Nous sommes retournés dans le bureau de Danny. Les cafés étaient tièdes. On les a bus quand même, et j'ai résumé la situation :

— Alvarez a été retrouvé peu de temps après l'accident et enterré en Caroline du Nord sous l'identité de l'Araignée Lowery. Lapasa a été retrouvé huit mois plus tard, plus ou moins dans le même secteur et portant sur lui la plaque d'identification de Lowery. Lowery ayant déjà été identifié, ce corps a été enregistré en tant qu'inconnu, d'abord à Tan Son Nhut, puis à CIL-THAI et finalement ici.

— Maintenant, grâce à nous, Luis et Xander vont tous les deux pouvoir rentrer chez eux.

— Comme l'Araignée.

— Du bon boulot ! a conclu Danny, radieux.

Ça méritait bien de trinquer en faisant tinter nos tasses.

Du bon boulot, vraiment ? Avec toutes ces questions restées sans réponse ?

— La confusion entre Alvarez et Lowery, passe encore. Je peux comprendre. Mais que Lapasa se retrouve avec la plaque d'identification de l'Araignée, ça je ne pige pas.

— Oui, c'est curieux.

— Est-ce qu'il était à bord de cet hélico, oui ou non ? Et si oui, pourquoi ?

— Techniquement parlant, il s'agit là de deux questions.

— Et comment Lowery s'est-il retrouvé au Québec ?

— Ce qui fait quatre questions, car tu oublies la plus intrigante.

Du regard, je lui ai signifié d'être plus précis.

— Comment se fait-il qu'on ait pu se laisser filer mutuellement, toi et moi ?

— Ça va, Danny. Je suis sérieuse.

— Parce que moi je ne le suis pas ?

Oh là là !

— Tu aimes ta femme.

— À la folie. C'est bien là le problème.

Pause embarrassée, mais qui n'a pas duré plus longtemps qu'un battement de cœur.

— Hé, je rigolais ! (Ponctué d'un grand sourire idiot.)

Il s'est mis à jouer avec son stylo, le faisant glisser entre ses doigts et pivoter pour en frapper ensuite son sous-main, tantôt avec le capuchon, tantôt avec la mine.

— Ça me turlupine, cette conversation que j'ai eue avec Nickie Lapasa. Pourquoi est-il aussi farouchement opposé à l'idée de se faire prélever un échantillon d'ADN, alors que ce test pourrait permettre d'identifier son frère définitivement ?

— Des liens avec le crime organisé, si l'on en croit les rumeurs.

— Probablement.

Tap. Tap. Tap. Puis, pointant son stylo sur moi :

— Tu sais quoi ? Je vais la faire quand même !

— Quoi donc ?

— La comparaison ADN.

— Et comment tu t'y prendras pour obtenir un échantillon ?

— Je trouverai bien un moyen. (Et de se taper la tempe comme l'autre jour, devant la maison de Lanikai.) J'ai une cérémonie d'arrivée cet après-midi. Tout de suite après, je m'y colle. Aussi vrai que le lard est gras !

Sunday, Monday, happy days !

Mon BlackBerry.

Hadley Perry.

À quoi bon gâcher la bonne humeur de Danny ? Mieux valait sortir du bureau pour répondre.

Tandis que je me faufilais entre les piles de livres et de papiers, j'ai aperçu une silhouette sur le pas de la porte.

Arrivée dans le couloir, personne. Ni à gauche ni à droite.

Quelqu'un nous aurait-il espionnés ? Dimitriadus ?

Qui d'autre, sinon lui ? Et pourquoi ?

Mais à peine Perry a-t-elle commencé à m'exposer son problème que ces questions me sont sorties complètement de la tête.

Chapitre 25

— Lô vient d'appeler. Il a retrouvé un jeune de quinze ans, un certain Francis Kealoha, qui s'est cassé le tibia et le péroné gauches en 2003 et a passé un certain temps au Queen's Medical Center.

— Sous traction ?

— Oui, m'dame. On lui a retiré ses vis l'année suivante.

— C'est un rapide, votre détective.

— Le Queen's étant le seul centre médical d'Hawaï à posséder un département d'orthopédie, c'est par là qu'il a commencé son enquête. Il a demandé à une demoiselle de faire une recherche parmi ses données en utilisant nos paramètres. Le nom de Kealoha est apparu tout de suite.

— Lô a contacté la famille ?

— La mère est morte en 2007 et le père est hors circuit depuis des années. Mais il est parvenu à retrouver la trace d'une sœur. Gloria. Un sacré numéro. Elle prétend ne pas avoir vu son frère depuis plus de trois ans. Croit-elle.

— Est-ce que Lô a retrouvé des gens qui auraient été en contact avec lui ? Qui auraient pu remarquer sa disparition ?

— Gloria jure qu'elle ne connaît aucun de ses amis, qu'elle n'a aucune idée de l'endroit où il habite ni de quoi il vit. Lô continue à creuser cette piste. Moi, je suis en route pour le Queen's. Je me disais qu'on pourrait s'y retrouver.

— Lô ne peut pas récupérer le dossier médical et vous l'apporter au bureau ?

— Le médecin traitant est un crétin. Il refuse de nous remettre quoi que ce soit sans l'autorisation d'un parent ou d'un curateur, ou la preuve que le patient est décédé.

— C'est le monde à l'envers.

— Ouais.

— Elle a quel âge, cette Gloria ?

— Trente-deux ans.

— Où est le problème, alors ? Lô peut obtenir d'elle un écrit.

— C'est une pute, elle n'aime pas vraiment la police. D'ailleurs le coup de fil de Lô a dû lui foutre la trouille parce qu'elle ne décroche plus. Il est passé chez elle. Pas de réponse et, dans l'appartement, aucun bruit pouvant laisser supposer qu'elle serait en pleine action.

— Et Hung ? Du succès avec les salons de tatouage ?

— Apparemment ce dessin de requin est assez répandu. Le seul élément un peu original, ce sont les petites vrilles le long de la bordure, en haut. D'après un tatoueur, ça a probablement été ajouté par la suite. Il est possible que l'approche tatouage ne débouche sur rien.

— Il s'appelle comment, le chirurgien qui a opéré Kealoha ?

— Sydney Utagawa. C'est un spécialiste en orthopédie.

— Où est-ce que vous devez le retrouver ?

— Dans son bureau, au Queen's, où il nous laissera examiner le dossier.

— Comment est-ce qu'on y va ?

Elle m'a indiqué le chemin.

— J'y serai dans vingt minutes.

En 1778, lorsque le capitaine James Cook accosta aux îles d'Hawaï, la population était d'environ trois cent cinquante mille personnes. Moins d'un siècle plus tard, en

1854, quand Alexander Liholiho monta sur le trône, elle ne comptait plus que soixante-dix mille âmes. Grâce aux microbes importés d'Occident.

À peine couronné sous le nom de Kamehameha IV, ce roi, aidé de son épouse, la reine Emma Naea Rooke, s'attacha à mettre en place un système de santé à l'intention des populations indigènes de Polynésie. En 1859, grâce aux efforts du couple royal, un dispensaire temporaire de dix-huit lits ouvrait ses portes au pied du Punchbowl, en un lieu appelé Manamana. Transformé l'année suivante en hospice permanent, il devait prendre le nom de Queen's Hospital.

Au fil des ans, les bâtiments ont poussé comme des champignons autour de la structure initiale édifiée par ces altesses en roche de corail et bois de séquoia.

Rebaptisé Queen's Medical Center, l'hôpital se présente aujourd'hui comme un immense agrégat de tours et de buildings desservis par des stationnements à niveaux multiples. Ces bâtiments abritent des centres de recherche et de soins hospitaliers, les bureaux des médecins, des bibliothèques médicales et des salles de conférences.

Au sortir de la base d'Hickham, j'ai commencé par me perdre. Une fois retrouvé Vineyard Boulevard, j'ai suivi à la lettre les indications de Perry. J'ai tourné dans la rue Lusitana et suis tombée sur le stationnement desservant le bâtiment n° 1 des bureaux des médecins. Ce nom, hautement poétique, prouve à lui seul que les toubibs ne sont pas plus doués que les militaires pour ce qui est de baptiser leur habitat. À moins qu'ils n'aient choisi cette appellation que pour rendre compte d'un fait incontestable.

Quoi qu'il en soit, ce bâtiment n° 1 des bureaux des médecins n'est autre qu'un bloc de pierre indéfinissable, dépourvu de tout ornement architectural susceptible de l'enjoliver. Toutefois, il peut s'enorgueillir de la proximité d'un bel arbre. Un baobab ? Un nawa ? Adressez-vous à un arboriculteur.

En marchant vers l'entrée, impossible de ne pas remarquer la tour principale de l'hôpital. Blanche comme la craie, elle se détache sur la toile de fond des gratte-ciel en verre et en acier du centre-ville et domine tout le quartier.

Ascension en compagnie de deux hommes et d'une femme en blouse de laboratoire, ayant tous les trois une bosse au niveau de la poche : l'inévitable stéthoscope. La femme était plongée dans l'étude d'un diagramme, les hommes hypnotisés par le clignotement des boutons des étages.

Nussbaum, Wong et Bjornsen, ai-je déchiffré discrètement sur leurs badges.

Diversité culturelle, socle d'Honolulu.

Le bureau d'Utagawa se trouvait au troisième étage. Perry, déjà là, était assise dos à la porte. Ses piques capillaires étaient aujourd'hui d'un joli magenta.

Derrière le bureau, selon toute évidence, l'intraitable Dr Utagawa. Lunettes à monture métallique et calvitie limitée à la moitié du crâne. Mais pour combien de temps encore ?

Les plaques rouges qui envahissaient son visage suggéraient un certain degré d'agitation. Ou un problème de rosacée. Connaissant Perry, j'ai opté pour la première solution.

Utagawa s'est levé à mon entrée. Trop vite. Le bonheur de voir enfin débarquer les secours, je suppose. Sa main gauche s'est attardée sur un dossier, comme une araignée, ses doigts manucurés bien écartés. Il n'y avait rien d'autre sur le plateau de sa table.

Présentations et échange de poignées de main. Utagawa m'a indiqué du geste le siège placé à côté du ME. Je m'y suis installée. Il s'est assis à son tour. A déplacé le dossier de manière qu'il soit parfaitement parallèle au bord de son bureau. A croisé les doigts dessus.

— J'ai expliqué au Dr Perry, comme je l'avais déjà dit au détective avec qui je me suis entretenu, qu'il s'agit d'un mineur. Par conséquent, en l'absence d'une autorisation émanant d'un parent, d'un tuteur ou du tribunal, je ne discuterai de ce patient que dans le strict respect du règlement éthique.

Il s'est tassé, prêt au combat.

— Ce enfant, ça fait déjà un bail que vous l'avez soigné…

Mieux valait intervenir sans plus attendre. Je l'ai fait sans me soucier d'interrompre Perry.

— Nous comprenons parfaitement votre position, docteur. Pour rien au monde nous ne vous demanderions de violer le secret liant le médecin à son patient.

Un tantinet détendu, Utagawa a opiné du bonnet. Mouvement des paupières, plus que de la tête, mais qui lui a valu mon sourire le plus séducteur.

— Si vous voulez bien nous confier ce à quoi l'éthique vous autorise…, a aboyé Perry.

Le regard d'Utagawa a dévié vers elle pour revenir sur moi et se poser ensuite sur le dossier. L'ayant ouvert, il s'est mis à évoquer les faits qui pouvaient l'être sans porter atteinte à sa conscience professionnelle.

— Le 13 août 2003, un jeune homme de quinze ans du nom de Francis Kealoha est arrivé en ambulance aux urgences du Queen's Medical Center. Il s'était blessé à la jambe gauche en faisant du surf. (Utagawa a remonté ses lunettes. Sauté plusieurs paragraphes.) Le médecin a ordonné des radios et conclu à la nécessité de le faire examiner par un orthopédiste. Moi-même, en l'occurrence, car j'étais de garde ce jour-là.

Pas mal de pages plus loin.

— Après examen, j'ai admis le patient en chirurgie reconstructive.

Utagawa a serré les lèvres. Il en avait terminé. Pour l'inciter à poursuivre, j'ai demandé :

— Kealoha avait une fracture de la métaphyse distale du tibia ?

— Entre autres.

— La tige axiale étant instable, vous avez réduit la fracture à l'aide d'une vis placée dans le calcanéum et soumis le pied à une traction, c'est bien cela ?

— Après ce traitement, il est resté dans le plâtre un certain temps. Il a supporté sans problème la pose des vis et la traction, et la fracture s'est parfaitement ressoudée.

— Combien de temps avez-vous suivi monsieur Kealoha après sa sortie de l'hôpital ?

— Jusqu'à ce qu'on lui retire son plâtre. Hélas, après cela, il ne s'est plus présenté à aucun rendez-vous, bien que je l'aie fortement engagé à poursuivre la thérapie. Lors de sa dernière visite, il s'est plaint d'une légère rigidité résiduelle dans l'articulation subtalaire.

— Vous avez des radios de monsieur Kealoha ?

Un oui, dénué d'enthousiasme.

— Est-ce que nous pourrions les comparer avec celles de notre inconnu ?

Utagawa s'est dirigé vers le négatoscope fixé au mur. Perry et moi avons suivi le mouvement. Un grand carré noir nous attendait, agrafé contre le verre.

Pendant qu'Utagawa allumait la lumière, Perry a sorti sa radio et l'a accrochée à côté de celle prise du vivant de Kealoha. Utagawa les a redressées toutes les deux.

Examen comparatif en passant de l'une à l'autre pour évaluer certains détails des os et de leur microstructure.

Correspondance parfaite en ce qui concernait la forme et la robustesse de la malléole, le diamètre et le contour de la cavité médullaire, la densité et l'orientation des trabécules, et enfin le nombre et l'emplacement des foramens.

Même chose pour la taille des trous laissés par les vis de traction, leur profondeur, leur emplacement et leur angulation.

— Eh bien ! s'est exclamé Utagawa, parlant pour nous tous.

Quelques instants plus tard, je zigzaguais entre les voitures du stationnement pour rejoindre la mienne, en compagnie d'une Perry lestée de deux grandes enveloppes. J'ai demandé :

— J'imagine que Lô et Hung vont interroger les voisins de Gloria Kealoha. Voir si des gens dans le quartier connaissaient Francis ?

— Ils sont déjà sur le coup. Si jamais quelqu'un sait quelque chose sur la disparition de Kealoha, il se souviendra peut-être d'un autre jeune qui se serait évaporé en même temps que lui. En ce moment, ça m'arrangerait bien d'avoir deux affaires résolues d'un coup. Un peu de tranquillité, ça ne serait pas du luxe, vous pouvez me croire. Avec cette foutue plage fermée, je suis dans la merde !

— Qui se plaint ?

— Tout le monde.

Je lui ai souhaité bonne chance et me suis dirigée vers ma voiture.

Je n'avais pas vraiment de raison de retourner au CIL. Ryan et Lily étaient à la baie de la Tortue.

J'ai appelé Katy.

Elle était en pleine forme. Son dernier texte avait suscité une foule de réactions. Elle voulait travailler sur son blogue encore une heure ou deux. Après, d'accord pour lézarder sur la plage.

La côte d'Oahu située au vent s'étire sur près de soixante kilomètres et va de la pointe de Kahuku, au nord, à la pointe de Makapu'u, au sud. Lanikai se trouve approximativement aux trois quarts du chemin vers le sud, entre Kaneohe Bay et Waimanalo Bay.

J'ai eu vite fait de prendre ma décision.

Au lieu de filer vers l'ouest en suivant la route de Pali pour redescendre ensuite, j'allais rentrer à la maison par la route qui contournait la montagne la plus au sud de l'île et revenait vers le nord. C'était plus long, mais le panorama était spectaculaire. Avec de la chance, je verrais même des baleines. Ou des accros du surf.

Cela dit, admirer *kohola* et *kane* à demi nus n'était pas mon seul but. En fait, ce chemin allait me faire longer Halona Cove, le bras de mer où l'on avait récupéré la cheville de Francis Kealoha. J'y étais allée dans le temps, mais je n'avais pas fait véritablement attention à tous les détails du paysage. J'étais curieuse de revoir cet endroit aujourd'hui.

Ma ceinture de sécurité bouclée, j'ai quitté le stationnement et me suis glissée dans la circulation.

Laissant de côté Waikiki, je me suis dirigée vers Diamond Head. Traversée des beaux quartiers, dont Kahala. Là où habitaient les Lapasa.

Après Kahala, la H-1 rétrécit jusqu'à devenir une route à deux voies appelée route de Kalanianaole. Route 72. C'était la journée hawaïenne idéale, tropicale à souhait. Je roulais fenêtre baissée, pour laisser le vent jouer dans mes cheveux.

Hawaï Kai, Hanauma Bay, Koko Head. Je m'arrêtais à tous les endroits signalés pour leur beauté. Quarante minutes plus tard, près de Makapu'u Beach, il y avait un promontoire. Je me suis garée dans le petit stationnement. Une vingtaine de véhicules s'y trouvaient déjà. Je suis descendue de voiture.

À ma droite, au loin, les falaises rocailleuses de Makapu'u Point. À ma gauche, les touristes arpentant le belvédère, appareil photo autour du cou, dans l'espoir d'apercevoir les capricieuses trombes d'eau du fameux trou d'air d'Halona.

En bas, au-delà de la balustrade, vers le sud, la crique d'Halona, tel un croissant d'or entre de très hautes falaises noires. Là où avait eu lieu le fameux baiser de Burt Lancaster et Deborah Kerr.

Sur le sable, pas l'ombre d'un seul corps luisant de crème solaire. Sur les flots, pas le moindre surfeur bronzé. L'étroit sentier qui serpentait jusqu'au bas de la falaise était barré par des panneaux. *Kapu !* Interdit !

Comment Francis Kealoha et son compagnon anonyme s'étaient-ils retrouvés dans cette crique ? Est-ce qu'ils avaient emprunté cette piste accidentée ? Pour quelle raison y étaient-ils allés ? Pour nager ? Pour pêcher ? Étaient-ils morts ailleurs, et leurs corps, transportés par le courant, s'étaient-ils retrouvés ici, prisonniers des rochers ? Avaient-ils été dévorés vivants par les requins ? Ou à la suite d'une circonstance ayant entraîné leur mort préalablement ?

La vue de ce lieu ne m'apportait aucune réponse. Pourtant, curieusement, cela me rassurait d'y être venue en personne.

Après Makapu'u Point, j'ai longé la baie de Waimanalo ; à cinq kilomètres de là commençait la plus longue plage de sable d'Oahu. Côté océan, Makai et ses vagues éblouissantes qui venaient s'écraser sur les rochers dans un bruit de tonnerre ; côté terre, Makau et ses montagnes qui s'élevaient haut dans le ciel, fraîches et vertes, comme si elles avaient pris la pose pour Monet ou Gauguin.

Tout en roulant, je jetais des coups d'œil à une ligne de surfeurs, quand une forte secousse à l'arrière a fait vaciller ma Cobalt.

J'ai freiné à mort.

Dans le rétroviseur, une voiture noire au ras de mon pare-chocs. Et le soleil de l'après-midi qui se reflétait sur son pare-brise en verre teinté.

Éblouie, j'ai plissé les paupières pour tenter de distinguer les occupants du véhicule. Deux silhouettes massives, l'une au volant, l'autre sur le siège du passager : deux hommes, à tout croire.

— Eh bien, *aloha* à vous aussi !

J'ai ralenti, sans lâcher des yeux le rétroviseur.

Le 4 × 4 s'est laissé distancer.

J'ai reporté les yeux sur la route.

Quelques secondes plus tard, nouvelle secousse. Plus forte encore que la première.

Par la fenêtre ouverte, j'ai entendu un moteur hurler.

De nouveau, le pied sur le frein et les yeux vissés sur le miroir latéral.

Horreur, le 4 × 4 déboîtait. Il allait se rabattre et me heurter violemment à hauteur de l'aile arrière.

Mes feux de position ont volé en éclats.

La Cobalt a été projetée en avant.

La fureur m'a prise. Pas longtemps. Remplacée par une terreur affreuse, quand j'ai senti mon pneu arrière droit quitter la chaussée.

Agrippée à mort au volant, j'ai fait de mon mieux pour garder le contrôle de la voiture.

En vain.

Le pneu gauche a quitté la route à son tour.

Le monde entier s'est mis à balancer pendant que je tournoyais sur moi-même.

Le 4 × 4 a disparu au loin sur la droite. De la fenêtre, côté passager, un bras robuste m'a fait au revoir.

À cet endroit de la route, il n'y avait pas de précipice, mais des rochers escarpés qui tombaient dans la mer. Et pas de parapet.

Derrière moi, les vagues déferlaient.

J'ai levé le pied du frein et enfoncé les gaz.

Le moteur a hurlé, la voiture est demeurée sur place.

J'ai appuyé plus fort. Les roues ont expédié du gravillon dans les airs.

Et, lentement, la Cobalt a basculé en arrière.

Chapitre 26

Le cœur battant à tout rompre, j'ai agrippé ma ceinture de sécurité, cherchant à tâtons la boucle de fermeture.

Impossible de l'attraper.

La voiture continuait à glisser en arrière et penchait de plus en plus dangereusement.

J'ai recommencé, prise de frénésie.

La boucle en métal se soulevait bien, mais elle retombait aussitôt dans l'encoche.

Merde !

M'obligeant au calme, j'ai soulevé avec soin la plaque assurant le blocage de la fermeture.

Un déclic, les fourches se sont libérées.

Embardée. L'essieu arrière est retombé brutalement sur le sol. La vitesse s'est accélérée.

Écartant la ceinture, je me suis jetée sur la poignée de la portière.

Trop tard !

Froissement de tôle et plongeon vers l'arrière.

Une giclée d'adrénaline a inondé mes vaisseaux.

Une seconde ? Deux ? Mille ?

Le coffre de la Cobalt a heurté les rochers, j'ai été projetée, la tête sur le volant.

Un instant, la voiture est restée en équilibre, moteur pointé vers le ciel.

Aujourd'hui, quand je revis cette scène, je revois des voitures s'arrêtant sur le bas-côté et des gens, les yeux écarquillés et la bouche en O. Sur le moment, je n'ai rien vu de tout cela.

Une éternité s'est écoulée, puis, au ralenti, la Cobalt s'est enfoncée dans l'eau sur le flanc.

Quant à moi, j'étais tenue plaquée au fond de l'habitacle. Sous l'effet de la pesanteur ou par la force de l'impact, je ne saurais le dire. Puis j'ai été projetée en l'air et je suis retombée le dos à plat sur le levier de vitesse ; de là j'ai rebondi contre la portière du passager.

Je ne sais comment, je n'ai pas perdu conscience. Je baignais dans l'eau.

J'avais le dos et les cheveux trempés. Au-dessus de moi, par la fenêtre du côté conducteur, j'apercevais le ciel et les nuages.

Attrapant le volant de la main droite et le dossier du siège de ma main gauche, je me suis hissée au-dessus du tableau de bord et tendue vers la portière du conducteur. La voiture a vacillé.

Dans ma tête, un hurlement :

Tire-toi de là !

Mais comment ? En baissant davantage la fenêtre à demi ouverte ?

Impossible, le moteur avait calé.

Est-ce que j'arriverais à me faufiler à travers l'ouverture ?

Si je restais coincée, j'allais me noyer, c'était sûr et certain.

Il y avait déjà quinze centimètres d'eau au fond de la voiture.

Ouvrir la portière ?

Vas-y !

Avec l'énergie du désespoir, j'ai soulevé la poignée et poussé vers le haut des deux mains.

En vain. Mauvaise position de mon corps, ou alors manque de force.

Le glouglou me remplissait les oreilles.

Coup d'œil au fond de la voiture : vingt centimètres d'eau !

Réfléchis !

Examen de l'habitacle. Un espace minuscule où j'étais emprisonnée. Des lunettes de soleil qui flottaient. Une carte routière. Pas de sac en vue.

Les clés de contact. *Oui !*

Je les ai arrachées de la serrure et m'en suis servie pour bloquer la poignée en position levée. Puis, haletant sous l'effort et l'angoisse, j'ai passé un bras à l'intérieur du volant, tout en me retenant de l'autre au dossier du siège, et j'ai plié les genoux. Grand coup dans la portière. Des deux pieds à la fois. En y mettant toutes mes forces.

La portière s'est soulevée, a balancé et puis est retombée. Plus rapide que l'éclair, je l'ai rattrapée juste avant le déclic de la serrure.

Le siège du passager était maintenant à moitié submergé.

Tout en bataillant pour empêcher la portière de se refermer, j'ai réussi à me glisser à travers l'ouverture.

Chute libre puis contact avec la mer. De l'eau salée s'est engouffrée dans ma bouche et mes oreilles. S'est refermée au-dessus de ma tête.

Je suis remontée à la surface. À peine le temps de prendre une goulée d'air, et une vague s'est abattue sur moi, m'a projetée en avant, puis aspirée en arrière.

À moitié aveuglée, me débattant dans l'eau, j'ai mesuré des yeux la distance jusqu'au rivage. Quelques mètres seulement, mais des vagues monumentales et qui déferlaient sans interruption.

Prise de frénésie, j'ai fait deux ou trois brasses. Et perdu pied.

Inutile de te battre contre le courant ! Laisse-toi porter par lui !

N'écoutant pas mon instinct qui me disait de nager, j'ai roulé sur le dos et attendu l'accalmie.

J'ai tenté de poser les pieds sur le sol.

Trop creux.

Trop creux.

Trop creux.

Enfin, le fond.

J'ai essayé de me mettre debout, mais j'ai dérapé sur les pierres couvertes d'algues, et une grosse vague m'a renversée. Douleur affreuse à la joue et au genou.

Nouvelle tentative.

Cette fois, j'ai été plaquée contre un rocher. Impossible de me libérer de ces vagues. Elles me martelaient sans relâche, m'empêchaient de respirer.

Et voilà qu'une main sortie de Dieu sait où a agrippé mon bras. Fermement.

Une autre s'est jointe à elle.

J'avais les bras et les jambes en caoutchouc. J'ai quand même réussi à me décoller du rocher. J'avais de l'eau jusqu'à la taille.

Devant mes yeux, deux visages inconnus. Des hommes. Jeunes.

— Ça va ?

J'ai hoché la tête, bouche ouverte, suffoquant toujours.

— Vous pouvez marcher ?

J'ai incliné la tête une fois encore.

— Eh ben, madame. Comme spectacle, c'était réussi !

J'ai bredouillé : « *Mahalo.* »

Nous avons regagné le rivage.

Arrivés sur la terre ferme, mes sauveteurs ont voulu appeler une ambulance. J'ai dit que je n'étais pas blessée. Ils ont insisté. J'ai refusé. Demandé seulement qu'ils téléphonent aux policiers pour signaler l'accident : une seule voiture impliquée, et pas de blessé.

Quand ils sont partis, je me suis laissée tomber par terre et j'ai essayé de me reprendre en main. Je tremblais comme une feuille. Mon cœur battait à grands coups et mes glandes surrénales étaient en ébullition.

Qui donc pouvait vouloir ma peau ? Par quel concours de circonstances la mort d'un adepte des pratiques autoérotiques aboutissait-elle à ce que je me fasse quasiment tuer sur une route d'Hawaï ? Quel événement ou quel individu avait pu servir de déclencheur ? Le noyé de l'étang d'Hemmingford ? Ma conversation avec Platon Lowery à Lumberton ? Mon travail au CIL ? Mais sur quel cas : Lowery, Alvarez, Lapasa ? N'était-ce pas plutôt Gus Dimitriadus, qui venait de se faire virer ? Ou les analyses que j'effectuais pour le compte de Hadley Perry ? Le fait que j'aie permis d'identifier la victime d'Halona Cove en repérant la trace de l'ancienne vis de traction ? Son compagnon inconnu ? Était-ce le hasard, tout simplement ? Le fait de m'être retrouvée devant ce 4 × 4 au mauvais endroit et au mauvais moment ?

Quand enfin j'ai eu retrouvé mon calme, je me suis dirigée vers les spectateurs. Une dame m'a prêté son téléphone. Susie. De beaux cheveux, des dents affreuses.

Katy n'avait pas de voiture, Danny était coincé à sa cérémonie d'arrivée et Perry en train de se faire retourner sur le gril par les puissants de l'île.

Restait Ryan. Je l'ai appelé, furieuse d'y être obligée.

Comme je devais m'y attendre, il a grimpé aux rideaux.

— Tu penses que ces idiots ont fait exprès de te balancer hors de la route ?

— Probablement. Ils m'ont cognée trois fois de suite. Des coups espacés. Je les ai très bien sentis.

— Tu les as identifiés ?

— Non.

— Le véhicule ?

— Non.

— Tu as relevé la plaque ?

— Non.

— Ils avaient bu ?

— J'ai pas eu le temps de leur faire subir l'alcootest.

— Tu es sûre de n'avoir rien vu ?

— Rien du tout. (Pour la quatrième fois.) Mais la Cobalt est en miettes.

— *Shit*. Lily vient de partir pour sa leçon de PSP.

— De quoi ?

— PSP. Pagaie sur planche. Tu pagaies debout sur un machin qui ressemble à une planche de surf. Ne me demande pas ce qui lui plaît là-dedans. Elle en a encore pour vingt minutes. (Respiration agitée.) Si tu veux, je peux filer te chercher, te ramener à Lanikai, et revenir ici la prendre…

— Tu es où ?

— À Wailea.

— C'est à une heure au moins de là où je suis.

— Peut-être que je pourrais…

— Ryan, ce n'est pas un problème.

En fait, c'était vraiment la merde. J'étais trempée, mon genou me faisait un mal de chien, j'avais la joue en sang et, bien évidemment, je n'avais pas un sou sur moi.

— Comment tu vas rentrer à la maison ?

— L'agent de police aura sûrement une tonne de papiers à me faire remplir. Peut-être qu'il aura pitié de moi ou m'appellera un taxi. (Si Susie, la bonne Samaritaine, partait avec son téléphone.)

— Et si je demandais à l'agence de location d'envoyer quelqu'un te chercher ?

— Tu parles. Ils vont m'adorer, chez Avis. Je le sens déjà. (En fait, la seule idée de les appeler me terrifiait.)

— L'accident n'était pas de ta faute.

— Ils seront très heureux de l'apprendre.

— *Yo ?*

Je me suis retournée.

Un flic m'appelait depuis sa voiture de patrouille. Un homme plus tout jeune. Dans les cinquante ans, probablement. Un certain Palenik. Visiblement, il m'adorait déjà lui aussi. Pas de papiers, pas de permis, et la bagnole trois mètres cinquante sous l'eau.

— On vérifie vos dires, a beuglé Palenik, au plus grand intérêt des spectateurs. Vous vous ramenez, qu'on règle le problème ?

— J'arrive ! (À Ryan :) Faut que j'y aille. On se retrouve à la maison.

Je ne m'étais pas trompée : pour écrire *Guerre et Paix*, Tolstoï a probablement noirci moins de pages qu'il ne m'a fallu en remplir pour établir ce constat d'accident à Honolulu.

J'en étais à apposer mon dernier paraphe quand une Ford Crown Victoria est venue s'arrêter derrière nous, après un demi-tour sur la chaussée. À présent, le bas-côté était désert, exception faite du véhicule de police dans lequel je me trouvais en compagnie de Palenik.

Le conducteur de la Crown Vic s'est dirigé vers nous en grattant son pantalon. Blanc, le pantalon. Alors que la chemise par-dessus était rouge et bleu des îles. Un sac de gym balançait au bout de son bras gauche.

D'après sa taille, impossible de dire s'il avait achevé sa croissance.

Palenik l'a suivi des yeux sans bouger de derrière son volant. Aucun signe d'alarme chez lui.

OK. Je suis restée *cool*, moi aussi.

La question de l'âge du bonhomme a été réglée dès que je l'ai vu de près. S'il ne mesurait pas plus d'un mètre soixante pour soixante kilos tout mouillé, son visage en revanche affichait plus ou moins quarante ans. Les pommettes marquées et les lourdes paupières supérieures indiquaient sans conteste l'ascendance asiatique. Mais les yeux turquoise et les cheveux gingembre laissaient supposer la réalité d'une intervention étrangère, à un moment donné de sa généalogie.

Il a posé l'avant-bras au-dessus de la fenêtre de Palenik et s'est penché vers lui.

— *Aloha*, Ralph.

— *Aloha*, détective.

Détective ?

— Comment ça va ?

— Peux pas me plaindre.

Les yeux turquoise se sont posés sur moi.

— Dr Brennan, je présume ?

Palenik a eu un sourire. Son premier.

— A fallu que t'attendes longtemps pour nous sortir ta phrase ?

— J'aime bien accompagner les vieux classiques d'une petite touche personnelle, a répliqué l'autre en souriant.

Mes vêtements me collaient au corps, mon maquillage n'était plus que d'horribles coulures noires, mes cheveux en bataille dégoulinaient d'eau et ma bagnole était à la mer. Je n'étais pas vraiment d'humeur à plaisanter.

— Ralph, donc. Puisque vous savez tous les deux qui je suis et qui vous êtes, ce serait peut-être bien que vous me présentiez ce monsieur ?

Mon regard a dévié de Palenik au type planté devant sa fenêtre. Les deux hommes ont échangé un sourire narquois, l'air de dire : « Que voulez-vous, ma p'tite dame ? Suprématie de la testostérone, faut vous y faire ! » Puis l'inconnu s'est redressé. Il a fait le tour de la voiture et a ouvert ma portière.

— Ivar Lô.

Une main minuscule s'est tendue vers moi.

— Hung et…

J'en bégayais de surprise.

La main s'est retirée.

— Mon partenaire est en train de régler un problème familial.

— Comment est-ce que vous avez appris…

— Le détective Ryan a pensé que vous auriez peut-être besoin de vêtements secs… Désolé, y a pas de petite culotte !

Et Lô de me balancer son sac de gym sur les genoux. J'aurais dû le remercier. J'étais trop énervée. Et gênée. Il est retourné du côté de Palenik.

— J'ai reçu un appel d'un soi-disant collègue. Police criminelle de Montréal. Il était coincé sur la côte nord. Il m'a demandé d'aller délivrer la petite dame à un certain endroit.

Délivrer la petite dame ?

— Elle en a de la chance. Un petit tour de l'île avec chauffeur.

Et Lô de ponctuer sa phrase d'un sourire à mon adresse.

Un petit tour de l'île ?

Non seulement Ryan endossait le rôle du chevalier sans peur et sans reproche, mais en plus ce Lô me prenait pour une de ces stupides accros aux séries télé qui rêvent d'être enlevées par un flic. Dans ma tête, le bouton colère s'est allumé tout seul. Je l'ai éteint : inutile de me faire un ennemi de ce crétin.

— Je sais encore appeler un taxi.

— Et vous le paierez comment ?

— Je suis bien certaine…

— Vous en avez fini avec la paperasse ?

J'ai remis le formulaire à Palenik.

— Ryan m'a dit de vous emmener avec moi, a encore déclaré Lô en se pliant en deux pour me parler.

— Vraiment ? ai-je lâché d'une voix plus froide que la toundra. Je n'ai pas besoin d'un chauffeur, détective Lô. Quant au petit tour de l'île, j'ai passé pas mal de temps sur des enquêtes polic…

— Vous pouvez vous changer dans ma voiture.

— Je n'ai pas l'intention…

— La remorqueuse est en route, m'a interrompue Palenik. Je m'occupe de récupérer l'épave.

Pourquoi pas ? Puisque Lô se chargeait de l'épave humaine.

— Je te revaudrai ça ! a dit Lô.

Palenik a mis le contact.

Quelle subtilité, camarade Ralph.

Je suis descendue de voiture avec le sac de gym et j'ai claqué violemment la portière.

— Je vais attendre ici, a continué Lô en désignant sa Crown Victoria.

— Et ce petit tour de l'île me conduira où ? (Sur un ton à peine poli.)

— À Kalihi Valley. Votre équipier nous y attend déjà.

Ah ?

— J'ai un indic qui prétend que Francis Kealoha a été assassiné.

Chapitre 27

La Crown Vic puait l'ail et la sauce au soja. Quant à Lô, il conduisait comme Ryan : je fonce, je freine ; je fonce, je freine. Quinze kilomètres plus loin, j'avais le cœur à l'envers. Peut-être à cause des litres d'eau de mer qui gargouillaient dans mon ventre.

Les vêtements que je portais devaient appartenir à Lô. La chemise avec les perroquets et la ceinture m'allaient à peu près, mais le pantalon s'arrêtait dix bons centimètres au-dessus de mes sandales détrempées.

J'avais la joue à vif, une bosse aussi grosse qu'un noyau de pêche sur le front et les cheveux remontés n'importe comment sur le sommet de la tête. Pas de peigne et, pour nettoyer les coulures de mascara, que des mouchoirs en papier. Édifiant.

La radio crachait le jargon habituel de la police.

Lô avait chaussé des lunettes à la John Lennon. De temps à autre, je lui jetais un coup d'œil. Pas très discret, je dois dire.

— Mère norvégienne, père vietnamien.

J'ai vivement reporté les yeux sur la chaussée.

— Une chance que j'aie hérité de la taille de mon vieux, déjà que je fous la trouille aux gens.

Dit sur un ton pince-sans-rire.

— J'aurais cru que c'était la chemise.

— Non. Ça, c'est la cerise sur le gâteau.

Nouveau silence sur tout un kilomètre et demi. Puis :

— Ryan a l'air d'un brave gars.

— Un prince.

— Il m'a expliqué comment vous fonctionniez, tous les deux.

Je n'ai pas répondu.

— Il dit que vous êtes pas mal.

Je lui aurais volontiers retourné une réplique cinglante, mais je n'étais pas foutue de me débrouiller toute seule pour rentrer à la maison. En fait, je m'en voulais surtout à moi-même. Pour m'en être remise à Ryan alors que je connais son style. Je l'ai quand même appelé. Ma faute. Et puis au diable ! J'étais plutôt secouée, même si je faisais des efforts pour ne pas le montrer.

— Vous me décevez, a repris Lô.

— Je vous déçois ?

— Ryan m'a juré que l'étiquette « petite dame » me vaudrait une tonne de merde sur la tête.

— Vraiment ?

— Le petit tour de l'île, c'était ma touche personnelle.

— La cerise sur le gâteau ?

— Si on veut.

— Vous devriez devenir scénariste, détective. Avec un peu de chance, vous seriez engagé dans l'équipe qui écrit pour Tina Fey.

— Ouais, c'est une idée. (Assorti d'un lent hochement de tête, comme s'il s'apprêtait à envisager la question sérieusement.) Mais d'abord, je dois coincer le salaud qui a lancé votre voiture en orbite.

— Vous croyez que c'était délibéré ?

— C'est ce que je vais tâcher de voir. (Bref coup d'œil dans ma direction.) Si vous voulez, je peux vous emmener jusqu'à Lanikai.

— Je me sens bien mieux que je n'en ai l'air.

Archi-faux, mais j'aurais avalé des crottes de pigeon plutôt que d'admettre ma faiblesse.

Lô a haussé les épaules.

— À votre guise !

— Dites-m'en plus sur ce Francis Kealoha.

— Sa sœur habite du côté de Kalihi Valley. À KPT. Le fin du fin, dans l'immobilier.

KPT : Kuhio Park Terrace. La plus grande cité HLM d'Hawaï. Juste après vient la Résidence de Kalihi Valley, autre mastodonte situé dans le même secteur. L'incroyable, c'est que les immigrés débarquent presque tous dans ce coin-là. Résultat, la population de Kalihi Valley est asiatique ou mélanésienne à plus de quatre-vingts pour cent. Et la moitié, probablement, n'a pas vingt ans. Du moins, c'est ce que j'ai lu quelque part.

— Gloria, c'est une gentille fille, a dit Lô en coupant du pouce sa radio de bord. On va se pointer chez elle. Après, on ira bavarder avec mon indic et Ryan nous rejoindra là-bas.

— Ça ne le dérangera pas que vous vous rameniez avec des gens qu'il ne connaît pas ?

— Il fera comme je lui dirai.

— Et si Gloria n'est pas chez elle ?

— Elle y est. En passant, quand je causerai avec ces beaux esprits, vous serez comme un palmier en pot.

Une demi-heure plus tard, Lô se garait près d'une tour sortie tout droit d'un cauchemar des années 1970. Construite à une ère où l'objectif, dans le logement social, c'était d'isoler les gens et de les empiler. Un charme et une chaleur humaine dignes du goulag.

On est restés dix minutes à attendre devant l'immeuble, Lô tranquillement assis, les bras croisés ; moi faisant les cent pas en me lamentant sur la perte de mon BlackBerry. Ensuite, on est montés jusqu'au quinzième étage dans un monte-charge bondé.

Un long balcon en béton avec des vide-ordures au bout, bloqués par des sacs de supermarché déchirés. Une abondance de canettes en aluminium, de bouteilles, de tissus sales et de couches-culottes pleines de caca, d'os de poulet et de produits alimentaires putréfiés. Le rêve pour les cafards qui vadrouillaient partout.

Arrivé devant l'appartement 1522, Lô a tambouriné sur la porte du plat de la main.

Pas de réponse. Juste le bourdonnement des mouches.
Il a recommencé. Plus fort.
— Police d'Honolulu. On sait que t'es là, Gloria.
— Allez-vous-en !
Une voix de femme avec un léger accent.
— Tu sais bien qu'on le fera pas.
— J'suis pas habillée.
— On va attendre.
Plusieurs secondes se sont écoulées avant qu'on entende cliqueter des verrous.
Gloria Kealoha était grande. Très grande, même. Le teint couleur noix de muscade, les cheveux blond platine. Des tonnes de maquillage. De quoi faire une beauté à toutes les filles d'un grand village.
Lô a rangé ses lunettes et présenté sa plaque.
— Détective Lô. On s'est déjà parlé à propos de votre frère.
— Je vous ai dit tout ce que je savais.
— Mes condoléances, Mme Kealoha. Francis est mort.
— Chienne de vie.
Elle a tiré une longue bouffée de la moitié de Camel entre ses doigts.
— Il demeure des questions.
— Ah bon ? Je suis en danger ?
Voix rauque de fumeur ; rire dépourvu de joie.
— J'ai besoin de savoir le nom de ses amis.
— Désolé, chéri, j'peux rien vous dire maintenant.
— On n'est pas là pour faire des mondanités, Gloria. Ou on parle ici ou je t'emmène au poste.
— *Jesus*. Qui est mort pour que t'aies été élevé au rang de dieu ?
— Mon oncle.
— *Fuck you.*
— Non merci.
Gloria m'a jeté un regard.
— C'est qui, la *haole* ?
— Le Dr Brennan. C'est elle qui a identifié ton frère.

— Qu'est-ce qui t'est arrivé, ma jolie ? T'as voulu stopper un train avec ta gueule ?

— Je vous présente toutes mes condoléances.

— T'es une sorte de coroner, c'est ça ?

D'un coup sec, Gloria a tiré sur son bustier, découvrant au ras du tissu élastique une fleur fanée aux pétales étirés, vestige d'un bouton de rose qu'elle avait dû se faire tatouer jadis pour égayer ses décolletés.

— Il me faut le nom des amis de ton frère, a répété Lô, pressé de remettre l'entretien sur ses rails.

— Comme je l'ai déjà dit, j'ai pas la moindre idée.

— Il habitait où, Francis ?

Gloria a tiré sur sa Camel, exhalé la fumée et agité la main devant son visage pour la chasser. Ses doigts n'avaient dû connaître les bienfaits d'une manucure qu'une seule fois au cours de toute son existence.

— J'ai entendu dire qu'il était allé en Californie, il y a de ça deux ans. Aux dernières nouvelles, il y était toujours.

— Tu savais pas qu'il était revenu à Honolulu ?

— Il était pas vraiment dans mon carnet d'adresses. Ni moi dans le sien.

— Qu'est-ce que tu peux nous dire ? a insisté le flic sur un ton qui n'invitait pas Gloria à se foutre de sa gueule.

— Écoute bien.

Elle a tiré une dernière bouffée avant de jeter son mégot et de l'écraser de la pointe de sa tong.

— Je sais rien. Le jeune avait dix ans de moins que moi. On vivait pas dans le même monde. Il avait pas six ans que j'habitais déjà ailleurs. Je jure devant Dieu que je l'ai jamais connu.

— Cherche bien. Trouve quelque chose.

Gloria a récolté un brin de tabac sur sa lèvre et l'a expédié au loin d'une pichenette, non sans l'avoir soigneusement examiné au préalable.

— Bon. Voici l'histoire de ma vie. Quand j'avais quatorze ans et Frankie quatre, notre mère nous a laissé tomber, mon père, mon frère et moi, pour un gars qu'elle avait rencontré à son travail. Elle était femme de chambre dans un hôtel. Deux mois plus tard, notre vieux a passé l'arme à gauche. Accident de bateau.

Elle s'est arrêtée. Lô est resté muet. Pour qu'elle poursuive d'elle-même. Ce qu'elle a fait.

— M'man a épousé cette ordure. Il nous a adoptés. Dix-huit mois plus tard, le trou de cul disparaissait. Les familles toutes prêtes, ça devait pas lui plaire, j'imagine.

— Son nom, à cet homme ?

— Sammy Kealoha.

Lô étudiait Gloria pendant qu'elle parlait. Moi, j'étudiais Lô.

— Et il est où, maintenant ?

— À toi de me le dire, c'est toi le détective.

— Et ton frère, il l'aimait bien ?

— Pouvait pas le voir en peinture !

— Pourquoi ?

— Frankie disait qu'il lui avait foutu sa vie en l'air.

— Comment ça ?

— *Shit*, à cause de tout ça ! Pour notre famille brisée, pour nous faire vivre dans un HLM, pour p'pa qui s'est noyé, pour m'man qui est devenu folle, pour son cul qui le grattait.

Elle a levé la main vers sa bouche et a eu l'air surprise de ne pas trouver de Camel entre ses doigts.

— Après le départ de Sammy, m'man s'est mise à travailler quand elle pouvait et à boire quand elle aurait pas dû. Dès que j'ai eu seize ans, j'ai filé à Kona m'occuper de mes affaires.

— Quel genre ?

Gloria a croisé les bras.

— Massothérapie.

— Ouais. Tu te rappelles si ton frère avait un tatouage ?

— Bien sûr. Un caniche poilu, sur la queue. Il l'appelait…

— Dis-moi, Gloria. Cette massothérapie, t'as un diplôme qui t'autorise à exercer ?

Lô a extrait de sa poche une photo et l'a tendue à Gloria. Au passage, j'ai reconnu un gros plan du tatouage de requin découvert sur la cheville repêchée à Halona Cove.

Gloria l'a rendue sans presque la regarder.

— Je préfère Picasso.

— Est-ce que Francis s'est cassé la jambe, un jour ?

— Ouais. J'avais complètement oublié !

Surprise manifestement sincère.

Du geste, Lô lui a signifié de développer un peu.

— C'était à l'école secondaire.

Lô a refait son mouvement de la main.

— J'ai pas grand-chose à en dire. Frankie était allé faire du surf, un jour qu'il avait bu. Il s'est cassé la gueule et s'est retrouvé au Queen's Center. Ma mère m'a écrit une ou deux fois. Elle était bouleversée. J'ai eu pitié du petit, je lui ai envoyé une carte.

Le temps de le dire, une intense émotion a submergé Gloria, ça s'est vu dans ses yeux. Puis tout s'est effacé.

— C'était quand m'man m'écrivait encore. (Avec un haussement d'épaules.) Après, elle est morte.

— Désolé, a dit Lô.

— *Fuck*, pour ce que j'lui dois. (Et de désigner l'environnement crasseux d'un ample mouvement de son bras puissant.) Grâce à elle, je peux vivre le rêve américain.

Lô lui a tendu sa carte de visite.

— Si quelque chose te revient en tête, n'importe quoi, tu m'appelles.

Gloria a reculé. Sans prendre la carte.

— Aussi, pas de voyage sans nous prévenir, tant que l'affaire n'est pas résolue.

— Eh bien, fouteur de merde. Je peux dire adieu à ma croisière à Monte Carlo.

Sur ce, elle a refermé sa porte.

Tourné les verrous.

Pendant que nous quittions les lieux, j'ai jeté un coup d'œil en arrière. Les tours de Kuhio Park Terrace se dressaient dans le ciel limpide, noires et désespérées. À l'image des habitants emprisonnés dans leurs murs.

Chapitre 28

Pendant le trajet jusqu'au centre commercial de Kapalama, Lô m'a tracé un portrait de l'informateur avec qui il avait rendez-vous au MacDo. Curieux qu'il tienne tant à me parler de lui. Je n'ai pas cherché à savoir pourquoi.

Le Fitch en question était un chat de ruelle qu'il avait sauvé de la prison, un drogué qui ne présentait de danger pour personne, qu'on ne remarquait pas dans la foule des petits chefs de bandes, souteneurs, revendeurs de drogue, putes et autres défoncés qui formaient les bas-fonds d'Honolulu. En échange d'un repas et d'un peu d'argent, il donnait parfois à Lô des renseignements sur les uns ou les autres, ou des informations sur des événements qui se tramaient.

En ce milieu d'après-midi, il n'y avait qu'une poignée de voitures dans le stationnement du MacDo.

Une silhouette en t-shirt jaune délavé et chandail façon LL Cool J aux manches roulées nous a doublés pendant qu'on traversait l'étendue de bitume, et a franchi la porte juste devant nous. Visage dissimulé par l'immense visière de sa casquette, mais du poil aux mollets. Un individu de sexe masculin.

Mon petit doigt m'a dit que c'était Fitch.

À l'intérieur du restaurant, il a regardé à droite et à gauche avant d'aller s'asseoir sur une banquette du fond. Petit et tout en nerfs. Comme Lô. Dans les vingt ans et quelques.

Lô s'est dirigé vers le comptoir. Je l'ai suivi.

Il a demandé un Big Mac, des frites et deux Coke.

J'ai pris un Coke Diète. La fille m'a regardée d'un drôle d'air mais sans faire de commentaires.

Lô a payé. On a attendu la commande dans une odeur d'huile de friture qui a fait grimper d'un cran mon mal de cœur.

Puis Lô s'est emparé du plateau et l'a porté jusqu'à la banquette. Je me suis assise et me suis poussée vers le mur. Lô s'est écroulé à côté de moi.

À ma vue, les yeux du mouchard lui sont presque sorti des orbites. Il a inspecté les parages et détaillé ma personne avant de se concentrer sur Lô. Arrêt sur image.

Des iris brun noir, un blanc de l'œil du même jaune éteint que son t-shirt.

— C'est qui, elle ?

— Myrna Loy.

— Qu'est-ce qu'elle fait ici ?

— T'inquiète pas pour elle, Fitch.

— *Fuck*, qu'est-ce qui lui est arrivé ?

— Les Ninjas.

Lô m'a donné ma boisson et posé son Coke devant lui, avant de pousser le plateau vers Fitch. Qui l'a tiré vers lui des deux mains.

— J'aime pas ça.

Le bord de table s'est mis à cogner contre le mur. En dessous, le genou gauche de Fitch s'agitait comme un piston.

— Tu feras avec, a répliqué Lô.

— C'est pas ce qui était entendu entre nous.

Il a de nouveau balayé la salle des yeux. S'est caressé la mâchoire.

— C'est moi qui paie, a rétorqué Lô. Tasse-toi, j'attends encore un invité.

Fitch a ouvert la bouche, s'est interrompu, s'est poussé vers la gauche. Il avait des mouvements rapides et saccadés, comme un crabe pris dans un filet.

Lô et moi, on a bu nos Coke.

Fitch a harponné son hamburger.

Lô a sorti un petit carnet à spirale et l'a ouvert sur la table. A fait apparaître la pointe de son stylo-bille.

Des morceaux de laitue fanée tombaient de la bouche de Fitch sur le sachet en papier. Un gros morceau de tomate, un peu de fromage fondu.

— C'est ma santé qui est en jeu.

On voyait de gros morceaux de viande rouler dans sa bouche.

— Faut pas bouffer des cochonneries pareilles.

— T'as compris ce que j'voulais dire.

Le gras lui dégoulinait jusqu'au menton.

— Qu'est-ce que tu dirais de terminer ça ? Te voir manger me met l'estomac à l'envers.

Fitch en était à presser un troisième sachet de ketchup sur ses frites quand quelque chose derrière nous a capté son attention. Je me suis retournée, Lô aussi.

Ryan.

— Et lui, c'est qui ? a piaillé Fitch.

— William Powell.

— Un flic ?

Fitch ne semblait pas saisir les allusions de Lô au célèbre Walk of Fame de Hollywood. Ou alors il les ignorait.

— Ouais, Fitch. Un flic.

— Les stups ?

Son genou gauche dansait maintenant la java.

— *Aloha*, a dit Ryan.

— *Aloha*. (En chœur, Lô et moi.)

Ryan s'est tendu pour admirer mon visage. A gardé ses réflexions pour lui.

D'un air dégoûté, Fitch s'est poussé encore plus loin à gauche.

Ryan s'est glissé à côté de lui.

Fitch n'a pas relevé les yeux. Il a écarté son plateau et continué de s'envoyer des frites dans la bouche.

Lô a tracé des traits avec son stylo-bille pour vérifier qu'il marchait bien. Puis il a demandé :

— Alors, qu'est-ce que tu as récolté ?

Fitch a avalé sa bouchée et descendu une lampée de soda. Il a attrapé une serviette en papier et l'a roulée en boule. Son regard est passé de Ryan à moi, pour s'arrêter sur Lô.

— C'est pas correct, *man*.

Lô n'a pas répondu.

— Ça se saura…

— Non, ça se saura pas.

— C'est mon cul…, a-t-il dit en se frappant la poitrine.

— Si c'est trop pour toi, me fais pas perdre mon temps.

— Je connais la méthode de la police, a pleurniché Fitch. Utiliser les gens et les abandonner ensuite sur le trottoir comme une vieille gomme sans goût.

Sa serviette froissée en boule a rebondi sur le bord du plateau en direction de Lô.

— Fitch, tu te calmes, bordel !

L'indic s'est avachi contre son dossier et a croisé les bras.

— *Shit*.

Une femme a introduit le nez de sa poussette entre deux tables voisines. La soixantaine, à peu près. Bébé invisible. Je me suis demandé si c'était le sien. Drôle de question, mais je me la suis posée.

Les yeux de Fitch ont immédiatement détaillé la femme. Puis balayé le restaurant.

— Hé, j'ai pas l'intention de poireauter ici jusqu'à mon anniversaire, a lâché Lô. Tu as quelque chose pour moi, oui ou non ?

— T'as de l'argent ? a demandé Fitch.

Lô a fait oui de la tête.

L'indic s'est penché en avant, les coudes en appui sur la table, et a commencé à triturer le bord du plateau avec ses pouces.

— Bon. Ton gars est revenu, y a six mois environ…

— Francis Kealoha ?

— Ouais, ouais.

— Revenu d'où ?

— De Californie. De Frisco, je pense, peut-être de LA. Je peux pas dire.

— T'as intérêt à ce que ce soit du solide.

— Ouais, ouais. Kealoha est revenu avec un crétin appelé Logo.

— Tu connais son vrai nom ?

Fitch a secoué la tête.

Note de Lô dans son carnet. Puis :

— Tu es sûr que c'était Francis Kealoha ?

— Ouais, ouais. On a grandi ensemble à KPT. C'était lui.

— Continue.

Les pouces de Fitch sont remontés sur le bord du plateau et sont retombés sur la table.

— C'est ça, Frankie et Logo arrivent ensemble. Quelques mois plus tard, ils disparaissent tous les deux des radars.

— Tu peux me donner des dates ?

— Est-ce que j'ai l'air de leur agent de voyages ?

Dans les yeux de Lô, une fureur glaciale à stopper net le réchauffement de la planète.

— Bon. Ça fait peut-être trois ou quatre semaines que je les ai plus vus, je pense.

Coup d'œil de Lô dans ma direction. J'ai hoché la tête : il y avait bien concordance entre la période de temps indiquée et l'état des restes récupérés dans la crique d'Hàlona.

— Où habitait Kealoha ?

— Du côté de Waipahu, d'après ce que j'ai entendu dire.

Nouveau gribouillis de Lô dans son carnet.

— Continue.

— C'est tout.

— Si c'est tout ce que t'as, tu me rembourses ton hamburger, p'tit merdeux.

Quelques secondes se sont écoulées, une minute pleine, dans un silence troublé seulement par de petits grattements énervés : les pouces de Fitch raclant le plateau.

— Elle vaut plus que ça, mon info.

— Tu lis pas les journaux ? C'est pas une bonne année pour les primes.

Fitch m'a désignée du menton, puis Ryan.

— Je prends des risques, ici.

Lô a laissé passer un moment.

— Bon, on verra ce que ça vaut.

Près de nous, le bébé a commencé à pleurer.

Fitch a encore balayé l'endroit des yeux.

— Paraît que Kealoha faisait des affaires qu'il aurait pas dû.

— Quoi ?

— Coke, herbe. Le commerce habituel.

— Ça dérangeait qui ?

— L'il Bud.

— Continue, a fait Lô avec un signe d'assentiment.

À l'évidence, ce nom ne lui était pas inconnu.

Fitch a pris une grosse goulée d'air. A exhalé. S'est tiré le nez. S'est penché davantage vers Lô.

— D'après la rumeur, c'est L'il Bud qui l'a fait descendre.

— La rumeur a des noms ?

— Pinky Atoa. Ted Pukui.

Lô les a inscrits dans son carnet. Cette fois encore, il avait l'air de très bien savoir de qui il s'agissait.

— Ça s'est passé comment ?

— Paraît qu'ils ont été descendus du côté de la pointe de Makapu'u.

Je me suis représenté l'endroit, les rochers à fleur d'eau. Le morceau de corps récupéré dans la crique d'Halona, dévoré par le requin.

Je me suis rappelé aussi ce qu'avait dit Perry du poète de Perth qui s'était suicidé. J'ai eu l'impression que des doigts glacés me chatouillaient l'épine dorsale.

— Des questions, doc ?

Lô s'était adressé à moi. Pour la première fois, j'ai parlé à son indic.

— Ce Logo, il avait quel âge ?

Comme Fitch me regardait d'un air un peu ahuri, j'ai ajouté :

— À peu près. Vingt ans ? quarante ? soixante ?

— *Shit*, j'en sais rien. Un peu plus vieux que Kealoha, je dirais.

— Décrivez-le-moi.

— Des cheveux foncés, des yeux foncés. Un corps genre béluga.

— Qu'est-ce que vous voulez dire ?

— Un costaud.

— Costaud comment ?

— Un mètre quatre-vingt-cinq, cent cinquante kilos peut-être. Hamo typique. C'est pour ça qu'ils s'entendaient bien. C'est des gros, ces gars-là.

Il m'a fallu un moment pour comprendre ce qu'il voulait dire.

— Kealoha, c'est un nom hawaïen.

— Il l'a changé.

— Changé ?

Une idée commençait à se former dans ma tête.

— Quand sa mère est arrivée ici.

— Arrivée d'où ?

— De Tafuna.

La phrase de Gloria sur le rêve américain m'est revenue en tête. Sur le moment, j'avais cru qu'elle parlait d'Honolulu. En fait, ce qu'elle avait à l'esprit, c'était le pays tout entier.

— Avant, il s'appelait autrement, a repris Fitch.

J'ai regardé les deux détectives.

À voir la tête de Lô, il avait abouti aux mêmes conclusions que moi. Ce qui n'était pas le cas de Ryan. Sur son front, les sourcils formaient un angle aigu. Bon point pour lui, il a gardé le silence.

L'excitation commençait à s'emparer de moi. L'air de rien, j'ai demandé à voir la photo d'autopsie prise par Perry.

Lô l'a posée sur la table.

Je l'ai étudiée.

Des vrilles noires et rouges à l'intérieur d'une moitié de faucille. Des bandes en filigrane qui se prolongeaient des deux côtés de la faucille. Le tout étant un *tapuvae*. Un bracelet de cheville tatoué.

Ces trois lignes arrondies à cheval sur le bord supérieur du bracelet ; ces deux C renversés placés de part et d'autre d'un U… Des ajouts ultérieurs, possiblement.

Sauf que maintenant je savais à quoi ils correspondaient.

— Un papier et un stylo, ai-je jeté sur un ton fébrile.

Lô m'a tendu son stylo-bille et une feuille arrachée à son carnet.

J'ai placé le bas de la feuille le long du bord supérieur de la photo, au ras de ces petites lignes tronquées. J'ai poursuivi le tracé des deux C en remontant puis en tournant à gauche et à droite de manière à les transformer en S.

Lô me regardait faire, bouche cousue.

J'ai fermé ensuite le haut du U. J'avais maintenant un O. SOS.

Lô est resté un instant à considérer mon œuvre, puis il a saisi son téléphone.

Les tenant ensemble, j'ai fait pivoter photo et dessin vers Ryan, pour qu'il voie mieux.

— *Tabarnac* !*

Chapitre 29

Le téléphone vissé à l'oreille, Lô a couru dehors. Fitch l'observait comme un chien espérant des miettes.

Nous avons attendu.

Je sentais les yeux de Ryan ausculter mon visage.

Trois collégiennes sont passées devant nous pour aller aux toilettes. Gloussements rieurs et coups de coude pour se frayer un chemin. Toutes les trois, un sac à dos à l'épaule.

La femme près de nous a fini de manger. Elle est repartie avec sa poussette.

Fitch regardait sans rien dire, mais il était agité.

Au bout d'un moment, Ryan a fait oui de la tête à quelqu'un situé derrière moi.

— On y va.

Nous avons rejoint Lô dans le stationnement.

— Mon acolyte va contacter la Californie pour voir ce qu'ils ont sur Kealoha. Et pour qu'ils entrent le nom de Logo dans leur base de données sur les gangs.

— Pas un mot sur moi ! a supplié l'indic.

Lô n'a pas daigné lui répondre.

— Je m'occuperai d'Atoa et de Pukui plus tard. Avec Hung.

— Faut que j'y aille ! a déclaré Fitch en se dandinant d'un pied sur l'autre.

Lô a extirpé son portefeuille de sa poche arrière et a compté cinq billets de vingt. Fitch s'est jeté dessus. Lô a écarté le bras.

— On reste en contact ?
— Ouais, ouais.
Lô a tendu la main.
Fitch s'est emparé du fric et a déguerpi.
— Bizarre de gars, a dit Ryan.
— En manque.
— Tout ce qui compte, c'est l'indic.
— Exact, a dit Lô.
Son regard a rebondi de ma personne jusqu'à Ryan et il a ajouté avec un semblant de sourire :
— SOS, Sons of Samoa. Vous avez raison, la petite dame est pas mal.
— Ça lui arrive, a renchéri Ryan.
La petite dame en question a gardé le silence, n'ayant pas envie de se laisser entraîner sur ce terrain-là.
— Un tatouage de gang, et je ne l'ai pas vu.
— Honolulu a des problèmes ? a demandé Ryan.
— Jusqu'à y a peu de temps, j'aurais répondu non. On a des gangs, c'est sûr. Et c'est sûr aussi que les Samoans aiment bien traîner ensemble. Tout le monde fait des conneries. Mais la violence, en général, ça se borne à des manifestations du genre Jets et Sharks, comme dans *West Side Story*. (Il a remonté ses binocles sur son nez.) Ces derniers temps, pourtant, on assiste à une escalade.
— Comment ça ? ai-je voulu savoir.
— Il n'y a pas bien longtemps, un dur du nom de Lingo a reçu une balle dans le genou dans le quartier chinois. La semaine d'après, c'est un autre qui s'est fait poignarder.
— Revanche ?
Lô a hoché la tête.
— Ils étaient samoans tous les deux. Selon un témoin des coups de couteau, un des agresseurs a crié : « KPT SOS. »
J'ai traduit pour Ryan :
— Kuhio Park Terrace. Sons of Samoa.
— Une guerre de territoire, alors ?

— Pour ce qui est de l'agression par balle, deux punks d'Oakland ont été arrêtés, a expliqué Lô. On soupçonne des trafiquants de la côte Ouest de vouloir étendre leur commerce jusque chez nous.

— Et les gens d'ici ne sont pas d'accord, a ajouté Ryan.

— Pas question de plier.

— Si c'est le cas, Fitch a dit vrai. Un bon point pour son indic à lui.

— Ouais, a dit Lô. En effet.

À six heures, je roulais en ville avec Ryan. Ou plutôt nous faisions du surplace.

J'avais appelé Katy avec le cellulaire de Ryan et lui avais raconté l'accident. J'avais dit qu'on était sur le chemin du retour.

Elle avait voulu connaître l'aventure en détail. J'avais réussi à dévier la plupart de ses questions. Je lui avais assuré que j'étais en pleine forme, elle avait proposé de préparer le dîner.

Après ça, j'avais rapporté à Ryan les grandes lignes de la conversation entre Lô et Gloria Kealoha.

— Avant Fitch, tu n'avais jamais fait le rapprochement avec les Samoans ? a-t-il demandé.

— Non.

— Qu'est-ce qui t'en a donné l'idée ?

— Hamo. Tafuna. Waipahu.

— Klaatu. Barada. Nikto, a enchaîné Ryan.

— Pardon ?

— *Le jour où la terre s'arrêta* ?

Je n'ai pas compris.

— Boucle d'Or ! (Sur un ton faussement déçu.) 1951 ? Michael Rennie et Patricia Neal ? C'est Neal qui dit ces trois mots à Gort, et la terre est sauvée. Laisse tomber. Mon charme et ma beauté te font sûrement perdre tes moyens. Dis-moi plutôt ce qui t'a soufflé l'idée des Sons of Samoa dans le récit de Fitch.

— Trois choses. D'abord, il a employé le mot *hamo*, qui signifie « samoan » en jargon.

— Je croyais que c'était de la viande qui se mariait bien avec le fromage.

J'ai fait comme si je n'avais pas entendu.

— Le samoan appartient à la famille des langues polynésiennes. Dans certains dialectes, le *s* en samoan est remplacé par un *h*. Samoa devient alors Hamoa.

— D'où *hamo*. Je l'ignorais.

— Ensuite, Tafuna. C'est une ville située dans la partie américaine des îles Samoa. Fitch a dit que les Kealoha venaient de là.

— Sauf que, là-bas, ils ne s'appelaient pas Kealoha... Comment une femme avec deux enfants mineurs à charge, sans emploi ni qualification spéciale, est-elle autorisée à immigrer aux États-Unis ?

— Les gens nés dans les îles américaines de l'archipel de Samoa sont considérés comme des ressortissants américains, même s'ils ne possèdent pas véritablement le statut de citoyens américains. Ils sont donc libres de voyager dans tous les États et territoires du pays.

— Je vois. La troisième chose ?

— Waipahu. Il y a plusieurs communautés samoanes sur l'île d'Oahu. Elles sont assez nombreuses. L'une d'elles se trouve près de Kalihi Valley, l'autre à Waipahu.

— Et Kealoha habitait à Waipahu.

— Voilà.

— Mais comment tu as fait le rapprochement avec les Sons of Samoa ?

— Tu te rappelles le jeune que j'ai identifié, il y a à peu près un an et demi ? Celui qui était tatoué des pieds à la tête ?

— Le roi latino poignardé devant le bar, à Sainte-Anne-de-Bellevue ?

— Oui. Pour résoudre ce cas, j'ai dû faire des heures de recherches sur les tatouages des gangs.

— Médaille d'or, Brennan !

Je n'ai pas eu le temps de lui dire merci qu'il était déjà passé à autre chose, selon sa bonne habitude.

— Parle-moi de l'accident.

— Je l'ai déjà fait.

— Redis-moi tout.

— Une voiture m'est rentrée dedans par derrière, et a recommencé. Trois fois en tout. Puis, au moment de me doubler, elle a fait une embardée et m'a percutée à hauteur de l'aile arrière gauche. J'ai braqué…

— Quel genre de voiture ?

— Un 4 × 4 noir.

— L'année ? La marque ?

— Je n'ai pas eu le temps de voir. Ça s'est passé trop vite.

— Combien de personnes dans la voiture ?

— Deux. Je crois. Difficile à dire, les vitres étaient en verre fumé.

— Homme ou femme ?

— Oui.

Ryan m'a jeté un regard pas vraiment amusé.

— Le passager était un homme.

— Comment le sais-tu ?

— Il m'a fait au revoir de la main.

Ryan a laissé passer un moment. Puis :

— Lô pense que ce n'était pas un accident.

Moi non plus. Mais je n'avais pas envie de réfléchir à ce que cela impliquait. J'ai préféré demander :

— Il pense quoi ?

— Qu'on a fait exprès. (Sur un ton sarcastique.)

— Très bien. Jouons à l'avocat du diable. Qui pourrait vouloir me blesser ou du moins me foutre la trouille ?

— Listons les solutions improbables, a dit Ryan en se mettant à tambouriner sur le volant. En voici une : le mafioso d'ici à qui vous avez réclamé un échantillon d'ADN.

— Nickie Lapasa ? C'est ridicule.

— Vraiment ? Et comment son père a débuté sa carrière ?

— Personne n'a jamais pu prouver qu'il était responsable de l'attaque à main armée contre le garagiste…

— D'accord. Et ça : un anthropologue perturbé te considère comme responsable de son renvoi.

— Dimitriadus est peut-être fêlé, mais je ne le crois pas violent.

— Et le coup qu'il t'a foutu dans les côtes ?

J'ai revu la scène au JPAC. C'est vrai qu'il ne me portait pas dans son cœur.

— Et puis, traite-moi de fou si tu veux, mais tu es sur le point d'identifier deux hommes assassinés dans une guerre de drogue.

— Peut-être assassinés.

Nouveau regard torve de Ryan. Je me suis empressée d'ajouter :

— De toute façon, personne n'est au courant.

— Bien sûr. Les gangs sont reconnus pour leur incapacité à communiquer avec leurs membres.

— En voici une autre : j'ai croisé le chemin de deux ivrognes.

La phrase m'est sortie plus sèchement que je ne le voulais.

Ou pas.

— Ah han, a répliqué Ryan.

À la maison, ô surprise, Katy et Lily avaient remisé leurs sarcasmes. La voix de Tool sortait à plein volume des haut-parleurs du salon, accompagnée, à la cuisine, par nos deux filles braillant *Vicarious* dans des cuillers en bois rebaptisées microphones.

— Oh mon Dieu ! s'est écriée Katy en m'apercevant.

Et elle s'est jetée sur moi pour me serrer dans ses bras.

Lily, elle, me regardait, bouche bée, la cuiller figée dans sa main.

M'étant libérée à grand-peine de l'étreinte de ma fille, j'ai voulu plaisanter :

— Si tu voyais l'autre gars !

Ma phrase est tombée à plat. J'ai néanmoins continué sur un petit ton guilleret :

— C'est quoi, le menu ?

— Tu m'as dit un petit accrochage de rien du tout ! Un hasard que la voiture ait été bousillée !

Katy, la voix sévère, martelait ses mots.

— Je vais très bien, je t'assure, ai-je répété pour la millième fois de la journée.

— Si tu allais si bien que ça, tu n'aurais pas cette chemise sur le dos !

— J'aime les oiseaux.

— Tu as les cheveux trempés, la tête comme une épave.

— C'est quoi, cette odeur fabuleuse ?

— On a fait une sauce marinara, a dit Lily. Pour aller avec les crevettes.

— Avec votre permission, je file me changer, je dévore le plat entier de pâtes et je vous raconte tout.

J'ai levé les deux mains, comme un espion prêt à avouer la vérité.

Le regard soupçonneux de Katy ne m'a pas lâchée de tout le temps qu'il m'a fallu pour grimper l'escalier.

Quelques minutes plus tard, j'étais de retour, vêtue d'un short et d'une chemise propre.

Je ne me suis pas étendue sur les détails de l'aventure et je n'ai rien dit de la théorie de Lô. J'ai seulement raconté l'embardée, le coup sur le pare-chocs, le plongeon et le sauvetage. Dans cette version-là, il n'y avait que cinquante centimètres d'eau.

Mon récit achevé, Katy s'est lancée dans un de ces contre-interrogatoires dont elle a le secret.

— Je croyais que tu allais au JPAC.

— J'y suis allée. J'ai même fini mon travail pour le CIL. Et toi, qu'est-ce que tu as fait aujourd'hui ?

— Je peux savoir ce que tu fabriquais sur la côte sud de l'île ?

— Après le JPAC, je suis allée voir le médecin examinateur.

— À propos de ces gars mangés par les requins ?

— Des requins ? s'est écriée Lily, les yeux ronds.

J'ai interrogé Ryan du regard.

— Oh oui, tu peux lui dire.

— Il y a quelques jours, des morceaux de corps ont été retrouvés dans une crique du sud de l'île. Le ME m'a demandé de l'aider à identifier ces restes. Je crois que nous y sommes parvenues.

— Tu peux lui en dire un peu plus, est intervenu Ryan, les yeux braqués sur sa fille.

— Les victimes appartenaient probablement à un gang appelé Sons of Samoa. Ils ont peut-être été assassinés et balancés du haut d'une falaise.

— Parce qu'ils *dealaient* de la drogue, a précisé Ryan.

— Qui c'était ? a demandé Katy d'une voix un peu radoucie.

— Désolée, chérie. Je ne peux pas le dire.

— Ils avaient quel âge ?

Il y a parfois dans la voix de Lily une modulation, une lenteur de débit, qui trahit le fait qu'elle a passé une grande partie de son enfance sur une île de l'Atlantique. Cela s'est justement entendu en cet instant.

— Le tien, a répondu Ryan, les yeux toujours rivés sur elle.

— C'est arrivé sur la côte sud ? a deviné Katy.

— À Makapu'u Point. Comme j'avais fini plus tôt que prévu, j'ai décidé de rentrer à la maison par une jolie route.

Un sourire à la ronde, pour alléger l'atmosphère. Mais qui m'a fait un mal de chien.

— Ce n'était pas une bonne idée, ai-je ajouté.

Le regard de Katy a croisé celui de Lily. Je n'ai pas compris le message qu'elles échangeaient.

— Géniale, cette sauce ! C'est la recette de qui ?

— D'un pot en verre, a répondu Lily.

— Eh bien, chapeau à celles qui l'ont acheté !

J'ai soulevé mon verre. Seul Ryan a trinqué avec moi. J'ai repris :

— Voyons le côté positif, on va nous refiler une voiture bien meilleure.

Katy a convenu que la Cobalt était un tas de ferraille. Lily était d'accord.

Puis Lily m'a conseillé de barboter dans un long bain chaud. Et Katy a renchéri.

Katy a annoncé ensuite qu'elle allait faire la vaisselle, et Lily qu'elle allait l'essuyer.

Enfin, Lily a proposé à Katy de la conduire à sa leçon de surf, le lendemain. Katy a accepté.

Ryan et moi avons échangé un regard rempli de points d'interrogation.

J'ai en effet pris un bain.

Enfoncée jusqu'au menton dans des bulles fleurant bon la glycine, j'ai passé en revue tout ce que j'avais fait depuis mon arrivée à Honolulu.

J'avais bousillé une bagnole, mauvais point pour moi.

J'avais déterminé que l'Araignée Lowery n'avait pas été tué au Vietnam. Grâce à moi, une erreur serait enfin réparée. Et le monde de Platon Lowery brisé en mille morceaux.

J'avais identifié l'homme enterré à Lumberton. Luis Alvarez allait retrouver les siens quarante ans après avoir été tué dans un accident d'hélico.

J'avais localisé les restes de Xander Lapasa. Désormais sa famille, aussi peu aimable soit-elle, pourrait elle aussi clore un douloureux chapitre.

À présent, j'allais aider Hadley Perry à fermer le dossier d'Halona Cove et la plage serait à nouveau ouverte au public. Un jour ou l'autre, les assassins de Kealoha et Logo seraient déférés devant la justice.

Lily et Katy commençaient à s'entendre.

Un bon point pour Lily : grâce à cette séance d'hydro-aromathérapie, je me sentais détendue. Musculairement et nerveusement. Je suis sortie du bain en pleine forme.

Chapitre 30

La sensation d'être observée, voilà ce qui m'a réveillée.

J'ai ouvert les yeux.

Au gris ombreux de ma chambre répondait le gris étain des nuages que je pouvais voir filer au-dessus des flots par la porte-fenêtre donnant sur le balcon.

8:40, indiquait le réveil.

— Un sale temps toute la journée !

J'ai roulé sur le dos. Katy était debout à côté de mon lit.

M'étant redressée en appui sur les fesses, j'ai fourré un oreiller sous ma tête et tapoté la couette à côté de moi.

Katy s'est laissé tomber sur le lit. Elle avait un papier à la main.

— Tu te lèves de bien bonne heure, aujourd'hui.

— Je crois que j'ai fait une connerie.

— Ah bon ?

— Tu sais que j'ai commencé un blogue, cet hiver.

— Oui.

— Je ne sais pas comment, il s'est retrouvé relié à de gros forums comme BuzzFeed ou BlogBlast. Et même Huffington Post. Incroyable, le nombre de commentaires que laissent les visiteurs !

— C'est super.

Katy a soupiré.

— Tu ne trouves pas ?

— Récemment, j'ai écrit des choses sur Coop. Je voulais parler de la stupidité de la guerre, des jeunes qui meurent loin de chez eux, dans des pays étrangers… Tu vois le genre.

— Oui.

En vérité, je ne voyais rien du tout, et surtout pas où elle voulait en venir.

— Ça s'est répandu comme un virus, ça m'a complètement échappé. De partout dans le monde, j'ai reçu des mots de gens parlant de jeunes tués par des chauffards saouls, abattus en pleine rue ou encore descendus par les flics. (Elle s'est mise à tournicoter une mèche de cheveux.) Puis il y a deux jours, un nouveau thème est entré dans la ronde : les gangs.

Oh oh.

— Je veux dire… je dois bien avoir reçu deux cents messages parlant d'enfants tués par la faute de la violence des gangs.

Elle a fait passer sa mèche de cheveux sur la lèvre supérieure. D'avant en arrière.

— Tu sais combien il y a de gangs dans la seule ville de Los Angeles ? a-t-elle demandé sur un ton à la fois ébahi et consterné.

— Ne me dis pas que tu as écrit sur le cas dont nous avons discuté hier soir ?

Silence radio.

— Tu l'as fait ?

— Tu ne m'avais pas dit de ne pas le faire ! (Ton défensif.) De toute façon, je n'ai pas donné de nom. Comment j'aurais pu ? Je ne les connaissais pas.

— Oh, Katy !

— Ils étaient jeunes, et ils ont été tués. C'est triste, maman. Même si c'étaient des trafiquants de drogue.

— Tu as donné mon nom ?

— Non. (Réponse un peu trop rapide.) Mais j'ai dit que le meurtre avait eu lieu ici.

— Tu as donné le nom du gang ?

Elle a hoché la tête.

Shit!

— Et voilà ce que j'ai trouvé ce matin sur mon blogue.

Elle m'a remis une feuille imprimée.

Dis à cette folle de doc: elle fait chier le gang puissant, le gang puissant la fait chier. Et tous les ennemis avec. Gang puissant SOS. Sons of Samoa Crip. Tu fais chier SOS, tu crèves!!!

Je sentais mon cœur battre à grands coups, mais je me forçais à garder le sourire. Surtout ne pas angoisser Katy. Conserver mon calme à tout prix.

— Le doc, tu crois que c'est toi?

J'ai passé le bras autour de ses épaules.

— Les cinglés pullulent sur Internet.

Et certains d'entre eux n'hésitent pas à tuer. Mais cela, je n'ai fait que le penser tout bas.

— Tu crois que c'est une menace?

— Plutôt une divagation.

— Comment est-ce qu'ils peuvent savoir? Pour toi, je veux dire.

— Relaxe.

Inutile de monter les choses en épingle pour le moment. Le message était peu clair, presque illettré dans sa formulation. Combien de chances y avait-il pour que ce message soit en relation avec mon accident d'hier?

— Je suis nulle. Je n'aurais jamais pensé…

— Hé.

Nous avons relevé les yeux en même temps. Dans la porte, une Lily en haut de bikini et jean à jambes coupées. Coupé au plus ras du plus ras.

— Allez, ai-je dit en tapotant la jambe de Katy. Va prendre ta leçon de surf. Qu'est-ce que vous avez comme projet pour plus tard, mesdames?

— Miss Chichis a accepté de passer une journée à la plage. Au risque de calciner ses petites fesses noires.

— En tout cas, les miennes ne rougissent pas et ne pèlent pas non plus.

Katy a accueilli la répartie d'un pouce levé en l'air, auquel Lily a répondu par un geste identique. Et toutes les deux, avec le sourire.

Wow !

— Où est ton père ?

— À la cuisine.

— En train de nous préparer le petit déjeuner ?

Elle a hoché la tête.

— Allons manger !

Nous finissions les crêpes à la noix de coco et aux mangues, œuvre de Ryan, quand le téléphone de la maison a sonné.

— J'y vais, a crié Lily en s'élançant de sa chaise.

— Qu'est-ce qui lui prend ? me suis-je étonnée.

— Ben quoi ! a expliqué Katy. Elle a décidé que c'était pas si mal ici, finalement.

J'ai regardé Ryan. Il avait les yeux fixés sur sa fille. J'y ai lu de l'amour. Et aussi autre chose. Espoir ? Soupçon ? Crainte ?

— Un gars qui s'appelle LaManche, a dit Lily, en tenant le combiné plaqué contre sa poitrine.

— Je le prends.

J'ai échangé un regard étonné avec Ryan. Pour quelle raison le patron m'appelait-il de Montréal ? Aucune idée.

— Merci pour le repas, Ryan. Avant que tu files, je voudrais te demander quelque chose.

— Je ne file pas, a-t-il répondu tandis que Lily me tendait l'appareil.

— *Bonjour ! Comment ça va* ?*

Je me suis levée et suis sortie de la pièce.

— *Sacrifice**, elle est encore en vie ! Temperance, vous ne répondez plus à mes appels ?

— J'ai perdu mon BlackBerry.

Et de raconter l'accident à LaManche.

— Vous n'êtes pas blessée, au moins ?

— Tout va bien.

— *Bon**. Eh bien, vous avez appris une leçon importante.

— Qu'il ne faut pas rouler trop près du bord quand on surplombe la mer.

— Qu'un 4 × 4 l'emporte toujours sur une Cobalt.

— J'en prends note. Quoi de neuf ?

— Mauvaises nouvelles.

— Je déteste les conversations qui commencent comme ça.

— Je n'ai pas commencé comme ça, mais par me plaindre d'être sans nouvelles de vous.

— Quelles mauvaises nouvelles ?

— J'ai reçu les résultats des tests ADN pratiqués sur le noyé de l'étang d'Hemmingford.

— John Lowery, dit l'Araignée.

— Eh bien, apparemment, ce n'est pas lui.

— Quoi ?

— Selon le rapport, il ne peut pas s'agir de M. Lowery.

— Quoi ?

J'avais parfaitement entendu la phrase de LaManche. Tout simplement, elle n'avait aucun sens.

— Le séquençage ne concorde pas.

— L'échantillon n'était pas exploitable ?

— Si. Il était dégradé, mais les techniciens ont pu le répliquer. Les résultats obtenus excluent cette possibilité.

— Comment avez-vous pu recevoir un échantillon comparatif au LSJML, puisque Platon Lowery refuse catégoriquement tout prélèvement de salive ?

— La police de Caroline du Nord a été très coopérative. Notamment un shérif dont le nom m'échappe.

— Beasley ?

Bien sûr. Je le savais. Mais refusais de l'admettre.

— *Oui. C'est ça**. Le shérif Beasley s'est rappelé que la mère de John Lowery avait été hospitalisée peu de temps avant de mourir. Il a découvert que l'hôpital avait conservé des lames avec des échantillons pathologiques. L'une d'elles a été envoyée à un spécialiste de l'AFDIL, l'autre chez nous, au département d'ADN du LSJML. À notre demande. Extraction réussie. Le séquençage a prouvé que la victime d'Hemmingford n'était pas le fils d'Harriet Lowery.

— Mais l'échantillon était dégradé.

— Temperance, ils sont convaincus du résultat. Il n'y a pas convergence entre les deux séquençages.

Ce vilain garçon déguisé en infirmière et repêché des eaux n'était donc pas l'Araignée Lowery ? Comment était-ce possible ? Qui était-ce, alors ?

Est-ce que j'aurais aussi tout faux, concernant le soldat enterré en 1968 à Lumberton au cimetière des Jardins de la Foi ? Ce ne serait pas du tout Luis Alvarez, mais bel et bien l'Araignée Lowery, malgré tout ?

Qu'en était-il alors de Xander Lapasa, dont nous ne savions toujours pas pourquoi il avait été retrouvé portant la plaque d'identification de l'Araignée Lowery ?

— Je suis désolé. Je devine que ce n'est pas du tout ce que vous vous attendiez à entendre de moi.

— En effet, monsieur. Mais je vous remercie de m'avoir prévenue.

J'avais toujours le téléphone à la main quand Ryan est apparu derrière moi.

— Mauvaises nouvelles ?

Je lui ai rapporté ce que LaManche venait de me dire.

— Mais les empreintes digitales du FBI ?

— Ouais…

— *Tabarnac* !*

— Ouais.

Je m'apprêtais à lui raconter aussi la bêtise de Katy sur son blogue quand son cellulaire a sonné.

Depuis la cuisine, on entendait Katy et Lily brailler à tue-tête : *Sunny day. Keeping the clouds away.*

— Ryan, a répondu celui-ci en faisant un signe de la main pour qu'elles baissent le ton. Ah han.

Il a tapoté le devant de son polo. N'a pas trouvé de poche. Il a fait le geste d'écrire. Je lui ai apporté un stylo et un papier trouvés sur le comptoir.

— OK, vas-y.

Il a écrit. De loin, on aurait dit deux noms. Une longue pause a suivi.

— Quand ?

Pause.

— L'adresse ?

Ryan a écrit encore.

— On arrive.

Il a enfourné son téléphone dans l'étui de ceinture.

— C'était Lô. Ces trois dernières années, Francis Kealoha faisait partie d'un gang SOS basé dans les environs d'Oakland. Il se faisait appeler Francis Olopoto.

— Probablement le nom sous lequel il est né aux îles Samoa.

— Le vrai nom de Logo, c'est George Faalogo.

— Encore un nom samoan.

— Ted Pukui a pris le large, mais ils ont coincé Pinky Atoa. Ils vont le laisser se calmer un petit moment avant de le passer au gril. Hadley Perry est sur une autre affaire. Puisque tu es en quelque sorte sa représentante sur celle-ci, Lô nous propose de venir en observateurs.

— C'est normal, ici ?

— Comment pourrais-je le savoir ? (Sur un ton plus bas :) Peut-être que notre petit camarade a des desseins inavoués sur ton admirable petit cul.

J'ai plissé les paupières et désigné nos filles du menton.

— Si c'est le cas, pourquoi il te demande de venir aussi ?

— Parce que je suis celui qui détient les renseignements les plus pertinents et qu'il le sait.

J'ai levé les yeux au ciel. Ma mimique était digne des Olympiques.

— Atoa a été placé en garde à vue ?

— Pas encore. Le gars possède un pitbull du nom de Gata plus mauvais qu'un serpent, à ce qu'on dit.

— Oui, je crois bien que *gata* veut dire « serpent ».

— Et Gata a semble-t-il tué le chihuahua de la voisine. Atoa croit que c'est la raison pour laquelle il a été emmené au poste. Lô et Hung vont se concentrer un moment sur le chien avant de lui balancer les noms de Kealoha et de Faalogo.

— Je suis prête dans dix minutes.

Le trajet s'est effectué dans la Pontiac G6 louée par Ryan. En cours de route, j'ai appelé Danny sur le cellulaire de mon compagnon. J'ai commencé par lui raconter l'accident.

— Tu aurais dû m'appeler tout de suite !

— Tu avais ta cérémonie d'arrivée.

Après, je lui ai résumé l'appel de LaManche. Il en est resté aussi interloqué que moi.

— Tu rigoles !

— J'aimerais bien. Tu as reçu des nouvelles de l'AFDIL, concernant les restes exhumés à Lumberton ?

— Ils ont dit : impossible pour l'ADN nucléaire et pas beaucoup de chances pour l'ADN mitochondrial. En plus, nous n'avons personne dans la lignée maternelle d'Alvarez qui puisse nous fournir un échantillon de comparaison. Je crains qu'il ne faille laisser tomber cette piste.

— D'après LaManche, les spécimens prélevés sur Harriet Lowery étaient assez dégradés. Ça vaudrait le coup d'essayer de trouver une autre source, tu ne crois pas ?

— Ton labo sera d'accord pour payer une deuxième série de tests ?

— Je m'en occupe.

— Si je demandais encore à Platon ?

— T'as pas une meilleure idée ?

— Je l'appelle quand même.

— Quel gâchis, ai-je dit.

— Une véritable énigme.

Durant l'heure suivante, les choses allaient vraiment partir dans tous les sens !

Chapitre 31

Une brume à couper au couteau. Pendant tout le trajet, ballet d'essuie-glaces dans la mise en scène de Ryan : un coup j'allume, un coup j'éteins.

La police d'Honolulu a son QG dans un bâtiment en pierres blanches amarré, tel un gros navire, sur un bas-côté de la rue Beretania. Cette rue, située à quelques encablures de la clinique Botox, des boutiques élégantes et des parasols rayés de Waikiki Beach, est fréquentée par une population issue d'un monde bien différent.

Sur les indications de Lô, nous sommes montés au troisième étage par un ascenseur bondé. Foule habituelle d'employés, de détectives et de flics en uniforme, entrant ou sortant de la cabine pour aller livrer des scellés ou retrouver discrètement les copains sous prétexte de griller une cigarette.

La brigade des homicides occupait une vaste salle meublée de tables réunies par groupes de deux, trois ou quatre. Lô et son acolyte avaient droit à un double bureau isolé, tout au fond de la pièce.

La vue de Hung ne m'a pas moins surprise que celle de son coéquipier. D'abord, c'était une dame. Ensuite, elle était grande et tout en muscles. Un teint plus blanc que l'os ; des cheveux noirs et brillants bien dégagés au-dessus des oreilles ; des yeux noisette irisés de paillettes de toutes les couleurs que peut prendre la mer. Bref, une beauté fatale, n'était sa bosse sur le nez. Ça m'a plu qu'elle l'ait conservée.

Lô s'est chargé des présentations. Hung avait pour prénom Leila.

Serrement de pince à la ronde, et nous nous sommes assis sur des chaises apportées par Lô.

Hung ne s'est pas embarrassée de fioritures. Autre point qui m'a plu.

— Dans les années 1980, les Sons of Samoa regroupaient surtout des gens contents de se rencontrer. Plus tard, à Hawaï, c'est devenu un gang véritablement pourvu de tous les attributs qui en font le plumage. Puis SOS a décliné et disparu des radars pendant un certain temps. Pour renaître en prison vers l'année 1998 sous la forme d'un gang appelé la Famille USO ou simplement l'USO : organisation unie de Samoa. C'est compliqué, mais *uso* signifie aussi « frère », en samoan.

— À condition d'être soi-même un homme et de parler d'un frère ou d'un cousin, suis-je intervenue. Ça peut signifier « sœur », si le locuteur est une locutrice et si elle se réfère à une autre femme de sa famille.

Hung m'a regardée. Derrière nous, un téléphone a sonné. Quelqu'un a répondu.

— Elle est anthropologue de formation, a expliqué Ryan.

— Je n'ai pas de doutes là-dessus, a dit Hung avant d'enchaîner. À une époque, il fallait être samoan pour entrer à l'USO, mais ce n'est plus le cas de nos jours. D'après nos renseignements, le gang compte aujourd'hui à peu près deux cents membres, rien qu'à Hawaï.

— L'USO est surtout implantée dans les établissements pénitentiaires, a précisé Lô.

— Kealoha et Faalogo appartenaient aux SOS ? a demandé Ryan.

— Oui. Parti d'Hawaï, ce gang a maintenant des ramifications en Californie, dans l'Utah et dans l'État du Washington. Sur le continent, SOS a pris généralement le nom de Crips.

J'ai dû avoir l'air un peu perdu, même si je n'ai rien dit, car un détail d'importance n'a pas tardé à suivre.

— Les Crips ne sont pas un gang à proprement parler. C'est plutôt une identité adoptée par plusieurs gangs. Les gangs affiliés aux Crips peuvent très bien se constituer sur la base d'indicateurs culturels propres à leur région et n'ayant rien à voir avec ceux de Los Angeles, par exemple.

— Tiens, je ne le savais pas, ai-je dit, histoire d'effacer un peu le côté « bonne élève » de ma remarque de tout à l'heure.

Hung a consulté son carnet.

— D'après le département de probation du comté de Los Angeles, il y avait probablement huit gangs affiliés aux Crips en 1972, quarante-cinq en 1978 et cent neuf en 1982. À la fin des années 1990, à en croire Streetgangs.com, de tous les gangs en activité dans le comté, cent quatre-vingt-dix-neuf étaient affiliés aux Crips.

— *Jesus*, ai-je dit.

— À l'heure actuelle, l'expansion des Crips à Los Angeles se serait stabilisée et aurait même régressé dans certains quartiers, pour des raisons d'évolution démographique. Mais l'épidémie s'est propagée dans d'autres parties de la Californie, sur tout le territoire des États-Unis et même à l'étranger.

— *Tabarnac*!* a lâché Ryan.

Hung m'a regardée. Cette fois, d'un air interrogateur.

— Ça signifie « ça alors ».

— Les Sons of Samoa du continent sont connus pour être mauvais joueurs, a déclaré Lô. Intimidation, extorsion, escroquerie et arnaque liées à la drogue. Meurtre au besoin.

Bruit de porte qui s'ouvre, puis de voix derrière nous.

Hung a balayé la salle de ses yeux transparents comme l'eau de mer.

— Les Samoans du continent veulent contrôler la distribution à Hawaï. C'est à cela qu'on assiste en ce moment.

— Distribution de quoi ? a demandé Ryan.
— Coke et herbe, surtout. Un peu de meth aussi.
— Qui est le majordome ici ?
— Un type qui a pour nom Gilbert T'eo.
— Nom de rue : L'il Bud, a ajouté Lô.
Le téléphone du bureau de Hung a sonné. Elle a décroché et s'est détournée pour parler.
— Basé où, ce T'eo ? a continué Ryan.
— En ce moment même, à Halawa. Une prison sur l'île d'Oahu. À sécurité moyenne.
— Atoa et Pukui travaillent pour T'eo? ai-je demandé.
— Plus ou moins, a fait Lô avec un geste de la main.
Hung a reposé le combiné.
— Tout est en place. On va voir ce que monsieur Atoa veut nous dire ?
Salle d'interrogatoire en tous points semblable à ce que l'on pouvait s'attendre à trouver dans un lieu tel que celui-ci : un cube sombre et sinistre, dénué de toute chaleur humaine et de toute fantaisie, avec des murs d'un vert affreux et un carrelage au sol, rayé et éclaté par des générations de pieds énervés.

Au centre, une table en métal gris au plateau écaillé. Une chaise en bois à dossier droit, deux autres lui faisant face. Pour toute décoration : un téléphone mural et une caméra.

Pour Ryan et moi, le visionnage de la scène s'est effectué plus loin dans le couloir, sur écran vidéo. Image grenue en noir et blanc ; volume sonore au minimum, phrases parfois inaudibles à cause des bruits de fond.

Pinky Atoa ressemblait à un enfant de douze ans grand pour son âge. Il portait l'uniforme habituel des membres de gang : un jean pendant à l'entrejambe, un t-shirt d'athlète trop grand pour lui et une casquette à visière immense. Aux pieds, des chaussures sport rouges qui battaient la mesure sans discontinuer.

À l'évidence, Hung et Lô s'étaient répartis les rôles avant d'entrer, Lô jouant le méchant, Hung la gentille.

C'est elle qui s'est chargée des présentations, indiquant son nom d'abord, puis celui de son collègue. Atoa a gardé les yeux rivés sur ses mains.

— Pour votre protection aussi bien que pour la nôtre, cet entretien sera enregistré.

Ensuite, aux fins de l'enregistrement, elle a énoncé la date, l'heure et le lieu où se tenait l'interrogatoire et s'est identifiée elle-même. Puis elle a énoncé le nom de son coéquipier et celui de la personne interrogée. Pendant tout ce temps, Atoa s'est rongé l'ongle du pouce ou a tambouriné sur le bureau en alternant ces deux activités.

— Il y a quelque chose qui vous énerve, Pinky ? a demandé Lô.

— Je veux mon chien.

— Un sale cabot, ce pitbull.

— Il a fait que se défendre.

— Contre un chihuahua de trois livres ?

— Il s'était jeté sur lui.

— Terrifiant, j'imagine.

— *Shit.* (Avec des mouvements de tête exagérés.) Ça vous arrive jamais de laisser tomber ?

— Pas quand une voisine porte plainte.

— La pute a besoin d'une baise.

— Nous voulons juste connaître les faits, monsieur Atoa. (Hung, voix de la raison.)

Les questions sur l'attaque du chien se sont prolongées plusieurs minutes. Atoa a paru se détendre un peu.

— Alors, quoi ? Faut que je paie une amende ? Pas de problème. J'ai du *cash* sur moi.

— Ce n'est pas si simple. Apparemment, les choses tournent mal pour Gata.

— Qu'est-ce que ça veut dire, ça ?

Les deux détectives ont pris un air attristé.

— *Fuck !* Allez-vous-en !

La sarabande des doigts maigres a recommencé.

— À Honolulu, des lois protègent les habitants contre les animaux dangereux, a lâché Lô.

— Elle veut quoi encore, la salope ? Ça fait plus d'un mois que son petit chien merdeux est mort.

— Peut-être qu'il lui a fallu passer par toutes les étapes du deuil.

— Très drôle, monsieur le policier. (Assorti d'un autre mouvement saccadé de la tête.)

— On fait ce qu'on peut.

— Puis après ? Elle veut un autre chien, cette conne ?

Lô a haussé les épaules.

— *Fuck*, j'y paierai un autre petit pitou. (Sourire.)

— Pour Gata, ça ne règle pas vraiment le problème, a dit Lô.

— C'est-à-dire ?

— Vous devriez vous mettre en quête d'une urne.

Atoa s'est levé si violemment que sa chaise s'est renversée avec bruit.

— Pas question que vous piquiez mon chien, mes salauds, a-t-il hurlé, les poings serrés.

Lô a bondi sur ses pieds.

— On se calme, monsieur Atoa, a dit Hung sur un ton qui se voulait apaisant. Vous voulez quelque chose à boire ?

Une expression de ruse est passée dans le regard d'Atoa.

— Pour que vous ayez mon ADN ?! Je suis pas si stupide.

— Pourquoi est-ce qu'on aurait besoin de votre ADN, Pinky ? a demandé Lô d'une voix d'outre-tombe.

— *Fuck you !*

— Je vous en prie, monsieur Atoa. Rasseyez-vous.

Et Hung de faire le tour de la table pour aller remettre la chaise sur ses pieds.

Atoa est resté un moment les bras ballants, puis il s'est laissé retomber sur le siège et a tendu les deux jambes devant lui.

— C'est des conneries, tout ça.

Ses chaussures rouges ont commencé à balancer d'un côté à l'autre.

J'ai surpris un échange de regards entre Lô et Hung par-dessus la tête du prévenu. J'ai soufflé à Ryan :

— C'est parti.

— On pourrait peut-être faire quelque chose pour Gata, a déclaré Hung, tout en revenant vers sa chaise.

Lô lui a coulé un regard en coin.

Hung lui a fait signe de ne pas se presser.

Il a croisé les bras d'un air manifestement agacé.

— *Quid pro quo.* Cela signifie que vous nous aidez et que nous, en échange, on vous aide aussi.

— Pas besoin de traduction, je sais ce que ça veut dire !

— Bon. Et à votre tour, vous pouvez venir en aide à Gata. Par la même occasion à vous-même aussi, peut-être.

— J'écoute.

Atoa continuait à se ronger l'ongle, décidé à éviter tout contact visuel.

Nouvel échange de regards entre les policiers.

— George Faalogo…, a lâché Lô. (Pause.) Frankie Kealoha…

Pas de réaction.

— Tu connais ces types-là, Pinky ?

Atoa a secoué la tête.

— Et Ted Pukui ?

— Qui ça ? a-t-il marmonné.

— Regarde-moi ! a jeté Lô sur un ton coupant.

Atoa n'a pas bougé.

— Regarde-moi !

Atoa a relevé la tête. Pour la première fois, j'ai vu la peur dans ses yeux.

— Et Gilbert T'eo ?

— Tout le monde connaît L'il Bud.

— Paraît que tu l'as aidé à résoudre un problème commercial. Avec Pukui.

Atoa a lancé un coup d'œil à Hung. Pas de soutien à attendre de ce côté-là.

— Faalogo… Kealoha…, continuait à marteler Lô. Makapu'u Point…

— *Fuck*, de quoi vous parlez ?

— Il n'en restait pas grand-chose, après le passage des requins, mais ça a suffi.

— *Bullshit*.

— Vraiment ?

Atoa s'est passé la langue sur les lèvres.

— Tu l'aimes vraiment, ton chien, Pinky ?

Le regard d'Atoa n'était plus qu'un concentré de haine.

— Tu veux jouer les malins. Tu prétends tout savoir sur l'ADN. Oh, je suis sûr que tu passes ton temps à regarder des séries à la télé. *CSI* et *Law and Order*. *Bones* aussi peut-être, mais celle-là te passe probablement au-dessus de la tête. Je m'étonne donc qu'avec ton copain vous vous intéressiez si peu aux empreintes et aux balles. Bref, aux indices. Si tu vois ce que je veux dire…

Bluff de flic typique, Lô ne pouvant être pris en train d'affirmer que la police était en possession d'empreintes digitales ou de preuves balistiques.

— On t'offre une chance, Pinky. Tu travailles avec nous et nous, on fait de notre mieux pour te sortir de là.

— Je me mêle pas des affaires de L'il Bud. J'suis pas fou.

— T'as quel âge, mon jeune ?

Silence radio du côté d'Atoa.

— Ton âge ? a aboyé Lô.

— Dix-huit ans.

— Ton copain est un tantinet plus vieux, je pense. Non ?

— Pukui a vingt-neuf ans, est intervenue Hung. Il a déjà été coffré quatre fois.

— Je vais t'exposer un cas hypothétique, et après je te demanderai une chose, a déclaré Lô. Tu sais ce que c'est, un cas hypothétique ?

— J'suis pas con.

— Eh bien, c'est ce qu'on va voir. (Une pause, comme si Lô cherchait la meilleure façon de formuler ses pensées.) On a un gars qui ne connaît rien, et un autre qui a déjà tâté quatre fois du système. On leur offre à tous les deux la même chance. Sauf qu'il y a un truc : c'est que, sur les deux, un seul remportera le cocotier. Celui qui parle le premier.

Autre bluff. Et qui donnait à penser à Atoa que Pukui était en garde à vue, lui aussi.

— Voici la question. Un sur deux, uniquement. Tu pourras le supporter ?

Pas de réponse, côté Atoa.

— L'un choisit de s'allonger, l'autre de tomber.

Atoa a serré les paupières et secoué la tête.

Lô a attendu.

Atoa a rouvert les yeux et s'est penché en avant.

— Ce que vous me demandez, ça pourrait signer mon arrêt de mort.

— C'est une mauvaise nouvelle pour ton chien, a répliqué Lô.

Atoa s'est passé la main sur le visage et a rejeté la tête en arrière. Sous sa peau la trachée artère est ressortie comme un tube ondulé.

Lô et Hung ont échangé des regards tendus. Au premier mot que prononcerait le jeune, ils sauraient s'ils avaient gagné ou perdu la partie.

Atoa a fini par se rasseoir tout droit. Après un long moment les yeux rivés sur Hung, il a déclaré :

— C'est à vous que je parle, pas à lui.

— Comme vous voulez. Mais il reste dans la pièce.

— Tout ce que j'ai fait, c'est conduire.

— Si c'est vrai, ce sera un bon point en votre faveur, a dit Hung en s'efforçant de garder une voix neutre.

— Vous vous occuperez de mon chien ?

— Maintenant, je vais vous lire vos droits, Pinky.

— *Shit. Shit. Shit.*

Hung s'est exécutée, lisant le texte inscrit sur une petite carte. La lecture achevée, elle a demandé :

— Vous comprenez ce que je viens de dire ?

— Ouais. Que je me suis fait baiser.

— Est-ce que vous voulez quand même nous parler ?
— Comme si j'avais le choix.
— Vous l'avez, Pinky. Et vous avez le droit d'avoir un avocat.
— Qu'est-ce que ça changerait ? *Fuck*, allez-y.
— Parlez-moi de Kealoha et de Faalogo, a dit Hung.
— Les gars avaient des manches.
Jargon de prison signifiant des bras couverts de tatouages.
— Pour quelle raison il fallait qu'on les descende ?
— J'sais rien de précis. Juste du baratin entendu par-ci par-là.
« Dis-le-moi », lui a signifié Hung d'un geste de la main.
— L'il Bud a dit à Ted de faire en sorte que le message soit bien entendu.
— Ted Pukui ?
Atoa a acquiescé d'un hochement de la tête.
— Tu veux dire par là que T'eo envoyait un message ?
— Vous êtes sourde ou quoi ? Ouais, c'est ce que j'ai entendu dire.
— Un message qui disait quoi ?
— Que c'est pas bon pour la santé de se mêler des affaires du voisin.
— Adressé à qui, ce message ?
— Au gars qui les avait envoyés ici, Logo et Kealoha.
— Et c'est ?
Brusquement, Atoa a donné l'impression de ne plus vouloir coopérer. Hung a dû répéter sa question.
— Un gars en Californie.
— Il a un nom ?
D'abord, j'ai cru avoir mal entendu à cause des grésillements.
Mais en regardant Hung et Lô, j'ai vu qu'ils étaient aussi ahuris que moi.
— Épelez-moi ça, s'il vous plaît, a dit Hung.

Atoa a obtempéré.

Tout d'un coup, j'ai eu les joues en feu, comme si l'air se raréfiait autour de moi.

Chapitre 32

J'ai senti une main se poser sur mon épaule.

J'ai tourné la tête.

Deux yeux bleus emplis d'une confusion identique à la mienne.

— Il a bien dit Al Lapasa ? a demandé Ryan.

— C'est ce que j'ai entendu, moi aussi.

Les voix bourdonnaient toujours dans le haut-parleur.

— Le gars dans la boîte, au JPAC, s'appelle bien Alexander Lapasa ?

J'ai fait signe que oui.

— Celui qui avait la plaque d'identification de l'Araignée Lowery.

— C'est sûrement une coïncidence, ai-je dit.

— De la taille de la Sierra Leone, ta coïncidence.

— Des Al Lapasa, il doit y en avoir des douzaines. D'ailleurs, Atoa parle d'un Samoan de Californie. Or notre Lapasa était d'Honolulu, et d'origine italienne.

Retour à l'entretien. Hung en était à poser des questions sur ce T'eo, surnommé L'il Bud. Atoa s'est dandiné sur sa chaise.

— C'est un méchant bulldog, L'il Bud. T'as pas intérêt à te mettre en travers de son chemin.

— En travers du mien non plus. (La voix de Lô est tombée comme un couperet, même dans ces mauvaises conditions de retransmission.) Sauf que je n'engage pas des tueurs pour abattre ceux qui le font.

— *Bullshit.*

Et Atoa de recommencer à se frotter le visage.

— Parlez-moi d'Al Lapasa, a dit Hung.

— Je sais rien de plus que ce que j'ai entendu dire.

— Et qu'est-ce que vous avez entendu dire ?

— Lapasa est un OG. Il possède un bar à Oakland.

OG : membre d'un gang depuis son origine. Était-ce à dire que ce Lapasa était beaucoup plus vieux que le reste du gang ? J'ai eu un pincement à l'estomac.

— Un SOS ? a insisté Hung.

Atoa a hoché la tête. À présent, il avait deux rides verticales au-dessus du nez.

— Continuez.

— Kealoha et Faalogo, c'étaient des gars du même gang.

— Quoi d'autre ?

— C'est tout.

— C'est ce que j'appelle avoir l'oreille sélective.

Le regard d'Atoa a dévié sur Lô. Y est resté collé. Le détective l'a soutenu sans ciller. Parfaitement immobile, de corps et de visage.

La bouche d'Atoa s'est étirée en un demi-sourire qui ne prêtait pas à rire avec lui.

— Je croyais qu'il fallait avoir une taille minimum pour être flic.

— On a fait une exception pour moi.

— Ah ouais ? Pourquoi ?

— Parce que je suis un méchant enfant de chienne.

Atoa s'est laissé retomber sur son dossier et a croisé les bras.

— J'ai rien d'autre à dire.

— Une question qui te rafraîchira peut-être la mémoire, a dit Lô en se penchant en avant et en croisant les doigts sur le dessus de la table. Nickie Lapasa, ça te dit quelque chose ?

Atoa a serré les mâchoires et regardé le plafond.

— Nickie Lapasa a des amis, Pinky. Et je ne parle pas de Facebook ou de Myspace de mon cul. Je parle de vrais gars, avec de vraies manières de durs. Tu sais ce que tu as fait, petit con ? Tu as piétiné ses plates-bandes, à Nickie.

Les yeux d'Atoa sont restés collés en l'air, mais ses mouvements de pieds ont trahi sa peur.

Lô a jeté un coup d'œil à sa partenaire et désigné la porte du menton.

Elle a tendu le bras vers un bouton.

L'écran a viré au blanc.

L'instant d'après, nous nous retrouvions tous les quatre dans le hall.

— Bien joué, a dit Ryan.

Sourires de Lô et de Hung.

— Vous croyez qu'il y a un rapport entre cet Al Lapasa d'Oakland et le Nickie Lapasa d'Honolulu ? a demandé encore Ryan.

Lô a levé les épaules.

— Peut-être que oui, peut-être que non. En tout cas, ça lui fera pas de mal de le croire, à Pinky.

— Est-ce qu'il sait au moins qui est Nickie Lapasa ?

— Difficile à dire.

— Et maintenant, on fait quoi ?

— On le laisse transpirer un moment, a dit Lô.

À mon tour, j'ai demandé :

— Ce serait long d'obtenir des renseignements sur cet Al Lapasa ?

Hung a consulté sa montre.

— Allez boire un café, j'appelle Oakland.

À notre retour à son bureau, Hung gribouillait des bâtons, le téléphone coincé au creux de son épaule. À l'évidence, on l'avait mise en attente. Lô a déposé un verre sur son sous-main. Elle allait le remercier quand elle a dit vivement dans l'appareil :

— Oui, oui, je suis toujours là. Allez-y !

Notre trio s'est assis et chacun a retiré le couvercle de son verre.

Un goût de boue d'égout. Du moins le goût que doit avoir à mon avis la boue qui coule dans les égouts.

« Je vois », « C'est juste », a répété Hung plusieurs fois et elle a posé deux ou trois questions. Puis :

— C'est tout ?

Une pause.

Un merci à son interlocuteur et elle a coupé la communication.

— Voici ce que j'ai obtenu, a-t-elle déclaré en faisant cliquer la mine de son stylo. Ce gars-là s'appelle Alexander Emanuel Lapasa.

Le monde a vacillé sous mes pieds. Ce n'était pas possible ! D'abord l'Araignée, maintenant Lapasa.

— Citoyen américain, continuait Hung. Né en 1941, ici même, dans notre merveilleuse métropole d'Honolulu.

J'ai cligné des yeux. Cligné encore.

— Pas de casier judiciaire, mais sous surveillance depuis des années. Il tient un tripot appelé le Savaii. Où se rencontrent des SOS. On le soupçonne de trafic de drogue.

— Qu'est-ce qu'ils attendent pour l'arrêter, là-bas ? a lâché Lô sur un ton dégoûté.

— Lapasa se fait discret. Il a plusieurs intermédiaires entre la rue et lui.

— Ça fait longtemps qu'il vit à Oakland ?

Ma voix m'a paru fausse : trop aiguë, tendue.

— Son nom a commencé à apparaître au milieu des années 1990, quand il a acheté ce bar. Mais on pense qu'il était dans le coin depuis un certain temps déjà.

— Vous avez son numéro de sécurité sociale ?

Hung m'a regardée d'un drôle d'air, néanmoins elle me l'a lu. Je l'ai noté.

— Il est membre des SOS ? a demandé Ryan.

— Ouais, mais aujourd'hui il a la soixantaine bien sonnée.

— Un citoyen modèle, avec un schnauzer et une pelouse bien tondue, a ricané Lô.

— Pour le chien, je peux pas dire. Mais le bar et son condo, il les a achetés comptant, a précisé Hung.

— Maintenant, qu'est-ce qu'on fait ? a demandé Ryan.

— Maintenant, on se le fait envoyer depuis l'autre côté de l'océan et on le met en cage, a répondu Hung.

— Sur la foi des déclarations d'un drogué de dix-huit ans qui cherche à sauver son cul ? a objecté Lô, et il a planté un pied dans un tiroir ouvert de son bureau puis a fait basculer sa chaise en arrière. On n'obtiendra jamais de mandat et Lapasa ne bougera pas d'un poil.

— J'ai peut-être une idée.

Tous les yeux se sont tournés vers moi.

— Tu peux me passer ton téléphone, Ryan ?

J'ai appelé Danny du couloir. À voix basse, je lui ai expliqué où j'étais et ce qui s'était passé.

— Merde ! Tu as une date de naissance et un numéro de sécurité sociale ?

Je les lui ai transmis. J'ai attendu qu'il consulte le dossier de Xander Lapasa. Ça n'a pas pris longtemps.

— C'est lui.

Qui était alors le 1968-979, le corps retrouvé avec la plaque d'identification de l'Araignée Lowery ? Je n'ai pas posé la question tout haut. Danny non plus.

Une chose me préoccupait, une chose que j'avais affirmée à Ryan sans parvenir à me rappeler d'où je tenais l'information. J'ai profité de cette conversation pour interroger Danny.

— Xander Lapasa, il n'était pas italien ?

— Qu'est-ce qui te fait croire ça ?

— Tu m'as bien dit que son père avait des rapports mafieux, à en croire les rumeurs.

— Je parlais du crime organisé en général. Pas de la Mafia italienne.

— Tu as dit aussi qu'il te rappelait quelqu'un qui joue dans *Les Sopranos*.

— Oui, sur la photo qu'on regardait.

Je m'étais laissé emporter par les stéréotypes ethniques. J'avais fait des suppositions en me fondant sur le physique de Xander, sur la sonorité de son nom de famille et sur les liens présumés de son père avec la Mafia.

— Tu te rappelles la biographie du père ? L'arrivée à Hawaï, la station-service dont il a hérité très vite après et ses succès dans l'immobilier ? a demandé Danny.

— Oui.

— Eh bien, c'est de Samoa qu'il est arrivé à Honolulu.

J'ai laissé passer un moment, le temps d'absorber le choc.

— Est-ce que je peux dire aux flics ce que nous savons sur Xander Lapasa ? Leur parler des restes au JPAC ?

— Ils sauront garder l'information confidentielle ? Tu leur fais confiance ?

— Oui.

— Alors, pas de problème. Mais pourquoi ? Qu'est-ce que tu as derrière la tête ?

Je lui ai expliqué mon idée.

— Oui, ça peut marcher.

— On aura peut-être besoin de toi, pour s'assurer la coopération de Nickie.

— Bien sûr, monsieur Persuasion en personne ! Je viens juste de me faire remettre à ma place par Platon Lowery.

— Il est au courant que le shérif Beasley a remis la main sur des échantillons d'ADN de sa femme et nous les a envoyés ?

— Non.

— Est-ce que tu vas téléphoner à Nickie ?

— Ouais. Pourquoi pas ?

— C'est vraiment l'enfer, tout ça, tu ne trouves pas, Danny ?

— Ça, c'est sûr.

— Tu as prévenu Merkel ?

— Pas encore.

— Je te tiens au courant.

— Et, Tempe…

— Oui ?

— Fais attention à toi.

Quand je suis revenue dans le bureau, Ryan et les deux autres occupaient exactement les mêmes positions qu'au moment où j'en étais sortie. Les verres aussi, d'ailleurs. Qui boit le café des salles de brigade ? Personne, j'en suis bien persuadée. On le verse, on le laisse refroidir et après on le jette.

Je leur ai expliqué la situation au JPAC. Les os non identifiés. Le cas 1968-979 identifié comme étant Xander Lapasa. Le refus catégorique de Nickie Lapasa qu'un échantillon d'ADN soit prélevé sur quiconque de sa famille.

Les détectives m'ont écoutée sans m'interrompre. Lô a été le premier à réagir :

— Vous pensez que cet Al Lapasa pourrait être votre Lapasa disparu au Vietnam, il y a de ça quarante ans ?

— Sa date de naissance et son numéro de sécurité sociale correspondent à ceux portés dans le dossier établi par le JPAC.

— Comment est-ce qu'il est passé du Vietnam en Californie ?

— Je ne sais pas. Mais c'est en Californie que les avions militaires en provenance du Vietnam atterrissaient le plus souvent.

— Qu'est-ce que vous proposez ? a demandé Hung.

— Qu'est-ce que nous voulons tous ? Qu'Al Lapasa vienne à Honolulu, n'est-ce pas ?

Hochement de tête général.

— Or vous n'obtiendrez pas de mandat d'amener sur la base des seules déclarations d'Atoa, et il est peu probable que Lapasa fasse le voyage de son plein gré.

Nouvel acquiescement de tous.

— Eh bien, on va lui tendre un piège.

— C'est un malin, a objecté Hung, plutôt sceptique. S'il a effectivement décidé d'étendre son commerce sur notre territoire, je le vois mal venir ici alors qu'il s'y sait en danger.

— Surtout que ça fait près de quarante ans qu'il vit dans une quasi-clandestinité ! a renchéri Lô, encore moins convaincu que sa coéquipière.

— Est-ce qu'il pourrait être déjà au courant que Kealoha et Faalogo ont été descendus ? a demandé Ryan.

— J'en doute, ai-je répondu. La presse n'a pas fait état de la découverte de ces restes, et Perry ne les a pas encore authentifiés.

— L'indic de Lô serait au courant, et pas les Sons of Samoa ? a insisté Ryan.

— T'eo L'il Bud et ses petits copains appartiennent à l'USO, Lapasa et son équipe aux SOS affiliés aux Crips, a expliqué Lô. Possible que l'info ne circule pas aussi rapidement quand elle doit passer d'un gang à l'autre.

— C'est quoi, l'idée que vous avez derrière la tête ? a demandé Hung.

— Faire appeler Al Lapasa par l'avocat de Nickie Lapasa, qui prétendra qu'un client à lui le recherche depuis des années pour régler la succession de Theresa-Sophia. Qu'il y est spécifiquement désigné comme légataire.

— Pour quelle raison Nickie se prêterait à ce jeu ?

— On lui dira qu'Al est peut-être ce frère disparu depuis si longtemps.

— Mais vous lui avez dit la semaine dernière que son frère végétait sur une étagère du CIL depuis tout ce temps-là !

— On dira que, depuis sa conversation avec Danny, des chercheurs du CIL se sont rendu compte qu'il y avait probablement eu erreur et qu'il se pourrait bien qu'un type vivant à Oakland soit effectivement Xander. En le caressant dans le sens du poil, ça pourrait marcher… En lui répétant qu'il avait raison tout ce temps-là…

— Qu'est-ce qui vous fait croire que Nickie n'est pas déjà au courant que son frère est en vie ? S'il a vraiment des liens avec le monde de la drogue, et si cet Al Lapasa est effectivement dans la course, comment Nickie pourrait ne pas savoir que cet Al Lapasa est en vérité Xander ? a demandé Lô.

— Xander ne veut peut-être pas que son frère sache qu'il est vivant. Depuis quarante ans, il ment pour une raison dont nous ignorons tout. Les recherches effectuées par le JPAC tout au long de ces années n'ont jamais fait apparaître qu'un membre de sa famille puisse le croire encore vivant. En outre, je serais bien étonnée que Nickie connaisse en détail la biographie de tous les trafiquants établis le long de la côte Ouest.

— Dans votre scénario, qu'est-ce qui aurait permis à Nickie de localiser Al ? a demandé Lô.

— Grâce à des enquêteurs spécialisés dans la recherche d'héritiers engagés par l'exécuteur testamentaire de Theresa-Sophia. Des enquêteurs sur le coup depuis des années, et dont le travail porte enfin ses fruits… Ça vaut le coup d'essayer, non ? On peut très bien faire croire à Al qu'il s'agit seulement pour lui de rencontrer en chair et en os l'exécuteur testamentaire, afin de prouver son identité. Un avocat saura user des termes juridiques qui paraissent convaincants, j'en suis sûre.

Un long moment s'est écoulé, le temps que mon idée fasse son chemin dans la tête de tout le monde. Hung s'est exprimée la première.

— Votre Al est né à Honolulu. Qu'il soit ou non votre Xander disparu, il doit bien se dire qu'il a une famille ici dont il ne sait rien.

— Il se branchera sur Internet, apprendra que les Lapasa sont pleins aux as et il voudra sa part du gâteau, a déclaré Lô qui, visiblement, commençait à admettre mon idée. Il sera alors moins vigilant.

— Et s'il est vraiment Xander Lapasa, il y a encore plus de chances pour qu'il gobe l'histoire, j'en suis convaincue.

Lô et Hung ont échangé un regard. Je savais déjà à quoi ils pensaient. C'est Lô qui a formulé leur objection :

— Libre à vous de faire croire des choses à ce type, si ça vous amuse. Nous n'avons rien contre. Mais nous ne pouvons en aucun cas admettre que notre enquête sur Kealoha et Faalogo en pâtisse. Si votre plan se casse la gueule ou qu'Al refuse de quitter Oakland, ce sera uniquement dans le cadre d'une enquête menée exclusivement par le CIL. Une enquête dont Hung et moi-même n'avons jamais entendu parler.

— Quelle enquête ? ai-je demandé.

— C'est bon, a dit Ryan. Qui se charge d'appeler Nickie ?

— Je reviens.

Je suis ressortie dans le couloir pour téléphoner.

Chapitre 33

Danny a mis en avant le principe de réciprocité : il ne croyait guère au succès de notre entreprise, mais il voulait bien appeler Nickie à condition que, de mon côté, j'essaie encore une fois de convaincre Platon Lowery.

J'ai accepté.

Retour dans le bureau, les deux pouces levés en l'air.

Quelques minutes encore de bavardages et, avec Ryan, nous sommes repartis sur la promesse de rester en contact. Sans nous douter que nous serions appelés à nous revoir très vite.

En cours de route, arrêt pour avaler des dims sums au centre commercial du quartier chinois.

Laissant Ryan faire son choix parmi les kyrielles de plats sur les chariots des serveurs, j'ai appelé Platon Lowery.

— Quand allez-vous abandonner ? Non, c'est non. Je l'ai déjà dit à ce policier français, et aussi au gars de l'armée. C'est du harcèlement !

— Je suis désolée que vous le preniez ainsi, monsieur.

— Eh bien tant pis !

— Loin de nous l'idée de vous offenser. C'est juste que nous ne comprenons pas votre refus.

— Vous faites fausse route, un point c'est tout.

— Remettez-nous dans le droit chemin, alors.

— Rendez-moi mon fils et laissez-moi tranquille !

Les conversations bourdonnaient tout autour de moi, les verres tintaient.

— Monsieur Lowery, puis-je vous demander vos raisons de ne pas nous remettre un échantillon d'ADN ?

— Non. Vous ne le pouvez pas.

Un Platon Lowery aussi intraitable que la statue de Sun Yat-Sen dehors sur la place.

— Ce n'est pas douloureux, vous savez.

— Douloureux ? Je vais vous dire ce qui est douloureux. C'est que des inconnus viennent vous dire que votre fils n'est pas votre fils. Voilà ce qui est douloureux. C'est pire que tout au monde.

— Monsieur, ce n'est pas…

— Vous n'avez aucune idée du mal que vous causez. (Sa voix devenait de plus en plus stridente.) J'ai vécu toutes ces années en me disant que le passé était le passé. Ces médecins et infirmières avec leurs aiguilles, et leurs sondes, et leurs mots compliqués. C'était débile. Avec tous leurs tests, ces imbéciles ont bien failli me faire perdre ma famille.

Dans l'appareil que je tenais serré contre mon oreille, la voix du vieux avait une sonorité grésillante.

— Et le pire dans tout ça? C'est qu'ils sont tous morts quand même. L'Araignée, Tom, Harriet. En fin de compte, toute cette science n'a rien changé à rien.

J'ai relevé les yeux et croisé ceux de Ryan qui scrutait mes traits.

— Maintenant, c'est l'armée qui s'y met à son tour en voulant encore remuer ce bourbier. À l'époque, je n'en ai pas cru un mot, je n'y crois pas plus aujourd'hui. Un point, c'est tout. L'Araignée était mon fils, et il est mort à la guerre. Ça s'arrête là. Vous avez compris ?

Je me suis retrouvée à écouter le vide.

— Il avait l'air un peu exaspéré, a dit Ryan en déposant une bouchée sur mon assiette.

— Un peu ? Je ne l'ai jamais entendu parler aussi longtemps.

J'ai reposé le téléphone sur la table.

— Alors, qu'est-ce qui le gêne tant ?

— J'ai du mal à comprendre. La moitié de ce qu'il disait n'avait aucun sens.

— Comme quoi, par exemple ?

Je me suis concentrée pour tenter de reconstruire l'enchaînement des choses que Platon avait dites dans son énervement.

— En gros, il n'a confiance ni dans les médecins ni dans la science.

— Autrement dit, il s'oppose à tout prélèvement.

— Catégoriquement.

— Qu'est-ce que tu vas faire, alors ?

J'ai levé les mains, frustrée.

— On va devoir se contenter de ce qu'on a.

Appel de Danny pendant que Ryan réglait l'addition. Il avait rempli sa partie de l'accord bien mieux que moi.

Nickie Lapasa, au contraire de Platon, voulait tout savoir sur ce frère retrouvé. Il allait imaginer une histoire qui se tienne avec son avocat, et celui-ci contacterait Al Lapasa. Nickie rappellerait Danny dès qu'il aurait des nouvelles.

J'étais ravie, mais quelque peu abasourdie.

Ryan aussi en est resté ébahi. Nickie aurait-il des raisons particulières de vouloir revoir Xander ?

Dans la soirée, les nuages et la brume ont donné de la pluie. Le long de la porte-fenêtre de ma chambre, des rivières se sont mises à dévaler. De temps à autre, un coup de vent plus fort faisait vibrer la moustiquaire.

À neuf heures, coup de fil de Danny.

— Al Lapasa a mordu à l'hameçon.

— Tu rigoles !

— Il sera à Honolulu demain après-midi.

— Je ne te crois pas !

— Rien de tel que l'appât du gain !

— Tu crois que c'est ça ?

— Qui sait ?

J'ai prévenu Ryan. Lô ensuite.

Lô a eu la même réaction que moi, mais dans une prose plus colorée. Il allait en discuter avec Hung et me préviendrait quand ils auraient concocté quelque chose.

Pour finir, j'ai mis Hadley Perry au courant des événements.

Elle a manifesté sa surprise dans un style aussi fleuri que le détective hawaïen. J'ai senti chez elle comme un petit agacement. Parce que c'était moi qui étais sur le coup et elle sur la touche, alors qu'il s'agissait de son cas ? Parce que c'était moi qui étais avec Ryan et pas elle ? Parce qu'elle devait témoigner dans un procès qui n'en finissait pas et qu'elle allait devoir rester sur le bas-côté de la route encore un bon moment ? J'en ai éprouvé une petite satisfaction. Mesquin, je sais, mais c'est la vérité.

Cette nuit-là, impossible de trouver le sommeil. Mon esprit continuait à ruminer les deux découvertes sensationnelles.

L'ADN d'Harriet Lowery ne concordait pas avec celui du noyé d'Hemmingford.

Xander Lapasa pourrait bien être vivant.

Est-ce qu'avec Danny on était allés trop loin dans nos suppositions ? Et dans nos analyses aussi, quand on avait comparé les radios des dents *ante* et *post mortem* ? Quand on avait étudié le petit bout d'étincelle ? les fractures du maxillaire ?

Pourquoi Nickie Lapasa s'était-il rallié à mon plan ? Qu'espérait-il de la présence d'Al Lapasa à Honolulu ? Croyait-il vraiment que cet homme puisse être son frère ?

Xander Lapasa avait disparu au Vietnam en 1968. Aurait-il effectivement survécu et passé toutes ces années sous sa véritable identité d'Al Lapasa ? Si oui, pourquoi n'avait-il jamais contacté sa famille ?

Ou l'avait-il fait ?

Que fabriquait donc Xander au Vietnam au beau milieu de la guerre ?

Quand Al Lapasa avait-il débarqué à Oakland ? Où habitait-il auparavant ?

Que savait Nickie au juste ?

Que voulait-il exactement ?

Pourquoi avait-il refusé toute comparaison d'ADN entre un quelconque Lapasa et le cas enregistré au JPAC sous le numéro 1968-979 et censé être son frère Xander ?

Même chose pour Platon Lowery. Pourquoi s'obstinait-il à ne pas vouloir fournir d'échantillon d'ADN ?

Son discours échevelé laissait entendre que sa femme était morte dans de grandes douleurs. La maladie d'Harriet l'avait-elle à ce point secoué qu'il en avait perdu toute confiance dans la médecine et les hôpitaux ?

Qu'avait-il dit précisément ? Que les médecins et la science, c'était du pareil au même en fin de compte.

Je me suis répété ses paroles exactes pour tenter de comprendre ce qu'il avait voulu dire.

Une phrase ne semblait pas coller au reste. « Avec tous leurs tests, ces imbéciles ont bien failli me faire perdre ma famille. »

Quels imbéciles ? Quels tests ?

Lui faire perdre sa famille ? Comment ça ?

« Maintenant, c'est l'armée qui s'y met à son tour en voulant encore remuer tout ce bourbier. »

Sur le moment, j'avais cru qu'il parlait de l'Araignée, mais ce n'était peut-être pas le cas. De quoi parlait-il, alors ?

Je me suis remémoré ce que je savais des Lowery.

Harriet, décédée depuis cinq ans. Après avoir souffert d'une maladie des reins toute sa vie, avant de recevoir une greffe d'un donneur qui n'était pas l'un de ses fils, à en croire le shérif.

J'ai revu Platon dans ma voiture, l'album de photos serré contre son cœur. Criant « mon fils ! » et se donnant à lui-même un coup si fort à la poitrine avec cet album que j'en étais restée ébahie.

Aujourd'hui encore, au téléphone, il l'avait redit : « L'Araignée était mon fils ».

Les jumeaux avaient tous les deux proposé d'offrir leur rein à leur mère. L'Araignée vers 1960, Tom des années plus tard.

Aucun des deux n'avait été retenu comme donneur. Pourquoi ?

Problème d'incompatibilité, vraisemblablement. Les tests auraient-ils révélé au vieux Platon une chose qu'il ne voulait pas admettre ? Qui l'avait bouleversé ?

Paternité.

Ce mot m'a frappée aussi violemment que l'aurait fait une balle.

Platon aurait-il découvert qu'il n'était pas le père des jumeaux que lui avait donnés sa femme, Harriet ? Et voulait-il cacher le fait à tout prix ?

2:18 à mon réveil.

Dans la gouttière au-dessus du balcon, la pluie gargouillait toujours.

Je retournais cette idée dans tous les sens quand un cri perçant a brisé le silence.

J'ai bondi hors de mon lit, le cœur battant.

Ryan était déjà dans l'escalier, grimpant les marches deux à deux.

Katy a jailli de sa chambre, et nous nous sommes retrouvés tous les trois sur le palier.

— J'ai vu quelqu'un ! a crié Katy, blanche comme une morte. Je m'étais levée pour fermer la porte parce que la pluie entrait dans la chambre, et il était là !

— Où ça ? (Ryan et moi, d'une même voix.)

— Dehors, sur la pelouse.

— Un homme ? Une femme ? a demandé Ryan.

— Un homme. Je crois. Il avait l'air drôlement grand.

— Qu'est-ce qu'il faisait ?

— Rien, il était juste là. Sous un arbre. Quand j'ai crié, il s'est enfui.

— Lily !

Ryan a foncé vers la chambre de sa fille.

La télé colorait les murs et les meubles d'un bleu angoissant. Des taches de couleur dansaient sur la vitre de la porte du balcon grande ouverte, vagues réflexions de ce qui se passait à l'écran.

Lily se tenait entre le lit et une commode haute. Dans la pénombre, ses yeux semblaient bien trop grands.

Ryan s'est précipité vers sa fille. Pour s'arrêter pile à un mètre d'elle. Hésitant.

— Tout va bien ? a-t-il demandé d'une voix inquiète et tendre à la fois.

Lily a incliné la tête.

Ryan a balayé la chambre des yeux. Le lit était défait, certes, mais Lily vêtue de pied en cap.

Katy et moi sommes restées sur le pas de la porte.

Lily se tenait dos au mur.

Ryan est sorti sur le balcon, l'a parcouru d'un bout à l'autre en scrutant le paysage.

— Qui a crié ? a demandé Lily.

— Moi, en voyant quelqu'un près de la piscine.

Revenu dans la chambre, Ryan a refermé la porte. Une petite gerbe d'eau a jailli de la glissière tandis que la baie coulissait.

— Merde ! Tu crois que ça a un rapport avec le message sur mon blogue ? a demandé Katy d'une voix angoissée.

La poignée verrouillée, Ryan s'est retourné face à moi, les sourcils froncés.

— Quel message ?

Zut ! Je ne lui avais rien dit de la menace reçue par Katy.

Je lui ai donné une version condensée de l'histoire.

— Et tu n'as pas jugé utile de me parler de ce petit détail... ?

— J'avais la tête ailleurs.

— La tête ailleurs ?

— D'abord il y a eu LaManche et la question de l'ADN d'Harriet Lowery. Une vraie bombe ! (Excuse qui n'en était pas une, je m'en suis rendu compte en même temps que je prononçais ces mots.) Après, il y a eu la nouvelle concernant Al Lapasa.

Ryan s'est retourné vers Katy.

— L'homme était seul ?

— Je crois.

— Comment s'est-il enfui ?

— Je n'ai pas vu. Je… Je suis désolée. J'ai été plus nulle qu'une héroïne de série B.

— Tu peux me le décrire ?

Ryan, dans son rôle de flic. Parlant sur un ton tout à fait différent.

— Il faisait trop noir.

Ryan s'est avancé vers sa fille et a posé les mains sur ses épaules.

— Regarde-moi.

Elle a relevé les yeux.

— Pourquoi est-ce que tu es tout habillée à deux heures du matin ?

— Je me suis endormie devant la télé.

— En regardant quoi ?

Elle a haussé les épaules.

— Rien de spécial. Une émission quelconque.

— L'intrus, tu as une idée de qui c'est ?

— Comment je pourrais ? Je l'ai même pas vu !

Courte pause.

— Je sors vérifier les barrières et la maison.

Ryan a lancé un coup d'œil dans ma direction. Fâché ? Préoccupé ? Déçu ? J'ai déclaré :

— Allez, tout le monde au lit !

Chapitre 34

Quand je me suis réveillée, l'aube s'annonçait par la présence à peine marquée d'une ligne pâle à l'horizon.

Immédiatement s'est réimposée à moi l'idée qui me préoccupait au moment où Katy avait hurlé : la paternité de Platon.

Était-ce là sa raison secrète de refuser tout prélèvement d'ADN ? La crainte d'apprendre qu'il n'était pas le père de ses fils ?

J'ai sauté en bas du lit et suis sortie sur le balcon. La pluie s'était arrêtée. J'ai respiré à pleins poumons. L'air sentait le sel, les feuilles mouillées et le sable humide.

Six heures trente-sept.

Sur la côte Est, la journée était déjà bien avancée.

Impatiente d'obtenir réponse à mes questions, je ne me suis pas embêtée à faire du café. Je me suis contentée d'attraper un Coke Diète à la cuisine et je suis remontée dans ma chambre.

Vérifier le numéro de téléphone.

Le composer.

Demander le shérif Beasley.

Il était là, et il a pris mon appel.

Je suis entrée directement dans le vif du sujet.

— Platon continue à refuser tout prélèvement d'ADN. Je trouve ça curieux.

— Qu'est-ce qu'il donne comme motif ?

— Aucun.

— Un drôle d'oiseau, ce Platon.

— Je suis déjà tombée sur des gens qui refusaient les prélèvements, même pour pratiquer des analyses médicales. Le plus souvent pour des raisons religieuses, ou par ignorance. Ou parce que c'étaient eux, les coupables. Dans le cas de Platon, je sens que c'est une raison complètement différente.

Beasley n'a pas fait de commentaire.

— Est-ce qu'il y aurait des choses que vous ne m'auriez pas dites, monsieur ?

— Qu'entendez-vous par là ? (Sur la défensive.)

— À vous de me le dire.

— Je vous prierais d'être plus précise, madame !

Beasley me faisait perdre mon temps et je n'offre pas aux gens qui s'amusent à ça la chance d'apprécier le côté lumineux de mon charmant caractère.

— Si je creusais un peu du côté de la greffe de rein d'Harriet Lowery, est-ce que je tomberais sur des choses intéressantes ?

Beasley a gardé le silence un long moment.

— Pour les renseignements d'ordre médical, mieux vaudrait vous adresser au médecin d'Harriet.

— Auriez-vous son nom, par hasard ? ai-je répliqué sur un ton glacial.

Nouvelle hésitation, puis :

— Patricia Macken.

— Savez-vous comment je pourrais la contacter ?

Beasley a laissé échapper un bruyant soupir.

— Un petit instant.

Qui a duré presque cinq minutes.

— Voilà.

— Merci.

Crétin. Je ne l'ai pas dit tout haut, mais ce bon shérif a dû l'entendre dans le ton de ma voix.

J'allais raccrocher quand il a repris :

— Platon est parfois têtu et bougon, mais c'est un brave homme qui se donne du mal quand on lui en laisse la chance.

— Je n'en doute pas.

— Vous êtes à Lumberton, ici. (Au cas où je l'aurais oublié.) Veillez à agir en toute discrétion.

Manière de dire que j'étais sur la bonne voie. J'ai senti monter l'excitation.

— Naturellement.

J'ai coupé et appelé Macken aussitôt.

Le docteur était en salle d'examen et ne pouvait être dérangé, a répondu la secrétaire.

J'ai expliqué que j'appelais à propos d'une de ses anciennes patientes. Pour une affaire urgente.

La dame a promis de transmettre mon message.

Satisfaite d'avoir bientôt une réponse, je me suis laissée retomber sur le dossier de mon siège.

Vingt minutes plus tard, je commençais à arpenter ma chambre. Les médecins de nos jours ne sont-ils pas toujours pressés ? Un patient, c'est l'affaire de quoi ? Huit minutes ? Deux minutes ? Le temps d'un battement de cœur ? Combien de temps Macken consacrait-elle à ses malades ?

Je me suis habillée. Me suis brossé les dents. Me suis brossé les cheveux et fait une queue-de-cheval. Je les ai relâchés. J'ai vérifié que le téléphone fonctionnait. Ensuite j'ai parcouru mes courriels. Vérifié la ligne encore une fois.

À huit heures quarante, ce satané téléphone a enfin sonné. J'ai décroché à toute vitesse.

— C'est Patricia Macken. (La voix, ferme, était sans aucun doute celle d'une personne âgée. Et native de Dixie.) Un message me demande de rappeler ce numéro. L'infirmière a indiqué qu'il s'agissait peut-être d'une urgence.

— Pas exactement. Mais je vous remercie de m'avoir rappelée. Je suis le Dr Temperance Brennan. Je travaille pour le médecin examinateur de Charlotte.

Rester simple. Petit conseil que je n'ai pas manqué de me remémorer en même temps qu'un autre : se cantonner au local. Je pourrais toujours développer par la suite, ajouter un détail.

— J'appelle au sujet d'une ancienne patiente à vous, Harriet Lowery.

— Oui. (Ton méfiant.)

— Je crois que vous avez suivi Mme Lowery jusqu'à sa mort, il y a cinq ans. Liée à sa maladie des reins.

— Qui êtes-vous déjà ?

J'ai répété mon nom et mon affiliation.

— Pourquoi la ville de Charlotte s'intéresse-t-elle à une personne décédée qui a été traitée dans un hôpital de Lumberton ?

— En fait, c'est le coroner de Montréal qui s'intéresse à elle. Je suis également consultante au Canada.

— Je ne comprends pas bien le rapport avec Harriet Lowery.

— En fait, c'est son fils John qui suscite l'intérêt.

— L'Araignée ?

— Oui.

— Il est mort au Vietnam.

— Peut-être pas.

Macken n'a pu retenir un hoquet de surprise. À l'évidence, elle s'attendait à tout, sauf à cela.

— Expliquez-moi, je vous prie.

J'ai retracé l'histoire dans ses grandes lignes. Le noyé d'Hemmingford, Jean Laurier, identifié par des empreintes digitales comme étant John Lowery. Le JPAC. L'accident d'hélico au Vietnam en 1968. L'exhumation à Lumberton. La possibilité qu'il y ait eu confusion entre les restes de John Lowery et ceux de Luis Alvarez.

— Nous pensions, avec mes collègues, que tout était réglé, mais le séquençage de l'ADN démontre qu'Harriet ne pouvait en aucun cas être la mère de la victime décédée au Québec.

Comme Macken ne disait rien, j'ai continué.

— L'ADN d'Harriet a été obtenu à partir de lames conservées au Southeastern Regional Medical Center. Vous imaginez bien qu'il était assez dégradé. Nous souhaiterions pratiquer une seconde comparaison à partir d'un échantillon prélevé sur le père de l'Araignée. Mais Platon Lowery refuse de se soumettre à la procédure.

J'ai ménagé une pause pour laisser à Macken une chance d'intervenir. Elle ne l'a pas saisie.

— Nous nous demandons pourquoi, docteur Macken.

— Peut-être que monsieur Lowery sait que vous vous trompez.

— Tous les autres indicateurs révèlent que l'individu mort au Québec est bien l'Araignée Lowery. Si c'est faux, l'ADN de monsieur Lowery permettrait de le prouver.

— Pourquoi est-ce que vous vous adressez à moi ?

En effet, pourquoi ?

— Je me dis que, si je comprenais les raisons de Platon, j'arriverais peut-être à le faire changer d'avis.

— J'en doute.

— C'est un problème de paternité, n'est-ce pas ?

— Que voulez-vous dire ?

— Ces problèmes ne sont pas si rares, je ne vous l'apprendrai pas. Ça ne veut rien dire. Dans le cas des Lowery, ni l'Araignée ni Tom n'ont pu donner leur rein à Harriet. J'en conclus qu'une circonstance inattendue est apparue au moment des études de compatibilité des tissus. Une nouvelle dévastatrice pour Platon.

— C'est-à-dire ?

— Je pense que les analyses ont montré qu'il n'était pas le père des enfants d'Harriet.

Macken a laissé passer un très long moment avant de répondre.

— Vous avez à la fois raison et tort, docteur Brennan. Cette nouvelle a quasiment tué monsieur Lowery. Mais ce qui était en cause n'était pas la paternité.

— Si les…

— C'était la maternité.

— Quoi ? Attendez, je ne comprends pas. Harriet n'était pas la mère des jumeaux ?

— Pouvez-vous attendre, s'il vous plaît ?

M'est parvenu le petit choc du téléphone qu'on pose sur la table, suivi d'un bruit de pas et de porte qu'on referme. À l'autre bout du fil, l'atmosphère est devenue plus lourde.

Un raclement de chaise, et Macken a repris la communication.

— Je vais vous dire de quoi il s'agit. Je ne devrais pas le faire sans autorisation de la famille, néanmoins je m'y résous parce qu'Harriet est décédée depuis un bon moment et parce que, apparemment, vous savez déjà beaucoup de choses. Cependant ma raison la plus importante pour vous confier ces secrets, c'est d'éviter que vous ne vous engagiez sur une piste qui ne serait pas corroborée par des faits.

« Dans les années 1960, quand l'Araignée a proposé de donner son rein à sa mère, les tests n'étaient pas aussi précis qu'aujourd'hui. Trente ans plus tard, c'était bien différent. Pourtant, là aussi, les tests de compatibilité ont été négatifs et le séquençage ADN a démontré que Tom n'était pas le fils d'Harriet. »

J'en restai sans voix.

— Platon et Harriet ont juré leurs grands dieux que c'était impossible. Mais les résultats étaient là, indéniables. Je n'ai eu d'autre choix que d'avertir le shérif.

— Beasley ?

— Oui. Il a tenté d'en savoir plus. Mais Harriet et Platon se sont refermés comme des huîtres. Pas loin de cinquante ans s'étaient écoulés depuis la naissance des jumeaux. Les dossiers indiquaient qu'ils étaient nés chez eux, avec l'aide d'une sage-femme. Sage-femme que le shérif n'a jamais réussi à retrouver.

« Les deux garçons étaient devenus des hommes, l'Araignée était mort depuis longtemps. Les Lowery ayant touché une allocation d'aide sociale pendant une période assez longue après la naissance des enfants, le shérif a dû envisager plusieurs possibilités : une fraude à la sécurité sociale, un kidnapping, une adoption illégale, une histoire de mère porteuse…

« Finalement, le shérif a décidé que Tom et l'Araignée avaient été aimés et choyés, qu'ils avaient eu une enfance heureuse et que le passé était le passé, et il a clos l'enquête. »

Macken a gardé le silence pendant si longtemps que j'ai cru que nous avions été coupées.

— Allô ?

— Je suis là. Cinq ans plus tard, Tom est décédé. Deux ans après, c'était au tour d'Harriet. Platon ne s'en est jamais remis. Pour ma part, je trouve toute cette histoire bien triste. Pas vous, docteur Brennan ?

Je n'ai rien dit. J'ai seulement hoché la tête sans me rendre compte qu'elle ne pouvait pas me voir.

Puis j'ai répondu oui, le pensant de tout mon cœur.

De son côté, Ryan n'avait pas perdu son temps pendant que j'avais cherché à joindre le docteur au téléphone ou fait les cent pas dans ma chambre. Lorsque nous nous sommes retrouvés dans la cuisine, il avait déjà eu Lô au bout du fil.

— Lô veut voir le texte que Katy a reçu sur son blogue.

— Je vais le chercher.

J'ai filé au premier le prendre dans la chambre de ma fille sans faire de bruit et le lui ai remis.

— Compte tenu des menaces exprimées là-dedans, a déclaré Ryan en agitant la feuille, compte tenu de la présence du gars dans la cour cette nuit et aussi de l'accident dont tu as fait l'objet hier du côté de Waimanalo Bay, Lô estime qu'on devrait surveiller les filles de plus près.

— Il pense qu'elles sont en danger ?

— Probablement pas, mais il ne veut pas courir de risque. Une voiture de police patrouillera dans le coin toutes les heures.

— Un danger venant de qui ?

— De toute évidence, il n'en sait rien. Ne t'énerve pas. C'est juste une marque de courtoisie. J'agirais de même à Montréal. Tu aurais dû me montrer ça tout de suite.

Et de recommencer à agiter le papier.

— Tu as raison.

Il a pris une longue inspiration. A exhalé. S'est passé les mains sur le visage.

— J'espère que ma petite écervelée n'avait pas l'intention de fuguer hier soir.

— Avec le gars dans la cour ?

Il a hoché la tête. Manifestement sa patience de père en avait pris un coup et se rapprochait dangereusement du point de non-retour.

— Tu crois qu'elle pourrait récidiver ?

— Je ne sais pas.

— Tu as fouillé sa chambre ? Tu l'as interrogée ?

— Si je le fais et que j'ai tort, je risque de réduire à néant le peu de confiance que j'ai eu tant de mal à établir entre nous.

— Si tu le fais et que tu as raison, tu risques de lui sauver la vie.

— Ouais… je sais.

— Je peux faire quelque chose ?

Il a secoué la tête.

Une seconde a passé.

— L'héroïne est un poison bâtard.

Sa détresse m'a attristée, je lui ai caressé la joue.

À dix heures, Danny appelait.

— L'avion de Lapasa atterrit à quatorze heures quinze. Le chauffeur de Nickie ira l'attendre à l'aéroport et le conduira chez son avocat.

— Pourquoi pas au quartier général ?

— Nickie ne veut pas. Lô est d'accord. En se retrouvant chez la police, Al Lapasa risquerait de se figer. Ou de fuir. En outre, Lô n'a pas de motifs suffisants pour l'interpeller.

— C'est vrai.

— Tu es priée d'être là-bas.

— Pourquoi moi ?

— Tu as vu des photos de Xander Lapasa, tu sauras le reconnaître.

— Toi aussi.

— Oui, mais toi, tu es anthropologue. Et tu habites à plus de cent kilomètres d'ici.

J'ai souri en reconnaissant dans cette phrase notre vieille définition d'un expert : quelqu'un qui débarque de très loin avec une serviette au bout du bras.

— Au moment où il arrivera, tu seras déjà dans le vestibule de chez l'avocat. Comme ça tu pourras le voir de près, a continué Danny. Tu sauras prendre l'air affairé d'une avocate ?

— Je vais m'entraîner.

— Al sera conduit dans une salle de conférences où on lui apprendra que Nickie exige que l'entretien soit enregistré. Tu seras dans une autre pièce d'où tu pourras l'observer. Lô sera avec toi.

— Nickie sera là aussi ?

— Non. Il ne veut rien avoir à faire avec ça. Tu crois que tu sauras jouer ce rôle ?

— Tu seras le premier à me décerner un Emmy Award !

Peu après, coup de fil de Lô pour me donner les mêmes instructions. Et proposer à Ryan de se joindre à nous.

L'avocat, Simon Schoon, avait ses bureaux au troisième étage d'un bâtiment moderne de Bishop Street, à mi-chemin entre la tour d'Aloha et l'université d'Hawaii Pacific.

J'y suis arrivée à quatorze heures tapantes, accompagnée de Ryan. Sol en marbre et fauteuils confortables. À l'accueil, une jeune femme aux yeux gris, avec des sourcils hyper bien épilés, des manières chichiteuses et coincées, et un air de conspirateur. La plaque sur son bureau indiquait Tina Frieboldt.

J'ai fait semblant de me plonger dans un *National Geographic*. Ryan a pris un magazine de sports.

Lô est arrivé vingt minutes plus tard. Il a attendu à l'autre bout de la salle, les doigts croisés, les yeux fixés droit devant lui.

À trois heures cinq, bruit d'ascenseur. Deux secondes plus tard, la porte de notre salle d'attente s'ouvrait. Un homme est entré et s'est dirigé tout droit vers Tina. Petit et massif, des cheveux roux clairsemés. Veste et cravate noires. Le chauffeur de Nickie, vraisemblablement.

— Monsieur Lapasa est là.

— Faites-le entrer.

J'ai tourné une page de ma revue sans manifester le moindre intérêt pour la scène qui se déroulait.

— Le monsieur préfère rester sur le palier. Il a la grippe. Il ne veut pas la transmettre.

Merde !

Feignant l'impatience, j'ai regardé ma montre. Tourné une autre page. Remué dans mon fauteuil.

Par la porte restée ouverte, j'ai repéré un homme dans le couloir : un mètre quatre-vingt-dix pour le moins et une épaisse chevelure noire.

J'ai cru que mon cœur s'arrêtait de battre.

Chapitre 35

L'homme se tenait dos à moi. Je ne voyais que le bord de son col de chemise et son costume bleu marine.

Très grand, avec des cheveux noirs.

Comme Xander Lapasa.

Le chauffeur de Nickie a retraversé le vestibule en marbre pour aller rejoindre son passager dans le couloir.

— Je vais vous conduire directement à la salle de conférences, monsieur Lapasa.

Le costume bleu marine s'est retourné. Son pas sur le côté a livré à ma vue un second homme.

De taille moyenne, celui-là, avec des cheveux gris clairsemés et un teint cireux. La bouche et le nez cachés derrière un de ces masques chirurgicaux qu'on vend en pharmacie pour se protéger des microbes.

Costume Bleu l'a saisi par le bras et le trio s'est engagé dans le couloir.

— Qu'est-ce qui se passe, bordel ? a jeté Lô en bondissant sur ses pieds. Lequel des deux est Lapasa ?

— Je ne saurais vous le dire, monsieur, a répondu Tina d'une voix sereine, imperturbable. Puis-je vous conduire à votre poste d'observation ?

— Ouais, faites donc, a répliqué Lô sur un ton revêche. (Puis, s'adressant à moi :) Vous avez repéré qui est Lapasa ?

J'ai secoué la tête.

— Bon, allons-y !

Sur le palier, on a pris à droite.

— Poste d'observation ? m'a soufflé Ryan du coin de la bouche.

— Chuuut.

— Elle se prend pour Miss Moneypenny, a-t-il ajouté en faisant allusion à James Bond.

Tina nous a fait entrer dans une pièce d'angle éclairée par des baies vitrées. Une longue table étincelante et douze chaises pivotantes tout autour. Pendant que nous nous y installions, elle a enfoncé plusieurs touches d'une télécommande.

Une image est apparue sur le grand moniteur à écran plat fixé au mur du fond. Des voix sont sorties des haut-parleurs. Claires, nettes. Sans aucune interférence statique.

Sur ce, elle s'est retirée, non sans avoir remis sa télécommande à Lô.

— Ce joujou bat complètement votre équipement, a décrété Ryan.

— On n'est pas non plus payés trois cent cinquante dollars l'heure, a rétorqué Lô.

— Vous marquez un point, là.

Je les ai laissés à leurs plaisanteries pour observer Costume Bleu et Masque Hygiénique prendre place dans des fauteuils. Ce dernier avait des mouvements délicats, comme s'il souffrait ou craignait d'être blessé. Une fois assis, il a gardé les yeux baissés sur ses mains.

Dans leur salle, la table était ronde et plus petite que la nôtre. Y était déjà installé un homme en nœud papillon et lunettes à monture d'écaille. Devant lui, un grand bloc-notes et un stylo Cross en argent.

Probablement Simon Schoon, l'avocat de Nickie. Ses yeux noirs, derrière les lunettes, avaient un regard pénétrant. Costume Bleu s'est assis à côté de son compagnon.

De ces deux hommes venus de Californie, lequel était Al Lapasa ?

Schoon a pris la parole.

— Mon client m'a chargé de vous exprimer ses remerciements personnels pour avoir fait le déplacement.

— Mon client a des raisons personnelles pour agir ainsi.

OK, Costume Bleu était un avocat. Je me suis concentrée sur l'homme au masque, Lapasa.

— Et vous êtes ? a demandé Schoon.

— Jordan Epstein. Je représente monsieur Lapasa.

Il a fait glisser une carte de visite sur la table vers son interlocuteur. Celui-ci y a jeté un coup d'œil sans la prendre en main.

— Avant toute chose, nous aimerions savoir qui vous représentez, a dit Epstein. Simple mesure de courtoisie.

— Mon client préfère rester anonyme, a répondu Schoon.

— Je crains de devoir insister.

— Je crains de devoir refuser.

Epstein a repoussé sa chaise.

— Dans ce cas, l'entretien est terminé.

Lapasa, qui avait gardé la tête baissée durant cet échange, l'a relevée brusquement pour lâcher d'une voix étouffée par son masque :

— C'est Nickie Lapasa, n'est-ce pas ?

Schoon est resté de marbre.

— Tu es là, Nickie ? a lancé Lapasa d'une voix plus forte, s'adressant à la salle. C'est toi qui as monté toute cette comédie ?

Epstein a posé la main sur le bras de son client. Lapasa s'est dégagé.

— Mes gens se débrouillent aussi bien que les tiens sur Internet, Nickie. Tu me trouves, je te trouve !

Il avait une façon de prononcer les mots, ralentie et beaucoup trop précise, comme un ivrogne qui voudrait tromper son monde.

— Monsieur Lapasa, je vous conseille de garder le silence.

Mais celui-ci n'en avait que faire.

— Tu cherches ton frère, Nickie ? Je pourrais peut-être te donner un coup de main. Dis d'abord à ta chiffe molle d'arrêter de nous charrier.

— Très bien, a fait Schoon, et il s'est léché les lèvres. Admettons que Nickie Lapasa cherche à savoir des choses sur la mort de son frère.

— Qu'est-ce qui vous fait croire qu'il est mort ?

— Je reformule : savez-vous quelque chose sur l'endroit où Xander Lapasa pourrait se trouver ?

À ces mots, Epstein a pivoté pour faire face à son client.

— Ne répondez pas !

— Pourquoi ?

— Rappelez-vous notre discussion.

— C'est pour ça que j'ai accepté de poser mon cul dans ce maudit avion, malade comme je suis !

Les sourcils d'Epstein ont plongé et se sont figés en deux V inversés. Il avait perdu la main sur son client et s'en rendait compte clairement.

Je me suis concentrée sur Lapasa et ne l'ai plus lâché des yeux.

Au-dessus du masque, un regard éteint. Comme s'il avait la jaunisse.

Et autre chose, aussi.

Une alarme a légèrement tinté au fin fond de mon crâne.

Epstein a reporté son attention sur Schoon.

— Pouvons-nous en venir au testament de Theresa-Sophia Lapasa, s'il vous plaît ?

— Avant cela, j'ai besoin d'une preuve attestant de l'identité de votre client.

— Comme si j'étais le magicien d'Oz ! s'est esclaffé Lapasa, et son rire s'est achevé en toux.

Epstein lui a tendu un mouchoir en papier.

Schoon, les lèvres réduites à une simple ligne, a attendu que la quinte s'achève.

Sa toux passée, Lapasa a joint les mains et s'est mis à taper les ongles de ses pouces l'un contre l'autre. De petits clics sont parvenus jusqu'à nous par l'intermédiaire des haut-parleurs.

J'ai étudié les yeux de Lapasa.

Et, de nouveau, l'impression que mon subconscient cherchait à me transmettre quelque chose.

Mais quoi ?

Lapasa a fini par rompre le silence.

— C'est un stratagème, hein ?

— Pardon ? a demandé Schoon.

— C'est le genre de chose que je renifle à cent mètres ! Y a pas de maudit testament.

— Monsieur ?

— Assez de *bullshit*. (Pointant le pouce sur Epstein.) Dites-lui ce que je sais.

— Monsieur Lapasa, je ne pourrai rien pour vous si vous ne suivez pas mon conseil.

— Je suis mourant, qu'est-ce que j'en ai à foutre ?

— C'est vraiment ce que vous désirez ?

Lapasa a incliné la tête.

Epstein a maintenu sa pause un moment, visiblement en désaccord avec le choix de son client.

— Monsieur Lapasa est atteint d'un cancer. Les pronostics ne sont pas très encourageants. Il est disposé à fournir des renseignements sur certains événements auxquels il a participé en échange d'une amnistie.

— Je ne suis pas habilité à mener des négociations concernant des actes criminels.

Coup d'œil d'Epstein à son client, qui lui a fait signe de poursuivre.

— Ces événements ont eu lieu il y a plus de quarante ans.

J'ai retenu mon souffle.

Lapasa avait l'âge adéquat, mais il était bien trop petit pour être Xander. Qui était-il, alors ? Et quel était son but ?

Dans un entretien qui n'était pas conduit par des magistrats et qui n'était pas censé déboucher sur une inculpation, pareille introduction était aussi surprenante qu'inutile. Schoon le savait forcément, mais comme il savait que Lô observait la scène, il devait se dire que mieux valait en faire plus que pas assez. Il s'est donc exprimé sans détours, s'adressant à Epstein.

— Si votre client a l'intention d'avouer des faits de nature criminelle, je me dois d'insister pour que lecture lui soit donnée des droits Miranda.

— Je suis ici en tant qu'avocat de monsieur Lapasa. Mon client est informé de ses droits et des conséquences de ses actes.

— Est-ce exact, monsieur Lapasa ? Avez-vous discuté avec un avocat de la déclaration que vous vous apprêtez à faire, et agissez-vous en toute liberté, sans pression ni promesse de gain ?

— Ouais, ouais. Qu'est-ce que ça peut faire ? Dans trois mois d'ici, je serai mort.

— Permettez-moi de vous rappeler que l'entretien est enregistré.

Schoon a saisi son stylo.

— Je vous écoute, monsieur Lapasa. Je voudrais l'entendre directement de votre bouche.

— C'est moi qui l'ai tué.

— Qui ça ?

— Un type du nom d'Alexander Lapasa.

J'ai jeté un coup d'œil à Ryan, puis à Lô. Tous les deux avaient les sourcils au milieu du front.

— Quand cela ? a enchaîné l'avocat sur un ton parfaitement neutre, dénué de toute surprise, gêne ou jubilation.

— En 1968.

— Où ça ?

— Au Vietnam.

— Poursuivez.

— C'est tout. J'ai tué ce type, je lui ai piqué son portefeuille et son passeport, et je me suis tiré dans le nord du pays.

— Vos motifs ?

— J'en avais marre.

— Marre de quoi ?
— De l'armée, du Vietnam, de cette foutue guerre.
— Pourquoi ?
— Vous me demandez ça ?
— Répondez, s'il vous plaît.
— J'avais dix-huit ans, je me préférais entier.
— Pourquoi Xander Lapasa ?
— Parce qu'il n'était pas militaire. Je me suis dit qu'avec les papiers d'un civil, ça me serait plus facile d'acheter ma liberté. (Se tournant vers Epstein.) Faut que je retourne aux toilettes. Ces maudits médicaments me font vomir les tripes.

Il est sorti de la pièce cahin-caha, soutenu par son avocat.

Quant à moi, j'avais l'esprit en ébullition.

Aucun de ces deux hommes n'était Xander Lapasa. Epstein était avocat, Masque Hygiénique bien trop petit. D'ailleurs, il venait de l'avouer lui-même. Qui était-il alors ? À quel moment et à quel endroit, au Vietnam, sa route avait-elle croisé celle de Xander Lapasa ? Il vivait sous son identité depuis les années 1960. Où avait-il habité avant de s'installer à Oakland ? Que faisait-il comme métier ?

Incapable de parler, je me rongeais une cuticule. Derrière moi, Ryan et Lô se taisaient eux aussi.

Une éternité s'est écoulée. D'autres lui ont succédé.

J'avais le doigt à vif.

Epstein et son client ont fini par revenir.

Schoon a repris l'interrogatoire là où il l'avait laissé.

— Comment avez-vous tué monsieur Lapasa ?
— Je l'ai abattu avec mon M16.
— Ensuite vous lui avez volé ses papiers d'identité et vous avez vécu sous le nom d'Al Lapasa, lequel était considéré comme déserteur.
— Oui, c'est bien ce que je dis.
— Pourquoi ce diminutif d'Al ?
— Pardon ?
— Pourquoi pas Xander ?

— Le passeport indiquait Alexander. Al m'est venu à l'esprit.

— Quelle est votre véritable identité ?

— Ce n'est pas important.

— Nous y reviendrons. (Petite inscription de Schoon dans son bloc-notes, avant de reprendre :) Où avez-vous fait la connaissance de monsieur Lapasa ?

— Connaissance ? C'est un bien grand mot !

— Très bien. (Ton pincé :) Où avez-vous tué monsieur Lapasa ?

Masque Hygiénique a penché lentement la tête, les yeux rivés sur ceux de son vis-à-vis.

— Monsieur… ?

— Je vous le dis et vous m'écrabouillerez comme le raisin à Napa Valley.

— Je vous demande pardon ?

— À votre tour de me donner quelque chose, monsieur l'avocat.

Derrière ses lunettes, le regard de Schoon n'a pas vacillé.

— Vous pensez que je suis de la merde.

Schoon a voulu protester. Masque Hygiénique l'a fait taire de la main.

— Les jeunes d'aujourd'hui parlent de la liste du maintenant ou jamais. Vous savez ce que c'est ?

— Non.

— Les choses qu'on veut faire avant qu'ils vous enterrent. Vous savez, comme si vous appreniez qu'il ne vous reste plus qu'un mois à vivre.

Chez Schoon, absence totale de réaction.

— Dans ma jeunesse, j'ai fait des bêtises dont je ne suis pas très fier. J'ai passé la plus grande partie de ma vie à regarder par-dessus mon épaule. Maintenant, j'apprends que j'ai les intérieurs en bouillie. Ma liste à moi stipule que je dois régler certaines choses. (Un long soupir.) Voici mon offre, à prendre ou à laisser. Vous, vous prenez ce que vous voulez dans ce que je dis sur Lapasa. Moi, je rentre chez moi et je meurs tranquillement dans mon lit.

Schoon a réfléchi un moment.

— Avant de vous répondre, je dois obtenir l'approbation du procureur général.

— Démerdez-vous !

Masque Hygiénique s'est laissé retomber en arrière, affalé contre son dossier.

Chapitre 36

Quelques secondes plus tard, entrée de Schoon dans la salle où nous nous trouvions.

— Comment dois-je procéder, pour la suite ? a-t-il demandé à Lô.

— Pour ce qui est de Xander Lapasa, continuez comme bon vous chante, je n'ai pas d'objection. Pour un meurtre commis au Vietnam, y a quarante ans de ça, ce ne sera pas facile d'obtenir un procès. Surtout que le bonhomme peut très bien n'avoir commis aucun crime et essayer seulement de se faire du fric sur la base de rumeurs entendues par-ci par là.

Cette idée m'avait traversé l'esprit à moi aussi.

— Mais pas touche à Kealoha et Faalogo. Si ce tas de merde essaie de faire entrer de la drogue dans ma ville, j'aurai sa peau, cancer ou pas !

— Ça risque de prendre un moment pour régler la question, a dit Schoon.

Ça n'a pas été le cas. Dix minutes plus tard, il était de retour.

— Le procureur général est d'accord. Nous laissons du mou à Lapasa en espérant qu'il se passera lui-même la corde au cou. Un procureur va nous rejoindre, mais la séance peut se poursuivre, puisqu'elle est enregistrée et que Lapasa bénéficie de la présence d'un avocat. De plus, il pense qu'un tribunal civil n'est pas habilité à juger un crime dont l'auteur présumé était sous les ordres de l'armée au moment des faits.

Schoon a quitté la pièce pour y réapparaître à l'écran l'instant d'après, en train de se rasseoir à sa place dans l'autre salle de conférences.

— Bien, a-t-il dit. L'immunité vous est accordée pour tout renseignement que vous jugerez bon de révéler concernant Xander Lapasa.

Masque Hygiénique s'est tourné vers son avocat.

— Nous voudrions avoir cela par écrit, a dit Epstein.

— Vous l'aurez, a répondu Schoon.

Epstein a hoché la tête.

Schoon a saisi son stylo.

— Parlez-moi de la mort d'Alexander Lapasa.

Masque Hygiénique s'est tassé et a poussé un soupir.

— On attendait l'hélico qui devait nous emmener dans le nord du pays.

— Où était-ce ?

— À Long Binh.

Mon cœur s'est mis à cogner si fort que les autres devaient l'entendre aussi.

— Histoire de passer le temps, on fait la causette. Je lui demande pourquoi il est pas en uniforme. Il me répond : « Parce que je suis pas militaire. » En fait, il prospecte la région en quête de bonnes affaires à réaliser quand la guerre sera terminée.

« On finit par décoller. À peine on a pris de la hauteur qu'on se fait tirer dessus. On s'écrase. Le pilote, le copilote et le chef d'équipage ont leur compte. Même chose pour le jeune assis à l'arrière. Moi, je m'en tire. Lapasa aussi. (Haussement d'épaules.) Le moment idéal pour avancer mes pions.

Sainte Mère !

J'ai tendu la main vers Ryan.

— Ton cellulaire !

— Quoi ?

— Passe-moi ton cellulaire !

Composition du numéro, un œil sur le cadran, l'autre sur la scène à l'écran. Schoon posait maintenant des questions sur les dates.

— En janvier 1968.

— Quel jour ?
— Je sais pas.
Danny a répondu à la première sonnerie.
— Le mécanicien, témoin de l'accident d'hélico à Long Binh, tu l'as retrouvé ?
— Harlan Kramer ?
— Je me fiche de son nom.
— Je l'ai interrogé. Il est à la retraite. Il habite au Texas, à Killeen. Il ne m'a rien dit de plus…
— Tu lui as demandé combien de personnes avaient embarqué dans l'hélico ?
— Cinq, d'après la feuille de route. Quatre membres d'équipage et l'Araignée Lowery.
— Mais tu le lui as demandé, à lui, combien de personnes avaient embarqué ?
— Non.
— Rappelle-le et pose-lui la question.
— Tout de suite ?
— Oui.
— Qu'est-ce qui se passe…
— Fais-le, c'est tout. Et rappelle-moi d'urgence à ce numéro !
Je me suis levée, excitée comme une puce. J'ai recommencé à me ronger le pouce.
Ryan et Lô me regardaient comme si j'avais perdu la boule.
À l'écran, Schoon demandait à Masque Hygiénique de décrire Xander Lapasa… L'arme.
Enfin le cellulaire a sonné.
— Kramer a vu six hommes embarquer — quatre membres d'équipage, un prisonnier récemment libéré et un civil, a déclaré Danny sur un ton mi-figue, mi-raisin. Il s'est étonné que je lui pose la question aujourd'hui. Jusque-là, on ne l'avait interrogé que sur la façon dont l'écrasement s'était produit.
— Et, bien sûr, il n'avait pas pensé à évoquer le fait de lui-même parce que c'était forcément reporté sur la feuille de route.

— Exactement.
— Merci, Danny. Je t'explique plus tard.
Retour à l'écran.
— Quelle distance avez-vous parcourue avec monsieur Lapasa par rapport au lieu de l'accident ?
Masque Hygiénique a eu un petit mouvement signifiant qu'il l'ignorait.
— J'en sais rien, bordel. Quatre cents mètres, peut-être.
— À pied ?
— Non. En taxi !
— Et c'est là que vous l'avez abattu ?
— Combien de fois faudra vous le répéter ?
Des iris noirs. Des sourcils à la Al Pacino.
Évidemment.
C'était ça, le message de mon subconscient.
— Et après ?
— Je lui ai accroché une de mes plaques d'identification et je me suis tiré.
— Pour quelle raison étiez-vous à Long Binh à ce moment-là ?
— Je sortais de prison.
— L'Araignée.
Le nom est sorti de mes lèvres, pas plus fort qu'un chuchotement.
— Quoi ? a demandé Ryan.
— Qui ? a demandé Lô.
— John Lowery. L'Araignée, c'était son surnom.
— *Tabarnac* !*
— Quoi ? a répété Lô.
— Chut !
Je les ai fait taire tous les deux, curieuse d'entendre la suite du récit.
— … allé après avoir abattu monsieur Lapasa ?
— D'abord à Saigon, où j'ai passé plusieurs années. Puis en Thaïlande : Bangkok, Chiang Mai, Chumphon. Puis retour à Bangkok, où je suis resté jusqu'en 1986.
— Et après ?

— La nostalgie du pays.
— Vous êtes revenu aux États-Unis ?
L'Araignée a hoché la tête.
— En utilisant un passeport vieux de dix-huit ans ? s'est étonné Schoon.
— J'en ai obtenu un neuf.
— Comment est-ce possible ?
— D'où il sort, cet abruti ? De dessous un rocher ? a lancé l'Araignée à son avocat.
— Poursuivez, a dit Schoon.
— J'ai rien de plus à dire. (Haussement d'épaules.) J'ai vécu ici depuis.
— Sous l'identité d'Al Lapasa ?
— Dans le plus strict respect de la loi. Je paie mes impôts. J'ai même un toutou.
— Votre véritable identité, monsieur ?
Coup d'œil de Masque Hygiénique à Epstein.
Hochement de tête de l'avocat.
— John Charles Lowery. Né le 21 mars 1950, à Lumberton, en Caroline du Nord. Prénom du père : Platon. De la mère : Harriet.
À ces mots, j'ai eu l'impression de recevoir une décharge électrique. Pourtant je le savais déjà.
— Il faut que je bouffe quelque chose, a déclaré l'Araignée. Vous pourriez faire monter des sandwiches et aussi un ou deux sodas ?
Une seconde, Schoon a paru hésiter. Puis :
— Une autre interruption serait peut-être bienvenue, en effet.
Sur ce, il est sorti du champ de la caméra. Probablement pour aller téléphoner à son client.
Je me suis tournée vers mes compagnons.
Pendant trente secondes pleines, aucun de nous ne s'est risqué à prononcer un mot. Puis Lô s'est lancé.
— Mon instinct me dit que ce trou de cul est un tas de merde.
— Pourtant, ça doit bien être l'Araignée. Qui d'autre serait au courant de ce qui s'est passé à Long Binh ? de

l'accident d'hélico ? de la raison pour laquelle Xander se trouvait au Vietnam ?

— Comment Xander pouvait-il être à bord d'un hélico militaire ? a demandé Lô.

— Les civils suppliaient à longueur de temps les militaires de les embarquer.

— À votre avis, il a la tête de l'emploi ?

J'ai sorti deux photos de mon sac : le portrait du jeune homme découvert dans le tiroir du bureau de Jean Laurier, et l'équipe de baseball que Platon avait dans son album.

Et tous les trois nous avons comparé ces images de l'Araignée jeune avec celle de l'homme âgé transmise à l'écran.

Mêmes yeux foncés et mêmes sourcils épais bien dessinés.

— Les yeux ont l'air de correspondre, a dit Ryan.

— Difficile de dire, avec ce masque, a rétorqué Lô. Surtout qu'il est au bout du rouleau.

— Quelle raison aurait-il de mentir ?

Ma question est restée sans réponse.

— Une chose me tracasse, a repris Lô. Si c'est bien l'Araignée, il n'est pas samoan. Comment a-t-il été admis chez les SOS ?

Pas de réponse non plus pour cette question-là.

— S'il dit la vérité, ai-je repris, ça explique qu'on ait retrouvé sa plaque d'identification sur Xander Lapasa.

— Mais ça n'explique pas que le noyé d'Hemmingford ait les empreintes de l'Araignée, a contre-attaqué Ryan.

— C'est vrai. Mais ça justifie que les tests d'ADN aient démontré que ce noyé n'était pas le fils d'Harriet.

— Vous avez soif ? a demandé Lô, et il s'est levé.

— Un Coke Diète.

— Un café pour moi, a dit Ryan.

— Ne dites rien sans moi ! a fait Lô en quittant la pièce.

Pour passer le temps, j'ai regardé d'autres photos. Notamment, une de l'Araignée appuyé contre une Chevrolet. Sur son t-shirt, le numéro 12.

Quelle position occupait-il dans l'équipe de baseball ? Combien de fois l'entraîneur l'avait-il désigné pour participer à un match ? Aimait-il ce sport ?

D'après Platon, l'Araignée restait la plupart du temps sur le banc. C'était son cousin qui l'avait convaincu d'entrer dans l'équipe.

Comment s'appelait le cousin, déjà ?

Reggie. Reggie Cumbo.

J'ai examiné ce Reggie, un genou à terre, sérieux comme un pape. Incroyable, ce que ces deux cousins pouvaient se ressembler !

Cousins par Harriet, avait dit Platon.

J'ai revu le vieil homme me parlant de sa femme, et j'ai ressenti à nouveau son immense chagrin.

Qu'avait-il dit de spécial sur sa femme ? Qu'elle avait de beaux yeux : l'un brun, l'autre vert comme les pins loblolly. Des yeux vairons.

Un embryon d'idée s'est formé dans mon cerveau.

D'après ses empreintes digitales, le noyé d'Hemmingford était l'Araignée Lowery.

Pourtant, d'après son ADN, ce n'était pas vrai.

Selon l'armée, l'Araignée Lowery était mort au Vietnam.

L'homme qui parlait à Schoon affirmait que c'était faux.

Le portrait d'Harriet Lowery sur le débarcadère m'est revenu à l'esprit. Son décolleté bronzé. Ses yeux de deux couleurs différentes.

De petites particules sont venues s'agglutiner à l'embryon d'idée.

Souvenir de ma conversation avec Macken, le médecin qui avait pratiqué la greffe : elle avait admis que les analyses de compatibilité des tissus avaient fait apparaître des bizarreries. Que Tom ne pouvait en aucun cas être le fils d'Harriet, d'après son ADN.

Cette nouvelle avait révolté ses parents, Platon et Harriet.

Tom avait un jumeau, l'Araignée.

Souvenir d'un certain procès en justice. D'un article notamment.

À présent, c'était en cohortes que les particules d'idée s'amalgamaient les unes aux autres.

Le souffle court, j'ai scruté l'écran. Que Masque Hygiénique regarde la caméra !

La porte s'est ouverte.

Allez !

Bruit de pas traversant la salle.

Allez !

Lô plaçant un Coke devant moi.

Allez !

À l'écran, Schoon entrait dans l'autre salle et déposait sur la table un sac en papier blanc. Les deux Californiens en sortaient des sodas, des sandwiches et des serviettes en papier. Décapsulaient les canettes, ouvraient les sachets de mayonnaise et de moutarde.

Allez, salaud ! Regarde-moi !

Enfin, il l'a fait.

Je savais maintenant qui il était.

Et je savais ce qui s'était passé.

Chapitre 37

J'ai bondi sur mes pieds.

— Il faut que je regarde quelque chose sur Internet, vite.

Ryan et Lô, ahuris tous les deux. Comme si j'avais dit que je voulais joindre les rangs d'Al-Qaida.

— Dites à Schoon de gagner du temps.

— Pourquoi ?

— Que le gars continue à parler !

J'ai filé à la réception pour voir avec Tina comment me connecter.

Imperturbable, elle m'a conduite dans un bureau vide, a branché l'ordinateur et s'est retirée sans poser de questions.

Une parfaite Moneypenny.

Vite, le site du *New England Journal of Medicine*, puis un article bien précis. Lecture en diagonale, mais en prenant des notes. Surf d'un site à l'autre grâce aux liens. Jusqu'à ce que j'aie bien tout compris.

Après, entrée d'un nom et visite des liens qui y étaient rattachés.

Un deuxième nom.

Et ses liens.

C'est presque en dansant que j'ai enfin regagné la salle de conférences.

Une femme s'y trouvait, en plus de Ryan et de Lô. Grande, des cheveux châtains coupés court, des traces d'acné sur les joues. Son âge ? Entre trente et quarante.

Maya Cotton, procureure adjointe, attachée au bureau du procureur général d'Honolulu, m'a appris Lô. Il avait l'air de faire la gueule.

J'ai échangé une poignée de main avec la dame.

— Je suis désolée de vous gâcher la journée, a dit Cotton.

— *Sonofabitch*, a répliqué Lô en donnant un coup de pied dans la table.

— Qu'est-ce qui se passe ?

Question posée par politesse plus que par réel intérêt. En vérité, je bouillais de leur faire part de mes découvertes.

— Pinky Atoa a été relâché ce matin !

Cela m'a étonnée.

— Alors qu'il avait reconnu avoir participé au meurtre de Kealoha et de Faalogo.

Lô a eu un reniflement dégoûté et il a indiqué à Cotton de m'expliquer la situation.

— Ses aveux ne sont pas valables, il est apparu qu'il n'avait que seize ans. Et comme nous n'avons pas vraiment d'autre chose contre lui, impossible de le détenir.

À l'écran, Schoon questionnait toujours Masque Hygiénique.

Toute à mon excitation, j'ai omis d'exprimer à Lô combien je compatissais à ses déboires.

— J'ai manqué beaucoup de choses ?

— L'Araignée ressuscité voudrait entrer chez les Jésuites, a résumé Ryan.

— Il me manquait un renseignement médical. Maintenant, je peux vous expliquer exactement comment les choses se sont passées ! L'Araignée. Xander Lapasa.

— Attention, conférence ! a chuchoté Ryan à l'intention de Lô et de Cotton.

Sa remarque ne m'a même pas vexée, tellement j'étais emportée par mon sujet.

— Je vais faire court.

— Et surtout compréhensible.

— Ouais, ouais. Pas de jargon.

Longue inspiration.

— En 2002, en Angleterre, une femme enceinte appelée Lydia Fairchild a fait une demande d'aide sociale. Elle avait déjà deux enfants d'un homme appelé Jamie Townsend. Pour obtenir l'allocation, elle devait fournir la preuve ADN que Townsend était bien le père de ses enfants. Les résultats ont prouvé qu'il l'était, mais qu'elle-même n'était pas leur mère.

— Tu parles d'une déception ! a dit Ryan.

— Sans blague. Fairchild s'est retrouvée accusée de fraude à l'aide sociale, ses enfants lui ont été retirés et placés en famille d'accueil. Le juge a ordonné qu'un témoin assiste à l'accouchement suivant et que des échantillons de sang soient prélevés sur elle et le nouveau-né. Et là encore, l'analyse ADN a indiqué qu'elle n'était pas non plus la mère du bébé, contrairement aux dires du témoin. Situation bloquée ! Jusqu'au jour où les avocats de Fairchild ont découvert un cas semblable à Boston.

— Bénis soient les avocats de la défense ! a laissé tomber Lô, avec un regard sarcastique à l'adresse de Cotton.

— En fait, c'est grâce au procureur que le mystère a pu être résolu, ai-je répliqué avec un sourire à Cotton. En 1996, une femme du nom de Karen Keegan devait se faire greffer un rein. Des analyses ont été pratiquées sur ses trois fils adultes pour déterminer s'ils pouvaient être donneurs. Pour deux d'entre eux, les tests ADN ont révélé une concordance avec l'ADN de leur mère bien inférieure aux normes habituelles pour les enfants biologiques. Des tests plus élaborés ont démontré que Keegan était une « chimère ». C'est-à-dire porteuse de deux ensembles distincts de lignes de cellules et de deux ensembles distincts de chromosomes.

— Comment est-ce qu'ils ont découvert ça ? a demandé Ryan.

— En prélevant sur elle des échantillons d'ADN dans d'autres tissus. Il est apparu que ces échantillonslà ne présentaient pas les mêmes séquences que l'ADN prélevé au départ. Dans l'affaire Fairchild, le procureur a évoqué cette possibilité devant les avocats de la défense, et des échantillons d'ADN ont été prélevés sur d'autres membres de la famille plus éloignés. Il est apparu que l'ADN des enfants de Fairchild concordait avec celui de leur grand-mère maternelle dans les proportions habituellement constatées entre un enfant et sa grand-mère.

— Ce qui démontrait que Fairchild était bien leur mère ? a demandé Cotton d'un air perplexe.

— D'autres tests ont démontré que l'ADN obtenu à partir de sa peau et de ses cheveux ne correspondait pas à celui de ses enfants, alors que l'ADN obtenu à partir d'un frottis cervical, qui présentait une séquence différente, était tout à fait concordant.

— Autrement dit, a résumé Ryan, Fairchild portait deux ensembles de gènes distincts.

Manière simpliste d'expliquer les choses, mais en gros exacte.

— Ouais.

— Et ces chimères, c'est quoi, exactement ? a demandé Lô.

— Une minute.

Coup d'œil à mes notes.

— Préparez-vous. Elle va tout nous révéler, les a prévenus Ryan.

— En fait, deux types de chimérismes peuvent se produire chez l'homme. Le microchimérisme et le macrochimérisme. Dans le premier cas, seule une petite partie du corps possède une ligne de cellules distincte. Généralement, cela vient du fait que des cellules étrangères ont réussi à se stabiliser à l'intérieur d'un hôte.

— Quelles cellules étrangères ? a demandé Cotton.

— Des cellules provenant d'un transfert mère-fœtus au cours de la grossesse. Ainsi le fœtus, par l'intermédiaire du placenta, peut transmettre à sa mère ses propres cellules souches, ou même celles du père, et ces cellules, du fait qu'elles sont indifférenciées, arrivent parfois à survivre et à se multiplier dans le corps de la mère. De la même manière, des cellules souches de la mère peuvent se transférer au fœtus.

Comme personne ne disait rien, j'ai continué.

— Le microchimérisme peut également se produire entre jumeaux. Chez l'homme, le type de chimérisme le plus courant est le chimérisme sanguin. Chez les vrais jumeaux, cela survient lorsqu'ils partagent une certaine quantité du même placenta. Il y a alors échange de sang et translocation dans la moelle osseuse. Chacun des jumeaux possède un génotype distinct de celui de son frère, sauf en ce qui concerne le sang, qui présente, lui, deux ensembles de gènes différents et peut même appartenir à deux groupes sanguins différents.

— C'est fréquent ? a demandé Ryan.

— On estime que huit pour cent des vrais jumeaux présentent un chimérisme confiné aux seules cellules du sang…

J'ai marqué une pause avant d'ajouter :

— Cela dit, les greffes d'organe ou les transfusions sanguines peuvent également être sources de microchimérisme chez le récipiendaire.

— C'est ce qui était arrivé aux dames dont vous parlez ? a demandé Lô.

— Non. Fairchild et Keegan présentaient toutes les deux un cas de chimérisme beaucoup plus rare, le chimérisme tétragamétique. Cela se produit quand deux œufs distincts, fécondés par deux spermatozoïdes distincts, produisent deux zygotes.

— Embryons, a corrigé Ryan, et il a levé le doigt en signe d'avertissement.

— Oui, pardon. Ça peut se produire aussi bien chez les vrais jumeaux que chez les faux. Au cours de leur développement, les deux embryons fusionnent très tôt et créent un enfant unique, mais qui sera doté de deux lignées cellulaires. Par exemple, son rein présentera un certain type d'ADN, son pancréas un autre.

— Si je comprends bien, a récapitulé Cotton, chez ces deux femmes, Fairchild et Keegan, des œufs jumeaux ont fusionné pour donner un unique bébé qui portait tout un fouillis de gènes provenant des deux œufs fécondés.

— Oui.

— Bordel ! s'est exclamé Lô. Ils doivent avoir l'air plutôt bizarre, ces gens-là.

— Un grand nombre de porteurs de chimérisme ne présentent aucun signe visible. Ou alors mineurs : des yeux de différentes couleurs, par exemple, ou des cheveux qui poussent plus vite à droite qu'à gauche. Mais tout le monde n'a pas cette chance. À l'université d'Édimbourg, les médecins ont eu à traiter un patient qui souffrait d'un testicule qui ne descendait pas. À l'examen, ils se sont aperçus qu'il avait aussi un ovaire et une trompe utérine.

À l'écran, Schoon demandait à Masque Hygiénique pour quel délit il avait été emprisonné à Long Binh.

— Ton chimérisme, quel rapport avec Lowery ? a demandé Ryan.

— Ce n'est pas Lowery.

— Alors, où est Lowery ?

— Au Québec. C'est notre noyé.

— Son ADN dit que non.

— C'est parce qu'Harriet Lowery était porteuse de chimérisme. Elle avait des yeux vairons. Et aussi des lignes de Blaschko.

J'ai préféré expliquer, même si personne ne m'avait demandé de quoi il s'agissait.

— Ce sont des lignes en forme de V, de S ou de vrilles, qui apparaissent sur la peau à des endroits bien précis du corps quand le sujet est atteint de certaines mycoses ou maladies cutanées.

— Et avant, ces lignes, on ne les voyait pas ? s'est étonné Ryan.

— Non.

— Ça ressemble à quoi ? a demandé Lô. À des rayures ?

— Oui. On pense qu'elles reproduisent le trajet migratoire des cellules épidermiques pendant le développement du fœtus. C'est un phénomène fréquent chez les porteurs de chimérisme. Harriet Lowery en avait sur la poitrine. Je l'ai vu sur une photo dans l'album de Platon.

— Elle était malade ?

— Ça, je ne sais pas. Mais elle avait des lignes de Blaschko, c'est sûr. Et, toujours d'après Platon, elle avait aussi les yeux de différentes couleurs.

— Si elle était porteuse de chimérisme, cela pourrait expliquer que son ADN et ceux de ses fils ne soient pas concordants, a dit Ryan qui commençait à piger.

— Exactement.

— Et finalement, ça pourrait signifier que le noyé du Québec était bien l'Araignée. Et que ce con-là est quelqu'un d'autre, a-t-il ajouté en désignant l'écran.

— Exactement.

— C'est qui, dans ce cas-là ? a demandé Lô.

J'ai montré la photo de l'équipe sportive.

Trois têtes se sont rapprochées.

— Celui-là, c'est l'Araignée Lowery.

J'ai désigné un garçon au milieu de la rangée derrière.

— Vu, a fait Ryan.

— Celui-là, c'est son cousin.

Petite tape sur un garçon de la rangée de devant.

— *Sonofabitch*, s'est exclamé Lô.

— Ils pourraient être jumeaux, a dit Cotton.

— Comment s'appelle-t-il ? a demandé Ryan.

— Reggie Cumbo. Regardez l'homme qui parle à Schoon.

Trois têtes ont pivoté ensemble.

— De quelle couleur sont ses yeux ?

— Bruns.

— Or, d'après son père, l'Araignée avait les yeux verts.

Ryan a réfléchi.

— Tu penses que les cousins ont pu échanger leur identité en 1968 ? L'Araignée serait allé au Canada et Reggie au Vietnam ?

— Oui. Ils se ressemblaient assez pour tromper des gens qui ne les connaissaient pas. Quant à leurs dossiers dentaires, ou bien ils ont pensé à les échanger aussi, ou bien Reggie les a retirés de son dossier.

— Je suis perdue, a dit Cotton.

— Je vous expliquerai après, a dit Lô.

— Mais pourquoi ? m'a demandé Ryan.

— Je ne sais pas. Probablement que l'Araignée a été appelé et ne voulait pas partir. D'après Platon, Reggie a toujours été le plus agressif et autoritaire des deux. Il est possible qu'il ait voulu s'engager et qu'on ait refusé de l'incorporer. Il avait été arrêté plusieurs fois, il n'avait pas fini l'école. Voilà pourquoi nous devons absolument le forcer à parler maintenant, sinon nous ne connaîtrons jamais les vrais dessous de cette histoire.

— Comment voulez-vous qu'on joue la partie ? a demandé Ryan en se tournant vers Lô.

Je ne lui ai pas laissé le temps de répondre.

— Laissez-moi l'interroger.

— C'est hors de question.

— Vous êtes flic, moi je suis anthropologue.

Lô, s'adressant à Ryan :

— C'était pas des blagues. Elle est vraiment bonne, la poulette.

— Je vous avais prévenu.

— Ce que je veux dire par là, c'est que Reggie peut me considérer comme moins menaçante pour lui.

— C'est quand même moi qui porte le badge de flic, a répliqué Lô.

— Et le revolver, a renchéri Ryan.

— Et cette chemise, a embrayé Lô en tirant sur le col de sa splendeur hawaïenne.

— Vous êtes à crever de rire, tous les deux ! Si Cumbo refuse de répondre et veut partir, il pourra le faire sans problème, puisqu'une immunité limitée lui a été accordée. Alors que moi, je peux l'en empêcher, le coincer grâce au JPAC. Il a dit qu'il voulait mourir la conscience pure. Je peux jouer sur cette corde. Lui parler de Platon, de l'Araignée qui mérite d'être enterré dignement.

— Ce problème de chimérisme, c'est une certitude ? a demandé Lô.

— Pour vous répondre en toute vérité, il me faudrait d'autres échantillons de l'ADN d'Harriet. Mais c'est la seule théorie qui tienne debout.

Lô a regardé le procureur :

— J'ai déjà perdu Atoa. J'aimerais bien ne pas laisser filer celui-là.

— Je ne vois pas d'objection à ce que le Dr Brennan l'interroge. On lui a lu ses droits et il est assisté d'un avocat. Dans l'affaire de ce fameux Araignée, l'intérêt de l'armée est légitime, et jusqu'ici c'est le Dr Brennan qui l'a représentée.

Lô hésitait toujours. Il a fini par lâcher, avec un soupir :

— Ah, au diable !

Je me suis dirigée vers la porte. J'avais déjà la main sur la poignée quand Lô m'a interpellée. Je me suis retournée.

— Frappez fort.

Chapitre 38

Cumbo n'a pas relevé les yeux quand je suis entrée dans la salle. Contrairement à Schoon et Epstein, qui m'ont dévisagée sans dire un mot jusqu'à ce que j'arrive près de la table.

Cumbo transpirait à grosses gouttes, ce qui ne se voyait pas à l'écran. Son col était trempé de la sueur qui dégoulinait de son visage et de son cou. Il avait le teint plombé et des demi-lunes flasques et violettes sous les yeux.

Je me suis assise.

— Je suis le Dr Temperance Brennan.

— Docteur ? a répété Epstein, en reportant son regard sur Schoon.

— Le procureur Cotton a suggéré que je prenne part à l'interrogatoire.

— Docteur ? a redit Epstein.

— Anthropologue judiciaire.

— Je ne vois pas en quoi votre présence ici est nécessaire.

— Je travaille pour le JPAC. (M'adressant directement à Cumbo :) Le Groupe unifié de recherches intensives sur les soldats prisonniers de guerre ou morts au combat. Vous connaissez ?

Cumbo n'a pas fait un geste ni trahi d'aucune façon qu'il avait entendu ma question.

— Le JPAC a pour mission de localiser les soldats américains tombés au front et de les ramener au pays. Mission qu'il exécute avec un grand sérieux.

Epstein a voulu objecter. Je l'ai ignoré.

— Je travaille actuellement sur le cas d'un soldat mort au Vietnam, puis enterré chez lui, dans son État de Caroline du Nord.

Pas de réaction.

— Ce soldat avait un surnom qu'utilisaient tous ses intimes. L'Araignée.

Les demi-lunes violettes se sont relevées, mais à peine.

— Un événement bizarre s'est produit récemment. Un homme est mort au Canada. Il a pu être identifié grâce à ses empreintes digitales. C'était l'Araignée. Or l'Araignée était déjà mort et enterré à Lumberton, en Caroline du Nord.

Cumbo a commencé à frotter les ongles de ses pouces l'un contre l'autre. Des ongles jaunes et striés.

— Vous pouvez imaginer la confusion. L'armée déteste la confusion. Une enquête a donc été ordonnée pour déterminer comment un seul et même individu pouvait être mort en deux lieux différents.

J'ai ménagé une pause pour donner plus de force aux propos suivants.

— Je pense que vous êtes capable de répondre à cette question, monsieur.

— C'est ridicule, est intervenu Epstein.

Je l'ai ignoré.

— L'Araignée s'appelait en vérité John Charles Lowery.

Étonnement manifeste de Schoon et d'Epstein. Ce dernier s'est vite ressaisi, comme s'il regrettait d'avoir laissé transparaître une émotion.

— Or vous prétendez être vous-même John Charles Lowery. Vous affirmez avoir tué Xander Lapasa à Long Binh il y a de ça quarante ans et avoir subtilisé son identité.

Posant les avant-bras sur la table, je me suis penchée en avant.

— En réalité, John Charles Lowery n'est jamais allé au Vietnam… N'est-ce pas, Reggie ?

Cumbo évitait toujours mes yeux.

— Vous vous souvenez de l'Araignée. C'était votre cousin. Vous étiez dans la même école. Dans la même équipe de baseball. C'est même vous, d'ailleurs, qui l'aviez convaincu d'entrer dans l'équipe. Je me trompe ?

Cumbo faisait maintenant cliquer ses ongles à toute allure.

— Vous voulez savoir comment il est mort ? Il s'est noyé en s'attachant une pierre à la cheville. Son corps se trouve actuellement à la morgue de Montréal. L'étiquette accrochée à son orteil porte la mention « Inconnu ».

Plus ou moins vrai, mais pas trop loin de la vérité.

— Finissons-en ! est intervenu Epstein en agitant la main pour m'imposer le silence. À l'évidence, cette dame est mal informée.

Et de saisir les bras de son fauteuil pour le pousser en arrière. Mais Cumbo est intervenu, les yeux vrillés aux miens.

— Vous avez à la fois raison et tort.

— Monsieur Lapasa, je vous conseille vivement...

Il a levé le doigt à l'intention de son avocat, mais sans se tourner vers lui. Un prof réclamant le silence.

Epstein a manifesté sa désapprobation en fronçant les sourcils.

Cumbo a défait l'élastique qui entourait ses oreilles et a retiré son masque.

J'ai réussi à demeurer impassible.

Cumbo ne cherchait nullement à protéger son entourage d'une quelconque infection. Il était à demi défiguré. Il dissimulait son menton anormalement tordu vers la droite et sa mâchoire inférieure bien trop petite, dont la plus grosse partie de mandibule lui avait probablement été retirée par intervention chirurgicale ; il avait un profond creux au niveau du cou et une cicatrice en zigzag en travers de la gorge.

— On est quittes ? Votre face n'est pas mieux.

J'ai gardé les yeux rivés sur lui. Il a repris :

— Vous avez mis le doigt dessus : je ne suis pas Al Lapasa, et pas non plus l'Araignée.

— Vous êtes Reggie Cumbo.

— Je l'étais, y a plus de quarante ans.

— Vous vous êtes présenté à l'armée à la place de votre cousin.

— Il voulait pas y aller, au Vietnam. Moi si.

— L'Araignée est allé au Canada.

— Il aimait la neige, faut croire.

— Vous êtes restés en contact ?

— Pendant un moment, jusqu'au départ de mon unité. Je lui réexpédiais les lettres de sa mère. (Il a fait une mimique et sa bouche est complètement partie sur le côté.) Je dois en avoir encore tout un paquet dans une boîte.

— Mais l'armée n'était pas à la hauteur de vos espérances.

Pas de réaction. Sauf ses yeux qui se sont rétrécis.

— Les combats, la chaleur, la jungle puante. Vous n'en vouliez plus, de tout ça.

— Cette guerre-là était idiote, a-t-il dit sur un ton défensif.

— Et donc, vous avez assassiné Xander Lapasa.

— C'est quoi, là ? Une rediffusion ?

Cumbo a jeté au loin son masque qui a roulé sur la table avant de glisser par terre. J'ai changé de sujet.

— Vous possédez un bar à Oakland, le Savaii.

— C'est un crime ?

— Savaii est une ville des îles Samoa.

— Maintenant, on aura tous 20/20 en géographie !

— Le Savaii sert de lieu de rencontre à un gang appelé Sons of Samoa.

Silence de Cumbo. Il a juste levé les mains et les a laissé retomber sur la table. *Et alors ?*

— Comment se fait-il qu'un homme originaire de Lumberton, en Caroline du Nord, se retrouve affilié à un gang SOS ?

— Avec ma belle gueule et mes cheveux foncés, je colle au personnage. Le sang indien, savez ce que c'est.

Sa tentative de sourire ironique s'est traduite par le spectacle répugnant de sa bouche et de son menton s'étirant sur le côté.

— En entendant mon nom, Lapasa, les Crips se sont dit que j'étais samoan. J'ai pas démenti. D'être un *cuz*, ça avait des avantages.

Schoon s'est raclé la gorge. Bien sûr. L'utilisation de ce terme en un lieu qui n'est pas tenu par les Crips peut signer l'arrêt de mort de celui qui le prononce.

Epstein était tout ouïe. Calme mais vigilant.

— Que pouvez-vous me dire sur Francis Kealoha.

— C'est qui, ce con-là ?

— Vous le connaissez peut-être sous le nom de Frankie Olopoto.

Sous la cicatrice, la pomme d'Adam a sailli.

— Et George Faalogo ? Ça vous dit quelque chose ?

Silence, côté Cumbo.

— Parlons alors de Nickie Lapasa.

Pas de réponse.

— Le frère de Xander, le pauvre imbécile que vous avez assassiné. Vous savez certainement que Nickie Lapasa est un homme puissant. Et riche. Que les intérêts financiers de la famille Lapasa s'étendent bien au-delà de l'État d'Hawaï. Peut-être même jusqu'en Californie. Vous nous avez dit que vous aviez regardé sur Internet ce qu'on disait de lui. Est-ce que c'était un petit mensonge, Reggie ? Est-ce qu'en réalité vous vous connaissez, tous les deux ? Pour des raisons, dirais-je, professionnelles ?

Schoon est revenu à la vie.

— À aucun moment, au cours de cet entretien, il ne sera question des affaires personnelles ou professionnelles de Nicholas Lapasa.

J'ai insisté néanmoins.

— Est-ce la raison pour laquelle vous avez expédié ici Frankie et Logo ?

Silence persistant de Cumbo. Ses yeux ont encore rétréci.

Je suis passée à un autre sujet.

— Pour autant que je sache, vous faites l'objet d'une enquête pour vente illégale de stupéfiants. Votre bar sert de plaque tournante, Reggie ?

Protestation vigoureuse d'Epstein :

— Vous dépassez les bornes, madame !

— Votre but, c'est de développer votre business à Hawaï ? C'est pour cela que vous avez envoyé ici Kealoha et Faalogo ? Pour qu'ils vous représentent dans ces nouvelles activités ?

— Assez !

Epstein avait bondi sur ses pieds.

— Votre plan a foiré, Reggie. Vous avez envoyé Frankie et Logo sur un territoire déjà tenu par quelqu'un d'autre. T'eo L'il Bud, ça vous dit quelque chose ? C'est chez lui que vous les avez envoyés.

— Cela est grotesque ! s'est écrié Epstein, rouge de colère.

— C'est à cause de vous qu'ils ont été tués, Reggie.

— Qu'est-ce que j'en ai à foutre ?

Ses lèvres se sont écartées, laissant apparaître une langue qui ressemblait à une anguille ratatinée.

— Il n'a pas été facile de les identifier. Les requins n'en avaient pas laissé beaucoup.

La bouche affreuse ne s'est refermée que pour s'étirer à nouveau sur le côté.

— Ces questions sont totalement hors sujet !

Pour la première fois, j'ai posé les yeux sur Epstein. Plus tenace qu'une graminée, ce type.

— Pour que l'entretien se poursuive, vous vous concentrerez exclusivement sur les circonstances entourant la mort de Xander Lapasa !

— Bien. Revenons-en donc à Xander. Votre client affirme qu'il veut soulager sa conscience. Pourtant il continue de mentir sur sa véritable identité. (Me tournant vers Cumbo :) Pourquoi cela, Reggie ?

— Comme je l'ai dit : parce que j'ai des remords.

— Que recherchez-vous ? La paix de l'esprit, la rémission de vos péchés, ou simplement à sauver votre peau ?

Cumbo a eu un petit reniflement désabusé.

— Vous savez ce que je pense, Reggie ? Qu'autour de vous, c'est la débandade et que vous vous en rendez compte. Il y a les flics qui se rapprochent ; les Sons of Samoa qui ne vous pardonnent pas la mort de Frankie et Logo ; T'eo L'il Bud qui a placé un contrat sur votre tête… Peu importe. Votre conscience, vous vous en fichez bien. Ce que vous voulez, en fait, c'est continuer à danser le boogie.

J'étais lancée, je brodais sans m'en faire.

— Vous vous dites qu'il vaudrait mieux en finir avec Al Lapasa, et vous nous sortez de votre manche la carte John Lowery comme un moyen de vous éviter la prison. C'est une habitude, chez vous, de voler le nom de quelqu'un et de disparaître ensuite ? Reggie Cumbo devient l'Araignée Lowery ; l'Araignée Lowery devient Al Lapasa ; et maintenant, Lapasa va redevenir Lowery. Pour disparaître encore.

Cumbo s'est projeté en avant, la tête tendue si loin au-dessus de la table que son nez frôlait presque le mien. Odeur de sueur, haleine fétide.

Les yeux plantés dans les miens, il a brusquement serré le poing pour le relâcher d'un coup.

— Pow !

Je me suis rejetée en arrière, couverte de postillons. Dégoûtée, j'ai fouillé dans mon sac à la recherche d'un Kleenex.

Soudain, la porte s'est ouverte.

Je me suis retournée.

Lô, l'air consterné.

— Vous cherchez quelque chose ? a demandé Schoon.

Il a pointé le doigt sur moi et, du pouce, m'a indiqué la sortie.

J'ai filé dans le couloir.

Ryan se tenait sur le seuil de la salle de conférences d'où nous avions observé l'entretien. Seul. Tendu.

Tout en marchant vers lui, j'ai demandé à Lô :

— Où est Cotton ?

— Partie.

Pas un mot de plus jusqu'à la salle. Et là :

— Pinky Atoa est mort.

À voir sa tête, Ryan était déjà au courant. Et tout aussi ébahi que je l'étais maintenant.

— Il a été retrouvé par un clochard, il y a une heure et demie, a continué Lô. Rue Nuuanu, derrière une épicerie. Une balle dans le crâne, trois dans la poitrine.

Je me suis sentie mal. Un enfant de seize ans. Hier encore, il s'inquiétait pour son chien.

— Abandonné près d'une poubelle. La langue coupée et clouée à côté de lui.

Doux Jésus !

— La mort remonte à longtemps ?

— Perry la situe entre neuf heures et onze heures ce matin.

— Un jeune qui venait à peine de quitter le droit chemin !

Cela, je l'ai dit sans y croire.

— On l'attendait, évidemment.

Dans le regard de Lô, chagrin et détermination. Visiblement, il en savait davantage, mais n'en dirait pas plus.

La guerre des gangs, nous avions connu ça, Ryan et moi. Le carnage, la mort idiote, nous les avions vus de nos yeux. Nous savions ce que c'était.

— Je ne sais pas si cet enfoiré de Cumbo y est pour quelque chose, mais il restera bien assis sur son cul jusqu'à ce que je le sache, immunité ou pas !

— Il a eu l'air vraiment étonné quand j'ai dit que Kealoha et Faalogo étaient morts.

— Ouais, aussi innocent que Bambi, a dit Lô en regardant sa montre. Hung est en route pour ici. Elle va s'occuper de lui. J'ai demandé à Fitch de voir ce qu'il pouvait récolter sur ce meurtre. En attendant, je file sur les lieux.

Départ de Lô, scandé par le léger couinement de ses semelles sur le sol en marbre.

Quelques instants plus tard, Ryan et moi étions à notre tour dans l'ascenseur. Nous avons quitté l'immeuble sans échanger un mot.

En ce début de soirée, il y avait foule sur les trottoirs : des touristes le nez dans leurs cartes, des mères promenant leurs enfants, des acheteurs bardés de sacs de toutes les couleurs. La ville était plongée dans de chaudes tonalités safran. Il planait une odeur de mer et de pierre chauffée par le soleil, des parfums d'hibiscus et de barbecue. Une journée bien trop belle pour mourir. De surcroît à seize ans.

Ryan déverrouillait sa portière quand des pneus ont couiné dans notre dos : la Crown Vic de Lô, gyrophare allumé à l'avant et à l'arrière. J'ai senti l'appréhension de Ryan. D'un même élan, nous avons filé vers Lô.

— Une chance que je vous aie rattrapés ! a dit Lô sans descendre de voiture. Fitch a appelé. Apparemment, pour Atoa, c'est bien T'eo le commanditaire.

— Il a fait abattre un gars de sa bande ?

J'en restais ébahie.

— On a dû le voir entrer ou sortir du poste de police. T'eo, prévenu, a décidé de faire un exemple.

— Christ ! a lâché Ryan.

— On raconte aussi que Ted Pukui aurait touché vingt mille dollars pour le descendre.

Une pause. Nous avons attendu la suite.

— D'après Fitch, ce n'est qu'un début. T'eo tient à faire entendre son message à tous les *cuz* du continent. (Reniflement méprisant.) Histoire d'embellir sa légende.

Le regard de Lô est passé de Ryan à moi, pour revenir sur mon compagnon.

— Où sont vos filles ?

À ces mots, un étau glacé m'a serré le cœur.

— À la maison, a répondu Ryan. Pourquoi ?

— Appelez-les.

Ryan a fait le numéro de la maison : pas de réponse. Le cellulaire de Lily : messagerie.

Il m'a passé l'appareil, j'ai appelé Katy : messagerie.

— Pourquoi vous inquiétez-vous pour Katy et Lily ? ai-je demandé.

— T'eo offrirait encore vingt mille dollars pour vous attraper vous ou l'une de vos filles.

L'étau glacé a grandi jusqu'à remplir tout l'espace à l'intérieur de ma poitrine.

— L'accident à Waimanalo Bay, c'était lui. Ça ne lui a coûté qu'une caisse de rhum.

— Pourquoi moi ?

— Pour vous décourager d'aider Perry. Ça n'a pas marché. Maintenant vous l'embêtez gravement. C'est pour ça qu'il allonge une grosse somme.

Dans le regard de Ryan, j'ai pu constater l'étendue de sa fureur. On pouvait certainement lire la même chose dans mes yeux.

— Il a un indic qui suit vos filles. D'après Fitch, le mot d'ordre c'est d'éliminer l'un des deux carrés de sucre : le blanc ou le brun.

Chapitre 39

Quand l'émotion était trop forte, ma mère élevait un mur autour d'elle. Je fais la même chose.

J'étais donc d'un calme glacial alors qu'en moi la fureur le disputait à l'angoisse.

— Suivez-moi, a dit Lô, en déclenchant la sirène.

De longs miaulements ont alors fait voler en éclats l'atmosphère paisible de cette belle journée.

Des piétons se sont figés, d'autres ont rentré la tête dans les épaules, d'autres encore ont poursuivi leur train-train. Les véhicules se sont rabattus contre le trottoir.

Ryan a piqué un sprint. Le temps qu'il ouvre sa portière et se jette derrière le volant, j'étais déjà assise à côté de lui. Déblocage du levier de vitesse avec la paume, le pied sur le champignon. La voiture a bondi en avant.

— Essaie encore.

Il m'a balancé son cellulaire sur les genoux tout en se faufilant dans le trou de ver creusé par Lô dans la circulation grâce à sa sirène.

Agrippée au tableau de bord, j'ai composé le numéro d'une seule main.

Personne.

— On leur avait pourtant dit de ne pas quitter la maison ! a lâché Ryan, les deux mains sur le volant, les deux yeux sur la route.

— Elles sont peut-être au bord de la piscine.

Peu probable. Elles auraient emporté leurs cellulaires avec elles.

Vingt-trois minutes en tout pour arriver à Kailua, grâce à la sirène et aux gyrophares.

À la sortie du pont, virage pour Lanikai. Un dérapage contrôlé nous a projetés dans l'allée menant à la maison.

— Katy ?

— Lily ?

Silence total à l'intérieur de la maison.

Visite du premier étage au pas de course pendant que Ryan se précipitait à l'extérieur. Retrouvailles dans la cuisine quelques secondes plus tard. Lô y était déjà.

Les discours étaient superflus.

— Où est-ce qu'elles sont, bordel ?

L'angoisse faisait trembler ma voix.

Ryan a posé la main sur mon épaule.

— Tout va bien, j'en suis sûr.

Lô tapait déjà sur le clavier de son cellulaire quand nous est parvenu le son d'une porte en train de coulisser.

Nos trois paires d'yeux se sont rivées sur la salle à manger.

— Pas trop tôt !

Katy avait réussi à prendre un ton à la fois irrité et ravi.

— Où est Lily ? ai-je aboyé.

— J'aimerais bien le savoir ! Je l'ai vue sortir avec un paumé pas trop ragoûtant. Ça m'a inquiétée. Je suis partie à sa recherche. D'abord le centre commercial. Et maintenant ce soir. Encore une fois, et on pourra se dire qu'elle a replongé.

— Tu ne pouvais pas m'appeler ?

— Je l'ai fait. Plein de fois… Oh, merde, ton BlackBerry est au fond de l'eau ! Complètement oublié. Je suis une vraie idiote !

— Ils sont partis depuis longtemps ? a demandé Lô.

— Une demi-heure, peut-être.

— À quoi ressemblait le gars ?

— Qui êtes-vous ?
— Réponds ! ai-je ordonné. C'est un détective.
— Lily est en danger ? Je lui ai bien dit, pourtant, de ne pas quitter la maison !
Dans les yeux de Katy, de la panique.
— À quoi il ressemblait ? a répété Lô.
— Des dreadlocks, des chaînes, l'attirail complet du membre de gang.
Coup d'œil de Lô à Ryan.
— Tu sais où ils sont partis ? ai-je dit en luttant de toutes mes forces pour ne pas montrer mon angoisse.
— Se promener dans un sentier. D'après le gars, la vue est géniale, de là-haut.
— Kaiwa Ridge ! a dit Lô en s'élançant déjà.
— Vous deux, restez ici ! a jeté Ryan en filant à sa suite.
De mon côté, une seule phrase à Katy :
— Tes chaussures, vite !
— Quoi ?
— Fais ce que je te dis !
Elle a dénoué ses lacets pendant que je retirais mes sandales d'un coup de pied.
— Ta veste.
Elle me l'a jetée.
— Tu fermes toutes les portes, tu branches l'alarme, tu t'enfermes dans ta chambre et tu n'en sors plus. Si l'alarme se déclenche, tu appelles immédiatement le 911.
— Mais…
— Il n'y a pas de mais ! On est tous en danger. Ouvre l'œil.
J'étais déjà dehors.
Sur la pelouse et dans la rue, les ombres étirées des maisons et des haies, comme un dessin à l'encre de Chine. Bientôt, l'obscurité serait totale.
Regard à gauche et à droite.
Ryan, à un pâté de maisons d'ici, courant à longues enjambées régulières. Tournant de la rue Mokulua dans

la rue Kaelepulu. Plus loin devant, il y avait Lô, invisible de là où je me trouvais.

J'ai piqué un sprint à travers ces doigts de lumière et d'ombre. Sans avoir aucune idée de l'endroit où Lô se dirigeait. Si jamais je perdais Ryan de vue, j'étais foutue.

J'ai tourné à l'angle. Plus loin, sur la droite, après plusieurs croisements, le Mid-Pacific Country Club. Ryan était en train de virer à gauche juste après l'entrée.

J'ai accéléré et rejoint l'endroit en question. Une allée partait de la route. Je l'ai empruntée.

Devant moi, près d'un passage barré par une chaîne, Ryan était en train de disparaître dans un trou noir au creux de la végétation.

J'ai foncé.

Un étroit sentier se dessinait au-dessus de cette ouverture dans les taillis. Un sentier tout en lacets à flanc de montagne, incroyablement escarpé.

Lily a peut-être besoin de toi !

M'agrippant d'une main à la barrière et de l'autre à une branche, j'ai ancré un pied au sol. Mon but : me hisser sur ce sentier.

Cascade de terre et de cailloux.

Mon pied a dérapé.

J'ai chuté.

La douleur a irradié mon corps entier à partir de ma rotule déjà blessée.

Je me suis relevée. Me suis examinée.

Go !

Progressant d'arbre en arbre, je me hissais vers le sommet.

Cent mètres ? Cent cinquante ? J'avais l'impression d'escalader l'Everest.

Du plat, enfin. Plus aucun arbre, mais des arbustes, des graminés et des rochers de lave.

Loin devant moi, des silhouettes sombres qui se déplaçaient rapidement le long de la crête : Ryan et Lô, encore visibles dans le crépuscule. Mais pour combien de temps ?

Dieu du ciel !

La piste longeait un précipice sans la moindre rambarde. Pas un arbre. Rien à gauche, sinon ce trou béant.

Je me suis arrêtée à bout de souffle, le cœur cognant à tout rompre dans ma poitrine.

Loin en dessous de moi, la baie de Kailua au nord, celle de Waimanalo au sud. Des maisons lilliputiennes. La plage de Lanikai. Les petites îles Mokulua, deux bosses noires minuscules sur une mer traversée de rayures citrouille.

Le vent puissant faisait voler ma veste et mes cheveux. Avec mes semelles en caoutchouc bien trop lisses, difficile de tenir debout sur ces petits cailloux qui roulaient sous les pieds.

Entre le vertige, ce sol instable, mon angoisse pour Lily et les giclées d'adrénaline qui se déversaient dans mon corps, je vivais un enfer.

Je suis repartie. Au pas.

Dix minutes d'un parcours épuisant pour déboucher soudain sur l'autre versant.

Au-dessus de moi, à moins de trente mètres sur la ligne de crête, une forme noire. Carrée. En béton. Une casemate datant de la Seconde Guerre mondiale.

À côté, une silhouette accroupie : Ryan focalisé sur quelque chose. Prêt à bondir.

Sur quoi ? Impossible de le voir, de là où j'étais. Quant à Lô, il n'était nulle part en vue.

Avant tout, évaluer la situation.

La casemate faisait face à la mer. Si quelqu'un se trouvait à l'intérieur, il ne me verrait pas approcher et le bruit du vent couvrirait tous ceux que je pourrais faire.

J'ai avancé pas à pas, posant les pieds très délicatement.

J'étais à moins de trois mètres de Ryan quand il s'est retourné, prêt à l'attaque.

À ma vue, ses yeux se sont écarquillés. Surprise et colère. Ses bras levés se sont relâchés d'un cheveu. De la main, il m'a intimé de venir me cacher derrière lui.

J'ai foncé et me suis accroupie.

Et là, j'ai vu.

Dans l'ombre de la casemate, un garçon étendu par terre, ses dreadlocks formant une auréole tout autour de sa tête. Les serpents de la Méduse. Il avait les yeux fermés, la poitrine apparemment immobile.

J'ai posé mes doigts sur sa gorge. Pas de pulsion.

J'ai recommencé. Ses paupières ont tremblé. Se sont entrouvertes.

J'ai cherché sa main et l'ai serrée. Me suis penchée sur lui. Un râle sortait de sa poitrine.

— Sarah ?… J'ai froid.

À peine audible dans le vent.

Vite, je me suis défait de ma veste pour l'en couvrir. Il a froncé les sourcils, cherchant à comprendre. Ses yeux avaient un regard lointain.

— Il fait si froid. Je gèle.

Il était pris d'un tremblement incontrôlé de tout le corps.

— Tout ira bien. On va te transporter à l'hôpital. Tu es jeune. Tu t'en sortiras.

Je chuchotais, la bouche tout près de son oreille.

— Je vois plus rien, Sarah.

— Tiens bon !

J'ai serré sa main et senti une légère pression en retour.

— Fait tout noir. (À peine un marmonnement.) Sarah, je meurs…

Je tremblais aussi. De froid, de peur ? En tout cas, j'avais la chair de poule.

Il a toussé, expectoré. Sa bouche s'est assombrie. Beaucoup trop.

Je me suis collée contre lui, poitrine contre poitrine, pour lui transmettre ma chaleur.

Seigneur, je vous en supplie !

— J'ai peur.

Ses lèvres étaient juste au niveau de mon oreille.

— Merde. J'veux pas m…

Plus rien.
Interrompu par quoi ? La mort ?
Non ! Non !
Des larmes brûlantes ont jailli de mes yeux.
À côté de moi, j'ai senti Ryan se durcir.
J'ai relevé la tête.
Ai suivi la trajectoire de son regard.
Tous mes muscles se sont rigidifiés.
Un homme était en train de faire sortir Lily de la casemate. Lui enserrant la gorge de ses doigts épais, un pistolet plaqué contre sa tempe.
Pukui ? Forcément ! Décidé à empocher les vingt mille dollars promis.
Ryan était tendu comme un ressort.
Pukui forçait Lily à avancer le long de la casemate vers le côté qui faisait face à la mer. À cet endroit-là, le sentier n'avait pas trente centimètres de large, je le voyais très bien de là où j'étais.
Lily, l'air d'un chien apeuré, le blanc des yeux énorme.
J'ai tendu le cou par-dessus l'épaule de Ryan, terrifiée de voir ce qui allait se passer, terrifiée de ne pas le voir.
Dans l'obscurité, une silhouette pliée en deux s'est subitement matérialisée sur le toit de la casemate, un Glock braqué à deux mains sur Pukui. Lô avançait en tapinois, sans oser baisser les yeux. Tâtant du pied le terrain devant lui. Un pas. Deux pas.
Il était presque arrivé au bord du toit quand Pukui a fait glisser son pistolet sous la mâchoire de Lily, l'obligeant à relever le menton. Elle a crié de douleur.
Lô s'est figé.
Ryan se retenait d'une main au mur en béton.
Pukui a tourné la tête des deux côtés. Et il a hurlé :
— Y a quelqu'un ? Rends-toi service, mon frère, tire-toi d'ici !
Silence.
— *Fuck*, essaie pas de m'avoir, *man* ! (D'une voix qui crachait le venin.)

Les soixante secondes suivantes m'ont paru durer une heure.

Lô s'est immobilisé. A tiré.

Coup de feu et hurlement unis en une seule explosion.

Le haut du corps de Pukui s'est tordu vers la gauche. Le pistolet a jailli de sa main et tournoyé dans l'obscurité.

Lily s'est échappée.

Pukui l'a ramenée en arrière par son capuchon.

Elle est tombée durement sur les fesses, s'est débattue des mains et des pieds.

Ryan a bondi sur Pukui. Un seul coup à hauteur de la pomme d'Adam du tranchant de la main.

Pukui a chancelé en arrière.

Ryan a attrapé sa fille. L'a tirée loin du bord.

Pukui s'est retourné, haletant, le visage réduit au seul trou béant de sa bouche.

Second coup de feu.

Il a fait la toupie, renversé en arrière.

Un geyser de sang a jailli de sa bouche.

Un spasme. Une de ses jambes s'est pliée. Ses hanches ont fait contrepoids.

Ryan n'a pas eu le temps de faire le moindre geste, Pukui avait déjà roulé sur lui-même et basculé dans le gouffre.

Chapitre 40

Haut dans le ciel, la traînée blanche et cotonneuse d'un jet. Plus bas, le doux balancement de la cime des pins loblolly ; au sol, une mer vert clair : le ressac de l'herbe ployant sous la brise chaude.

De la tombe à nos pieds montait une odeur de terre fraîchement retournée. Sur la motte de gazon, les œillets bruns et fanés d'un bouquet de supermarché et, à côté, un petit drapeau américain en berne au bout de son bâton en bois.

L'ancienne pierre tombale avait été retirée. Dans le soleil, sa remplaçante lançait des éclats de lumière rosée. L'inscription, nette et blanche dans le granit, ressemblait à une blessure à vif.

Spécialiste de catégorie 2,
soldat de l'armée américaine
Luis Alvarez
28 février 1948-23 janvier 1968
Mort en héros.

En apprenant que le JPAC n'avait retrouvé personne de sa famille, Platon avait proposé qu'Alvarez soit enterré au cimetière des Jardins de la Foi, faisant valoir que cet emplacement lui revenait de plein droit, qu'il serait plus en paix dans une terre appartenant à une famille précise plutôt que n'importe où. C'est lui qui avait offert la pierre.

Derrière nous, près d'un bosquet de pins plus petit, deux autres pierres tombales projetaient leur ombre sur la pelouse. Avec Katy, nous venions de déposer des fleurs au pied de celle indiquant l'emplacement de la seconde tombe.

John Charles Lowery, dit « l'Araignée »
21 mars 1950-5 mai 2010
Il aimait tous les êtres vivants.

La seconde pierre à se dresser au-dessus de cette pelouse interminable attendait encore son cercueil.

Platon Maximus Lowery
époux aimant d'Harriet Cumbo
père de John et de Thomas Lowery
14 décembre 1928-…

Le shérif Beasley avait raison : Platon Lowery était un homme bien.

Ironie du sort, c'était cette science pour laquelle il éprouvait tant de méfiance et de violence qui avait permis d'innocenter son épouse et conforté sa foi en elle et en la famille qu'il avait fondée. Car Harriet était bel et bien porteuse de chimérisme, comme je l'avais soupçonné.

À ma demande, Reggie Cumbo nous avait fait parvenir les lettres d'Harriet à son fils encore en sa possession. Sur les timbres et les enveloppes, il avait été possible de recueillir des échantillons de salive exploitables et d'en effectuer le séquençage. Cet ADN-là, différent de celui obtenu à partir des lames de microscope conservées à l'hôpital, correspondait effectivement à celui prélevé sur le noyé de l'étang d'Hemmingford. C'était donc bien l'Araignée Lowery.

Finalement la restitution de ces lettres avait peut-être été pour Reggie Cumbo son acte ultime de rachat, car très vite après il avait dû entrer dans une unité de soins.

On connaissait mieux maintenant ses relations avec les Sons of Samoa. Pinky Atoa s'était trompé : si Cumbo avait bien entretenu des rapports étroits avec un gang, il n'en était nullement un OG — un chef fondateur. C'était seulement un vieux bonhomme qui possédait un bar où les SOS aimaient se retrouver.

Assurément, au Savaii, Cumbo fermait les yeux sur certaines pratiques. Peut-être même touchait-il des bénéfices, mais il était peu probable qu'il ait envoyé Kealoha et Faalogo à Hawaï. Apparemment cette idée d'étendre leur commerce aux îles du Pacifique leur était venue toute seule.

En conséquence, Cumbo ne serait sous le coup d'aucune inculpation et il est à croire que nous ne connaîtrions jamais le détail de ses crimes. De toute façon, il n'en avait plus pour longtemps.

Ses raisons pour sortir de l'ombre après tant d'années demeuraient un mystère pour moi. Désir de changer de vie en voyant approcher le terme ? Sorte de réévaluation radicale de ses actes, façon Lee Atwater ? Remords d'avoir tué Xander Lapasa, comme il le prétendait ? Désir d'explorer un nouveau champ d'activité ? Simple curiosité en apprenant qu'il était désigné au nombre des légataires dans le testament de Theresa-Sophia ? Il est probable que nous ne le saurons jamais.

Je n'ai jamais vraiment compris pourquoi il avait interpellé un Nickie Lapasa invisible dans la salle de conférences, car il n'a pas été prouvé qu'ils se soient jamais rencontrés. Peut-être, avant de mourir, tenait-il vraiment à confesser sa faute au frère de sa victime ? À l'en croire, il avait recherché sur Internet des renseignements sur les Lapasa. Ce voyage à Hawaï avait dû lui apparaître comme l'occasion unique de faire la connaissance de Nickie.

Finalement, Nickie Lapasa avait accepté que sa sœur soumette un échantillon d'ADN de sorte que Xander serait bientôt rendu à sa famille, j'en étais convaincue.

Toutefois, je continuais de considérer son refus initial comme ayant été motivé par des considérations suspectes. Il avait été élevé à l'école de son père, quand bien même il ne trempait aujourd'hui dans aucune affaire louche. Quoique… il était possible aussi qu'en tant que témoin privilégié des ennuis du vieil Alexander, il ait pu, lui aussi, entretenir une méfiance à l'égard de la police et du gouvernement.

Hadley Perry avait survécu à l'orage politique suscité par sa décision de fermer la crique d'Halona et régnait à nouveau en maître sur son royaume des morts. Avait-elle eu une aventure avec Ryan ? Je l'ignorais et je ne chercherais jamais à le savoir.

Le garçon abattu à la casemate avait survécu, lui aussi. Il s'appelait Barry Byrd et avait dix-neuf ans. Il jouait du saxo dans un orchestre de jazz tout en poursuivant ses études à l'université avec sa sœur Sarah.

Lily avait fait sa connaissance au centre commercial d'Ala Moana pendant que Katy poireautait, folle de rage. Ils étaient restés en contact, s'étaient téléphoné. C'était lui que Katy avait aperçu, la fameuse nuit, près de la piscine, car Lily et lui s'étaient donné rendez-vous. La balle lui avait arraché un morceau de l'épaule et brisé la clavicule. Il avait perdu beaucoup de sang, mais les secours, arrivés en hélicoptère, l'avaient transporté à temps au Queen's Medical Center. Il en était sorti deux jours plus tard.

En revanche, le corps de Ted Pukui n'avait pas été retrouvé. Peut-être était-il tombé au fond d'une crevasse ou était-il resté coincé entre des rochers. Peut-être avait-il disparu au fond de la mer. D'une certaine manière, cette dernière possibilité aurait été en concordance avec la mort de Kealoha et Faalogo. Revanche poétique pour leur assassinat, en quelque sorte.

T'eo L'il Bud clamait que Pukui avait agi de son propre chef, que lui-même avait été placé devant le fait accompli. Jusque-là la police n'avait rien contre lui, à part des rumeurs. Impossible de l'inculper pour l'agression contre Atoa ou pour les meurtres de Kealoha et Faalogo. Mais Lô et Hung ne désespéraient pas de le coincer un jour.

Tant de trahisons. Tant de secrets. Est-ce ainsi que nous vivons nos vies ? Lily nous avait trompés à propos de ses relations avec Barry Byrd. Reggie avait trompé le monde en usurpant l'identité de John Lowery, puis d'Al Lapasa. L'Araignée avait agi de même en se faisant passer pour Jean Laurier et en dissimulant ses penchants pour l'immersion en scaphandre spécial, pour les petites culottes roses et pour les proctoscopes. Platon avait tenue secrète — et tout fait pour effacer — la douloureuse possibilité que sa famille ne soit pas ce qu'elle prétendait être, même si, rendons-lui justice, il n'avait jamais cru un mot de ces allégations.

Quant à Nickie Lapasa, qui pouvait nommer ses secrets ?

Bien des questions demeuraient.

Katy aussi connaissait le poids des questions à jamais sans réponse, questions personnelles qui l'affectaient profondément.

Pourquoi Coop n'était-il pas parti un jour plus tôt ? Ou plus tard ? Pourquoi s'était-il trouvé sur cette route juste au moment du drame ?

Pourquoi prenons-nous tous les décisions que nous prenons ?

Charlie a téléphoné le jour même de mon retour à Charlotte. J'ai été cordiale, mais sans m'engager. Pourquoi ?

À cause de Ryan ? Si oui, pourquoi est-ce que je m'évertue à dresser une barrière émotionnelle entre nous ?

Et de son côté, pourquoi se sent-il coupable du fait que Lily se drogue ? Quant à elle, pourquoi s'empoisonne-t-elle sciemment en absorbant ces substances ?

J'ai regardé Katy. Elle était en train de déchiffrer l'épitaphe d'Alvarez. Un Alvarez mort à l'âge de vingt ans. Coop, lui, en avait vingt-cinq.

Elle souffrait.

Je le voyais à sa façon de rentrer les épaules, de se mordre la lèvre, de se cacher derrière ses cheveux.

En la regardant, j'ai éprouvé un tel élan d'amour que j'en suis restée tout étourdie. Pour ma fille, j'aurais fait n'importe quoi. J'aurais risqué ma vie pour la protéger.

Hélas, le chagrin était une chose contre quoi j'étais impuissante.

Ryan était retourné à Montréal avec Lily. Ses craintes de la voir retomber dans l'héroïne semblaient infondées. Pour le moment. J'ai souhaité de tout mon cœur que Lily ne touche plus à la drogue.

Lutetia ne serait pas là pour accueillir sa fille. Elle était repartie pour la Nouvelle-Écosse. Autre ironie du sort : c'était le coup de téléphone de Lutetia à Lily qui avait servi de déclencheur, et avait fait fondre les réticences de Katy à l'égard de Lily.

Si leur soudain rapprochement m'avait étonnée, l'explication qu'elle m'en avait donnée m'avait surprise encore plus : « Question de compassion et de maturité ! »

« Lily a grandi sans père, avait enchaîné Katy. Elle est désespérément en quête d'approbation. De la part des hommes, surtout. » En la trouvant en pleurs dans sa chambre, Katy lui avait fait des compliments sur ses chaussures.

Au souvenir de cette conversation, j'ai souri.

Katy s'est retournée. A rabattu ses cheveux derrière ses oreilles.

— Qu'est-ce qui te fait sourire ?

— Je souris sans raison. On prend la route pour Charleston ?

Nous avons suivi le chemin en gravier qui serpentait parmi les pierres tombales et les arbustes taillés avec soin.

— Quelle tristesse ! a dit Katy. Coop. Luis Alvarez. Ce type, Xander. Tous si jeunes et pleins de vie. Morts, maintenant.

Je n'ai pas cherché à l'interrompre. Nous avions déjà parlé maintes fois de tout cela, mais je comprenais combien elle avait besoin de laisser libre cours à ses sentiments.

— Je pense même aux deux gars balancés du haut de Makapu'u Point. Et à ceux qui les ont jetés aux requins.

— C'est pourtant totalement différent. Ceux-là ont fait un choix dans leur vie : celui de faire souffrir autrui et de se mettre eux-mêmes en danger. Ils méritent à peine la pitié.

Le visage de Katy s'est assombri.

— À un certain niveau, il y a quand même quelque chose de commun entre eux tous : le fait d'avoir pris des décisions qui les ont conduits à la mort.

— Je ne trouve pas ça juste de mettre sur un pied d'égalité des soldats, des policiers ou des pompiers, et des gens qui font le mal délibérément, qui se mettent en danger pour leur seul bénéfice.

— Bien sûr, et ce n'est pas ce que je dis. Les soldats comme Luis Alvarez sont des héros altruistes ; les petits salauds comme Kealoha et Faalogo de purs égoïstes.

— Je ne suis pas sûre de comprendre ce que tu veux dire.

— Je ne sais pas, a répondu Katy en soupirant. Je me demande pourquoi certaines personnes prennent des risques pour accomplir de grandes choses et d'autres uniquement pour faire le mal.

— Et aussi pourquoi, des deux côtés, il y en a qui meurent et d'autres qui survivent.

— Oui, ça aussi.

— Les hommes s'interrogent sur ces sujets depuis qu'ils ont commencé à dessiner sur les murs des cavernes.

Je me suis dit dans un coin de ma tête qu'il faudrait que je lui donne à lire *Le Pont de San Luis Rey*.

En franchissant les grandes grilles en fer forgé du cimetière, je me suis retournée pour jeter un dernier regard à la tombe de John Lowery.

Quelle toile d'araignée aviez-vous tissée tous les deux, Reggie et toi ! Tant de chagrin et de tromperie. Tant de personnes prises dans tous ces fils.

Aloha, l'Araignée.

Gracias, Luis.

Puissiez-vous trouver la paix ici, Platon.

Ma Mazda était garée au même endroit que le jour de l'exhumation.

— À toi de jouer, la dure à cuire ! Montre-nous ce que tu sais faire.

— Prête pour les prolongations ! a répliqué Katy.

Avec un sourire. Pas vraiment radieux.

— Cette chose que Coop t'a laissée, c'est quoi, à ton avis ?

— Aucune idée.

— Eh bien, on ne va plus tarder à le savoir.

EXTRAITS DES DOSSIERS DU Dr KATHY REICHS

Jusqu'à ce qu'ils soient rentrés au pays

Le JPAC, Groupe unifié de recherches intensives sur les soldats prisonniers de guerre ou morts au combat, a pour mission de localiser les Américains retenus prisonniers et de récupérer ceux qui sont tombés au cours d'un conflit. Le JPAC est né en 2003 de la fusion du Laboratoire central d'identification d'Hawaï, le CILHI, et du détachement spécial chargé des recherches militaires, le JTF-FA. À l'heure actuelle, le gouvernement des États-Unis ne détient aucune preuve tangible qu'un Américain fait prisonnier au cours d'une guerre quelconque soit encore retenu en captivité. En conséquence, le JPAC concentre son activité sur l'investigation des pistes pouvant déboucher sur la découverte de restes, sur leur recherche et leur identification.

En moyenne, le JPAC identifie six individus par mois. Ce processus, d'une grande complexité, exige une connaissance approfondie de la médecine légale, mais requiert également quantité d'examens et de contre-examens.

C'est dans ce domaine qu'il m'est arrivé d'intervenir. Je l'ai fait en qualité de conseillère externe, à l'époque du CILHI. Mes fonctions consistaient à analyser les dossiers de marines et de soldats des forces terrestres, aériennes et navales ayant déjà fait l'objet d'une identification positive. Dans ce but, je devais me rendre deux fois par an au laboratoire d'Honolulu et assister à la séance d'information et à la réunion générale de coordination des travaux.

Hawaï au beau milieu de l'hiver, pas toujours facile d'obtenir une décharge de l'université de Caroline du Nord, section Charlotte, où j'enseignais à plein temps.

Les militaires affectionnent les lettres de l'alphabet, comme Ryan s'en plaint à Tempe en ironisant sur les potages pour enfants. Au CILHI, je disposais d'un glossaire de sigles plus épais que mon bras. KIA/BNR : tué au combat, corps non récupéré ; DADCAP : patrouille aérienne spécialisée dans les combats à l'aube et au crépuscule ; AACP : poste de commandement aéroporté avancé ; TRF : émis par fréquence radio, mais aussi : hangar de réparations réservé aux Trident. Bref, vous voyez le topo ; même si dans certains cas le contexte vous vient en aide, évidemment. Très vite, les civils comme moi ne rêvent plus que de joindre les rangs de l'AAAAAA : l'Association pour l'abolition de l'abus des abréviations et des acronymes asiniens.

Dans ce roman, j'ai tenté de lever un coin du voile sur certaines activités du JPAC. Il en existe bien d'autres que je n'ai pas décrites : notamment, les négociations constantes avec des gouvernements du monde entier et le travail de liaison avec toutes sortes d'organismes américains pour arriver, au cours de l'enquête, à remonter toutes les pistes qui permettront de retrouver et de ramener au pays des Américains tombés pour la patrie.

Tous les ans, les équipes de récupération du JPAC parcourent des milliers de kilomètres à cheval, en bateau, en train ou en hélicoptère, à seule fin de récupérer les corps de soldats américains portés disparus. Il peut s'agir aussi bien d'hommes tombés au cours de la Seconde Guerre mondiale ou de la guerre de Corée que pendant la guerre froide ou la guerre en Asie du Sud-Est. Pour mener à bien leur mission, ces spécialistes doivent se tailler à la machette un chemin dans la jungle, escalader en rappel des parois vertigineuses, endosser des scaphandres pour explorer des fosses marines, se faire déposer sur des sommets inaccessibles. Et tout cela en trimbalant un matériel de survie et d'excavation aussi lourd qu'eux-mêmes. En comparaison, mon travail au CILHI était une agréable promenade dans un parc. Physiquement, tout du moins. Sur le plan émotionnel, c'était passionnant.

À travers le personnage de Tempe, j'ai tenté de restituer les sentiments qui étaient les miens à l'époque où j'examinais les dossiers de tous ces disparus morts il y a si longtemps et si loin de chez eux. Des cas auxquels les photographies, les lettres personnelles, les dossiers médicaux, tout comme les cartes d'état-major et quantité de récits sur l'histoire des différentes unités donnaient une réalité difficile à supporter.

Cela dit, mes séjours à Hawaï n'avaient rien de triste. En dehors de mon travail, je passais du bon temps avec mes collègues. Que de plongeons dans les rouleaux de Waikiki avec Hugh Berryman et P. Willey, à rire comme des enfants ! Et ce trajet en voiture avec Jack Kenney où il a grillé tant de feux rouges qu'il en a reçu le surnom de Red Light ; ou le jour où Mike Finnegan et l'équipe se sont fait passer pour mon agent littéraire et mes gardes du corps lors d'une séance de signature ! Ces liens, forgés dans le travail et l'amusement, dureront à tout jamais.

Le JPAC n'a pas toujours été tel que je le décris dans *La trace de l'Araignée*. Au début des années 1990, quand le QG a été transféré sur la base aérienne de Hickam, il ne regroupait qu'une poignée d'anthropologues. Aujourd'hui ils sont près d'une trentaine.

Et le champ d'activité du JPAC s'est élargi. En 2008, sous les auspices du DOD, le Département de la défense — ouais, ça existe encore ! —, le CIL a ouvert sa propre académie des sciences légales où un cours supérieur d'anthropologie est enseigné. Depuis 2009, un navire de surveillance hydrographique, le *USNS Bruce C. Heezen*, conduit des opérations de recherches dans les eaux territoriales du Vietnam — une première dans l'Histoire, et qui démontre combien la coopération entre le JPAC et le gouvernement vietnamien s'est renforcée.

Des changements étaient en passe de se réaliser au moment même où *La trace de l'Araignée* était sous presse. Le 29 janvier 2010, l'amiral de réserve Donna L. Crisp a passé le commandement du JPAC au général en chef Stephen Tom. Un sacré boulot pour toute la maison d'édition que d'incorporer au texte cette information de dernière minute !

La mission du JPAC est énorme. À la fin de la Seconde Guerre mondiale, les corps de près de soixante-dix-huit mille soldats américains n'ont pas été rapatriés d'Europe ; huit mille cent sont restés en Corée ; cent vingt personnes ont péri au cours de la guerre froide, et mille huit cents soldats ne sont pas revenus du Vietnam. Mais le JPAC continue inlassablement à interroger des témoins, à mener des recherches, à creuser, analyser, mesurer.

Dans le hall du QG du JPAC, une plaque commémorative porte en épitaphe la même phrase que celle inscrite sur les drapeaux des soldats tués au front ou portés disparus : *Ne les oublions pas.* En dessous, sur de petites plaques en cuivre, sont indiqués les noms de tous ceux qui ont été identifiés depuis 1973. Un grand nombre de gens, heureusement.

En exergue de ce livre, j'ai placé la devise du JPAC : *Jusqu'à ce qu'ils soient rentrés au pays.*

C'est sur cette phrase que s'achèvent toutes les réunions et les cérémonies organisées au JPAC.

En 2009, soixante-neuf missions de récupération ont été conduites sur les territoires de seize pays. Les scientifiques du JPAC ont identifié les restes de quatre-vingt-quinze personnes, hommes et femmes.

Et bien d'autres seront encore identifiés.
Jusqu'à ce qu'ils soient rentrés au pays.
Pour plus ample information sur le JPAC, rendez-vous sur son site Internet : www.jpac.pacom.mil.
Pour obtenir des renseignements plus précis sur un Américain porté disparu, écrivez :

À l'armée :
Department of the Army
U.S. Army Human Resources Command
Attn : AHRC-PDC-R
200 Stovall Street
Alexandria, VA 22332-0482
Tél. : 800-892-2490

Au QG des marines :
Headquarters U.S. Marine Corps
Manpower and Reserve Affairs (MRA)
Personal and Family Readiness Division
3280 Russell Road
Quantico, VA 22134-5103
Tél. : 800-847-1597

À la marine :
Department of the Navy
Casualty Assistance Division (OPNAV N135C)
POW/MIA Branch
5720 Integrity Drive
Millington, TN 38055-6210
Tél. : 800-443-9298

À l'armée de l'air :
Department of the Air Force
HQ Air Force/Mortuary Affairs
116 Purple Heart Drive
Dover Air Force Base, DE 19902
Tél. : 800-531-5803

Au Département d'État :
Department of State
U.S. Department of State
CA/OCS/ACS/EAP/SA29
2201 C Street NW
Washington, DC 20520-2818
Tél. : 202-647-5470

Remerciements

Collègues, amis et membres de ma famille m'ont apporté une aide et un soutien considérables lors de l'écriture de *La trace de l'Araignée*.

Parmi les premiers, je tiens à remercier les membres du JPAC (Groupe unifié de recherches intensives sur les soldats prisonniers de guerre ou morts au combat) et du CIL (Laboratoire central d'identification). Notamment : Robert Mann, Ph.D., D. ABFA, directeur du Forensic Science Academy, qui a répondu patiemment à mes milliers de questions, parfois même par texto, du fin fond de l'Asie du Sud-Est ; William R. Belcher, Ph.D., D. ABFA, responsable du département d'anthropologie judiciaire, et Wayne Perry, lieutenant-colonel de la US Air Force, directeur chargé des affaires publiques, qui m'ont fait faire le tour complet des services et m'ont permis ainsi de clarifier mes idées. Andretta Schellinger, archiviste à la section J-2, m'a expliqué en détail la méthode utilisée pour traiter les renseignements récoltés et Audrey Meehan, spécialiste en ADN, m'a éclairée sur la façon dont le JPAC réglait les questions d'ADN.

Je remercie Thomas D. Hollande, Ph.D., D. ABFA, directeur scientifique au Laboratoire central d'identification, pour ne pas s'être offusqué quand je piétinais ses plates-bandes tant sur le plan professionnel que sur le plan littéraire.

Je dois également une fière chandelle au docteur en médecine Kanthi De Alwis, ancien médecin examinateur en chef de la ville et du comté d'Honolulu, ainsi qu'à Pamela A. Cadiente, enquêtrice, pour les précisions fournies sur les particularités propres à Hawaï dans les investigations en cas de mort d'homme.

Alain Saint-Marseille, agent de liaison au Bureau du coroner, module des scènes de crime à la SQ (Sûreté du Québec), division de l'identité judiciaire, service de la criminalistique ; Mike Dulaney, détective à l'unité des homicides de la police de Calgary ; Harold (Chuck) Henson, sergent dans la police de Charlotte-Mecklenburg, m'ont tous trois prodigué une foule d'explications sur les forces de l'ordre et la façon de mener les enquêtes.

Mike Warns a répondu à plusieurs questions bizarres. Frank et Julie Saul, de même que Ken Kennedy, Tony Falsetti et David Sweet, m'ont apporté eux aussi de nombreuses précisions sur les incrustations dentaires en or.

J'ai trouvé dans le manuscrit de Miles Davis *In the Belly of the Lizard* (« Dans le ventre du lézard ») des données importantes qui m'ont permis de mieux appréhender le rôle des États-Unis dans la guerre du Vietnam.

Je remercie Philip L. Dubois, recteur de l'université de Caroline du Nord, section de Charlotte, pour son soutien sans faille.

Enfin, je suis très reconnaissante à ma famille pour sa patience et sa compréhension. Mention spéciale à Paul Reichs pour ses commentaires sur le manuscrit et ses souvenirs personnels du Vietnam.

Mes plus grands remerciements à mon agent, Jennifer Rudolph Walsh, et à mes éditrices, Nan Graham et Susan Sandon, des virtuoses tout simplement.

Enfin, je tiens à mentionner tous ceux qui ont œuvré pour moi, notamment : Katherine Monaghan, Paul Whitlatch, Rex Bonomelli, Simon Littlewood, Gillian Holmes, Rob Waddington, Glenn O'Neill, Briton Schey, Margaret Riley, Tracy Fisher, Michelle Feehan, Cathryn

Summerhayes et Raffaella De Angelis. Je dois beaucoup aussi à l'équipe canadienne, particulièrement à Kevin Hanson et Amy Cormier.

Et, naturellement, j'exprime toute ma gratitude à mes lecteurs. Des tonnes de mercis à vous tous pour vos courriels, vos visites à mon site Web, votre présence aux séances de signature, déjeuners d'auteur, salons du livre et tant d'autres manifestations. Surtout, merci de lire mes livres. Je sais combien votre temps est précieux. Je suis très flattée que vous choisissiez d'en passer une partie en ma compagnie et celle de Tempe.

Si j'ai oublié quelqu'un dans ces remerciements, j'en suis profondément désolée. Et si ce livre contient des erreurs, sachez qu'elles sont toutes de mon fait.

Québec, Canada